미니모의고사

사회탐구영역 | **한국지리**

이 책의 **구성과 특징**

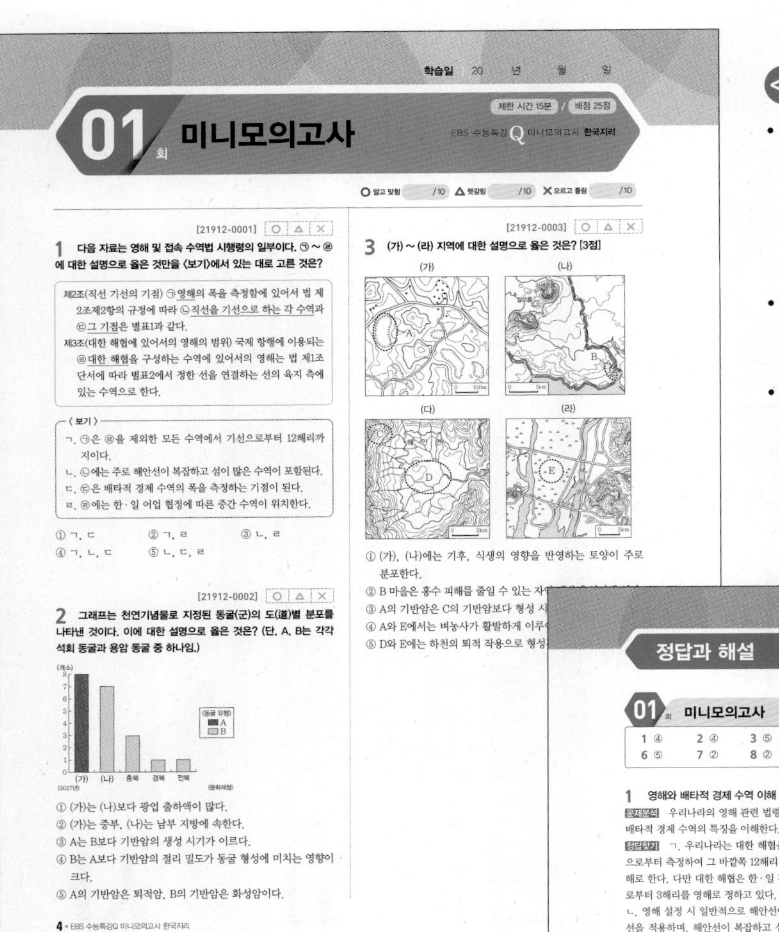
학습일 20 년 월 일

01회 미니모의고사

제한 시간 15분 / 배점 25점

EBS 수능특강 Q 미니모의고사 한국지리

○ 알고 맞힘 /10 △ 헷갈림 /10 ✕ 모르고 틀림 /10

[21912-0001]

1 다음 자료는 영해 및 접속 수역법 시행령의 일부이다. ㉠~㉣에 대한 설명으로 옳은 것만을 <보기>에서 있는 대로 고른 것은?

제2조(직선 기선의 기점) ㉠영해의 폭을 측정함에 있어서 법 제2조제2항의 규정에 따라 ㉡직선을 기선으로 하는 각 수역과 ㉢그 기점은 별표1과 같다.
제3조(대한 해협에 있어서의 영해의 범위) 국제 항행에 이용되는 ㉣대한 해협을 구성하는 수역에 있어서의 영해는 법 제1조 단서에 따라 별표2에서 정한 선을 연결하는 선의 육지 측에 있는 수역으로 한다.

<보기>
ㄱ. ㉠은 ㉣을 제외한 모든 수역에서 기선으로부터 12해리까지이다.
ㄴ. ㉡에는 주로 해안선이 복잡하고 섬이 많은 수역이 포함된다.
ㄷ. ㉢은 배타적 경제 수역의 폭을 측정하는 기점이 된다.
ㄹ. ㉣에는 한·일 어업 협정에 따른 중간 수역이 위치한다.

① ㄱ, ㄷ ② ㄱ, ㄹ ③ ㄴ, ㄹ
④ ㄱ, ㄴ, ㄷ ⑤ ㄴ, ㄷ, ㄹ

[21912-0002]

2 그래프는 천연기념물로 지정된 동굴(군)의 도(道)별 분포를 나타낸 것이다. 이에 대한 설명으로 옳은 것은? (단, A, B는 각각 석회 동굴과 용암 동굴 중 하나임.)

① (가)는 (나)보다 광업 출하액이 많다.
② (가)는 중부, (나)는 남부 지방에 속한다.
③ A는 B보다 기반암의 생성 시기가 이르다.
④ B는 A보다 기반암의 절리 밀도가 동굴 형성에 미치는 영향이 크다.
⑤ A의 기반암은 퇴적암, B의 기반암은 화성암이다.

[21912-0003]

3 (가)~(라) 지역에 대한 설명으로 옳은 것은? [3점]

① (가), (나)에는 기후, 식생의 영향을 반영하는 토양이 주로 분포한다.
② B 마을은 홍수 피해를 줄일 수 있는 자
③ A의 기반암은 C의 기반암보다 형성 시
④ A와 E에서는 벼농사가 활발하게 이루어
⑤ D와 E에는 하천의 퇴적 작용으로 형성

4 • EBS 수능특강Q 미니모의고사 한국지리

- 한국교육과정평가원이 감수한 과년도 EBS 수능 연계교재의 우수 문항을 선제하여 미니모의고사 형태로 구성하였습니다.
- 제한 시간 내에 문제를 푸는 연습을 통해 실전에 대비할 수 있습니다.
- 문항에 따라 배점이 다릅니다. 3점 문항에는 점수가 표시되어 있고, 점수 표시가 없는 문항은 모두 2점입니다.

정답과 해설

EBS 수능특강 Q 미니모의고사 한국지리

01회 미니모의고사 본문 4~6쪽

1 ④	2 ④	3 ⑤	4 ②	5 ⑤
6 ⑤	7 ②	8 ②	9 ③	10 ③

1 영해와 배타적 경제 수역 이해

문제분석 우리나라의 영해 관련 법령을 토대로 우리나라의 영해와 배타적 경제 수역의 특징을 이해한다.

정답찾기 ㄱ. 우리나라는 대한 해협을 제외한 모든 수역에서 기선으로부터 측정하여 그 바깥쪽 12해리의 선까지에 이르는 수역을 영해로 한다. 다만 대한 해협은 한·일 간 거리가 가까워 직선 기선으로부터 3해리를 영해로 정하고 있다.
ㄴ. 영해 설정 시 일반적으로 해안선이 단조로운 경우에는 통상 기선을 적용하며, 해안선이 복잡하고 섬이 많은 경우에는 직선 기선을 적용한다.
ㄷ. 배타적 경제 수역은 영해 기선으로부터 그 바깥쪽 200해리의 선까지에 이르는 수역 중 영해를 제외한 수역이다. 따라서 직선 기선의 기점은 영해뿐만 아니라 배타적 경제 수역의 폭을 측정하는 기점이기도 하다.

오답피하기 ㄹ. 우리나라와 일본이 배타적 경제 수역으로 200해리를 설정하면 그 해역이 서로 중첩되기 때문에 우리나라는 1998년에 일본과 한·일 어업 협정을 체결하고, 양국이 어업 자원에 대하여 공동으로 보존·관리하는 한·일 중간 수역을 독도 근해와 제주도 남쪽 해역에 설정하였다. 대한 해협에는 한·일 중간 수역이 설정되어 있지 않다.

2 용암 동굴과 석회 동굴의 특징 이해

문제분석 B는 충북에 3개소, 경북과 전북에 각 1개소가 천연기념물로 지정된 동굴이다. 이들 지역은 옥천 습곡대가 지나는 지역으로 고생대 조선 누층군의 석회암이 분포한다. 따라서 B는 석회암 지대에 발달한 석회 동굴이며, (나)는 강원도이다. 석회 동굴 외에 자연 상태에서 큰 규모로 발달하는 동굴로는 용암 동굴이 있다. 따라서 A는 용암 동굴이며, (가)는 제주도이다.

정답찾기 ④ 석회암에 절리가 많으면 빗물과 지하수가 잘 스며들기 때문에 용식 작용에 의해 석회 동굴이 잘 발달할 수 있는 조건이 된다. 따라서 기반암의 절리 밀도가 동굴 형성에 영향을 미치는 동굴은 석회 동굴이다. 용암 동굴은 기반암의 절리 밀도와 관계없이 점성이 작은 용암이 흘러내릴 때 용암의 표층부와 하층부 간 냉각 속도의 차이에 의해 형성된다.

오답피하기 ① 조선 누층군의 석회암과 평안 누층군의 무연탄이 많이 매장되어 있는 강원도는 우리나라의 대표적인 광업 발달 지역이다. 따라서 강원도가 제주도보다 광업 출하액이 많다.
② 제주도는 남부 지방, 강원도는 중부 지방에 속한다.
③ 석회 동굴의 기반암은 주로 고생대 초기에 얕고 따뜻한 바다에서 퇴적된 석회암이며, 용암 동굴의 기반암은 신생대의 화산 활동으로 형성된 현무암이 대부분이다. 따라서 석회 동굴이 용암 동굴보다 기반암의 생성 시기가 이르다.
⑤ 화산 활동으로 형성된 용암 동굴의 기반암은 화성암이며, 석회 동굴의 기반암은 퇴적암이다.

3 카르스트 지형과 화산 지형, 침식 분지와 삼각주의 이해

문제분석 (가)는 기반암이 석회암인 곳에서 나타나는 카르스트 지형, (나)는 제주도의 화산 지형, (다)는 침식 분지, (라)는 낙동강 하구의 삼각주이다.

정답찾기 ⑤ 침식 분지의 하천이 합류하는 지역과 삼각주에는 모두 하천에 의한 퇴적 작용으로 형성된 충적층이 분포한다.

오답피하기 ① (가)에는 석회암 풍화토, (나)에는 현무암 풍화토가 주로 분포하는데, 두 토양은 모두 기반암의 성질이 많이 반영된 간대 토양이다.
② 제주도 해안에 위치한 B 마을은 용천대를 따라 분포하는 것으로 보아 용수 확보와 관련이 있다. 홍수 피해가 많은 범람원의 경우 상대적으로 침수 위험이 낮은 자연 제방에 마을이 입지한다.
③ A의 기반암은 석회암으로 고생대에 형성되었고, 침식 분지의 배후 산지인 C의 기반암은 변성암으로 시·원생대에 형성되었다. 따라서 C의 변성암이 A의 석회암보다 형성 시기가 이르다.
④ A는 배수가 양호하여 밭농사가 발달한다. E는 주로 점토 퇴적물로 이루어져 벼농사가 이루어지며, 대도시인 부산의 주변 지역에 위치하여 시설 농업이 활발하다.

4 지역별 기후 차이 비교

문제분석 지도의 세 지역은 인천, 대관령, 울릉도이고, 이 세 지역의 겨울철 강수량은 A>B>C 순으로 많다. 따라서 겨울철 강수량이 가장 많은 A는 울릉도, 그다음으로 많은 B는 대관령, 가장 적은 C는 인천이다. 이를 토대로 (가)~(다)의 기후 지표가 무엇인지 파악한다. 선지에 제시되어 있는 기후 지표는 기온의 연교차, 여름철 강수량, 최난월 평균 기온이다.

정답찾기 ② (가)는 인천>대관령>울릉도 순으로 수치가 높다. 이는 기온의 연교차이다. 울릉도는 동해상에 위치하여 기온의 연교차가 가장 작다. 동해의 영향을 받는 지역이 황해의 영향을 받는 지역에 비해 기온의 연교차가 작다. 대관령은 해안에 위치한 것은 아니지만 비교적 동해안에 가까이 위치하므로 서해안에 위치한 인천에 비해 기온의 연교차가 작다. (나)는 인천>울릉도>대관령 순으로 수치가 높다. 이는 최난월 평균 기온이다. 최난월 평균 기온은 서해안에 위치한 인천이 가장 높고, 해발 고도가 높은 대관령이 가장 낮다. (다)는 대관령>인천>울릉도 순으로 수치가 높다. 이는 여름철 강수량이다. 대관령은 우리나라의 대표적인 다우지로 여름철 강수량이 많다. 울릉도는 해양의 영향을 크게 받아 강수량이 계절별로 고르게 분포하므로 여름철에 강수량이 집중하는 인천에 비해 여름철 강수량이 적다. 따라서 (가)는 기온의 연교차, (나)는 최난월 평균 기온, (다)는 여름철 강수량의 연결이 옳다.

정답과 해설 • 53

학습자 스스로 문제의 핵심을 파악할 수 있도록 명확한 해설을 제공합니다. 잘 풀리지 않는 문제는 해설을 통해 확실히 이해할 수 있습니다.

이 책의 **차례**

※ 미니모의고사 학습 계획을 세우고 매일 실천해 보세요!
※ 풀이 시간과 틀린 문항을 정리해 복습에 활용하세요!

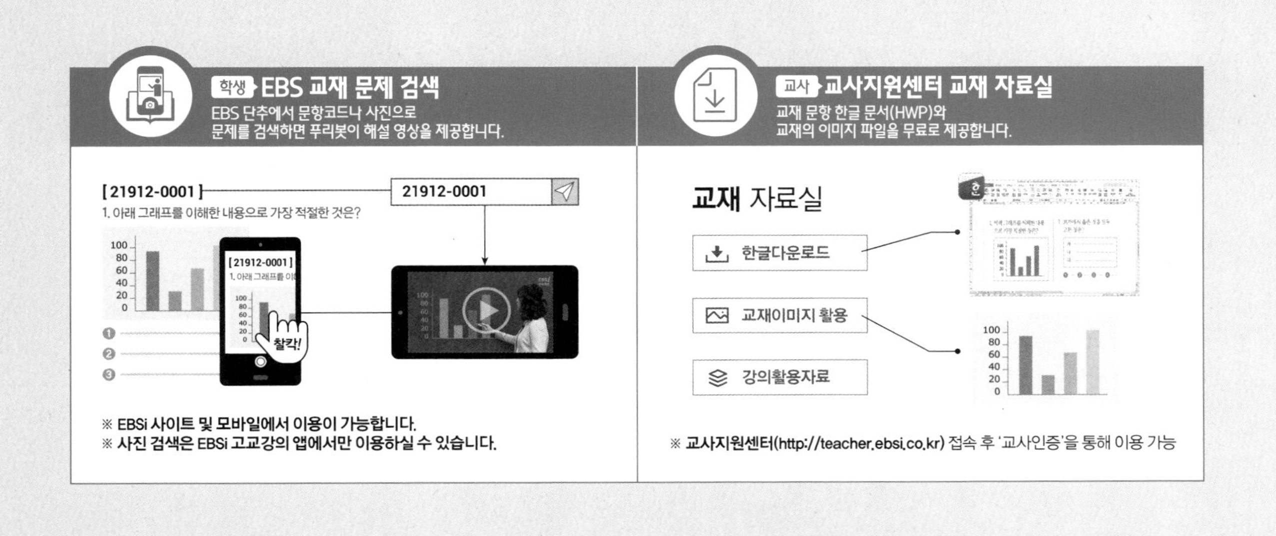

01회 미니모의고사

제한 시간 15분 / 배점 25점

EBS 수능특강 Q 미니모의고사 한국지리

○ 알고 맞힘 /10 △ 헷갈림 /10 ✕ 모르고 틀림 /10

[21912-0001] ○ △ ✕

1 다음 자료는 영해 및 접속 수역법 시행령의 일부이다. ㉠ ~ ㉣에 대한 설명으로 옳은 것만을 〈보기〉에서 있는 대로 고른 것은?

제2조(직선 기선의 기점) ㉠영해의 폭을 측정함에 있어서 법 제2조제2항의 규정에 따라 ㉡직선을 기선으로 하는 각 수역과 ㉢그 기점은 별표1과 같다.
제3조(대한 해협에 있어서의 영해의 범위) 국제 항행에 이용되는 ㉣대한 해협을 구성하는 수역에 있어서의 영해는 법 제1조 단서에 따라 별표2에서 정한 선을 연결하는 선의 육지 측에 있는 수역으로 한다.

〈 보기 〉
ㄱ. ㉠은 ㉣을 제외한 모든 수역에서 기선으로부터 12해리까지이다.
ㄴ. ㉡에는 주로 해안선이 복잡하고 섬이 많은 수역이 포함된다.
ㄷ. ㉢은 배타적 경제 수역의 폭을 측정하는 기점이 된다.
ㄹ. ㉣에는 한·일 어업 협정에 따른 중간 수역이 위치한다.

① ㄱ, ㄷ ② ㄱ, ㄹ ③ ㄴ, ㄹ
④ ㄱ, ㄴ, ㄷ ⑤ ㄴ, ㄷ, ㄹ

2 그래프는 천연기념물로 지정된 동굴(군)의 도(道)별 분포를 나타낸 것이다. 이에 대한 설명으로 옳은 것은? (단, A, B는 각각 석회 동굴과 용암 동굴 중 하나임.)

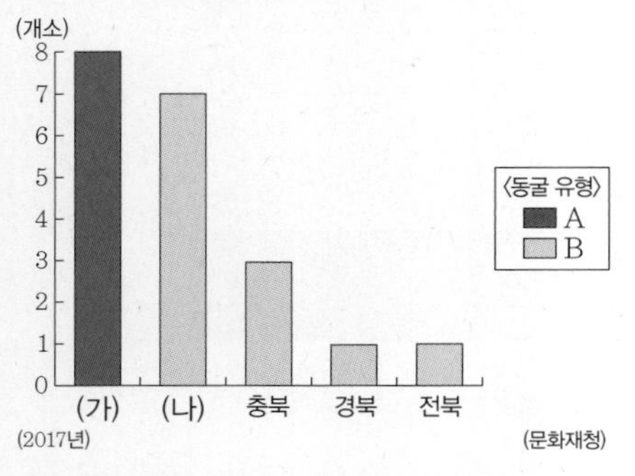

① (가)는 (나)보다 광업 출하액이 많다.
② (가)는 중부, (나)는 남부 지방에 속한다.
③ A는 B보다 기반암의 생성 시기가 이르다.
④ B는 A보다 기반암의 절리 밀도가 동굴 형성에 미치는 영향이 크다.
⑤ A의 기반암은 퇴적암, B의 기반암은 화성암이다.

[21912-0003] ○ △ ✕

3 (가) ~ (라) 지역에 대한 설명으로 옳은 것은? [3점]

(가)

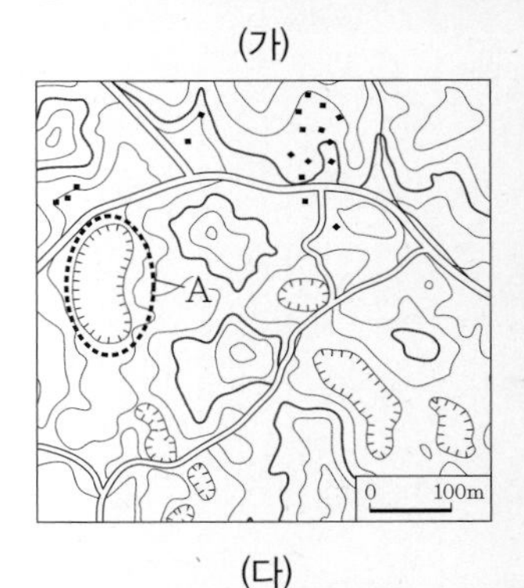

(나)

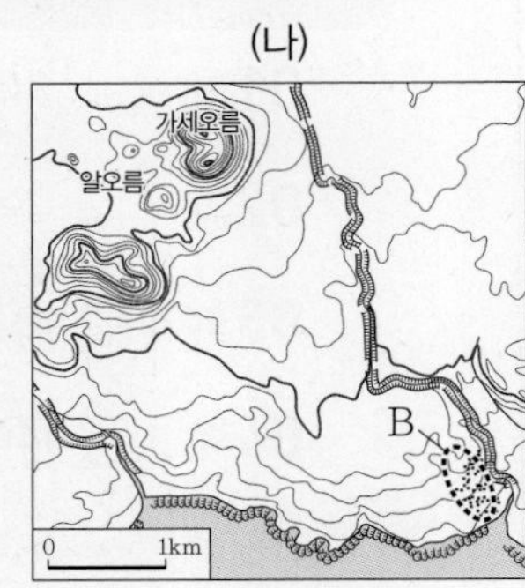

(다)

C
해 안 면
700
500
D
0 2km

(라)

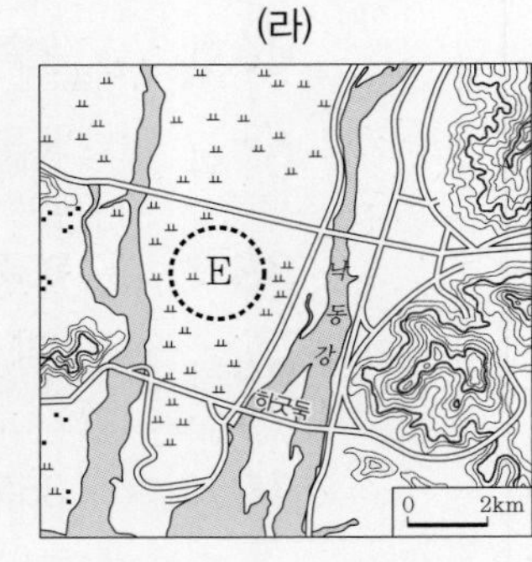

① (가), (나)에는 기후, 식생의 영향을 반영하는 토양이 주로 분포한다.
② B 마을은 홍수 피해를 줄일 수 있는 자연 제방에 입지해 있다.
③ A의 기반암은 C의 기반암보다 형성 시기가 이르다.
④ A와 E에서는 벼농사가 활발하게 이루어진다.
⑤ D와 E에는 하천의 퇴적 작용으로 형성된 충적층이 분포한다.

[21912-0004] ○ △ ×

4 **그래프는 지도에 표시된 세 지점의 겨울철 강수량을 나타낸 것이다. (가) ~ (다)의 기후 지표로 옳은 것은? (단, 그래프의 수치는 세 지점 중 가장 높은 지점의 값을 1로 한 상댓값임.) [3점]**

〈겨울철 강수량〉

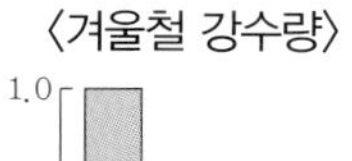

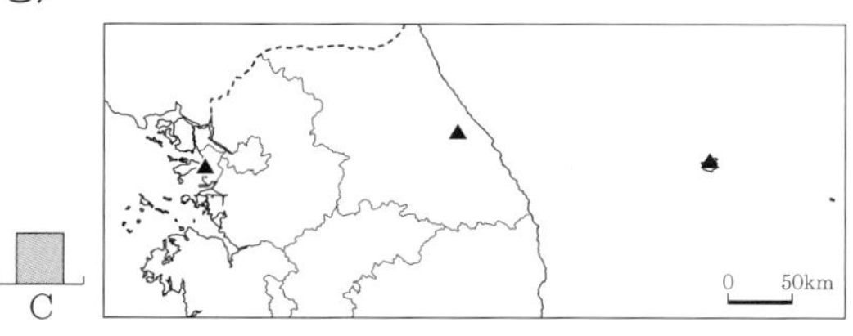

(가)

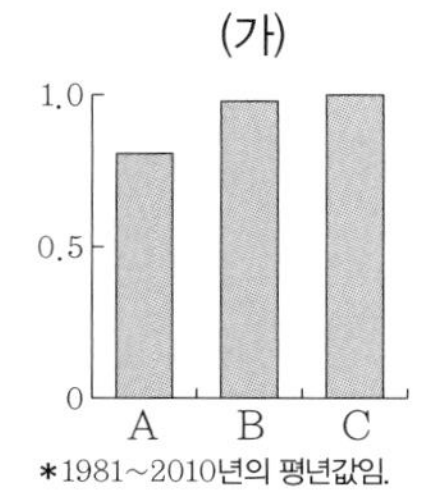

(나)

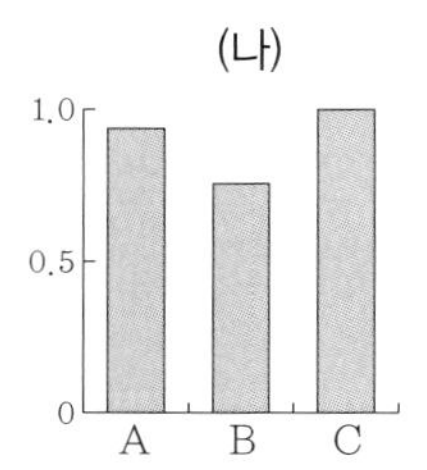

(다)

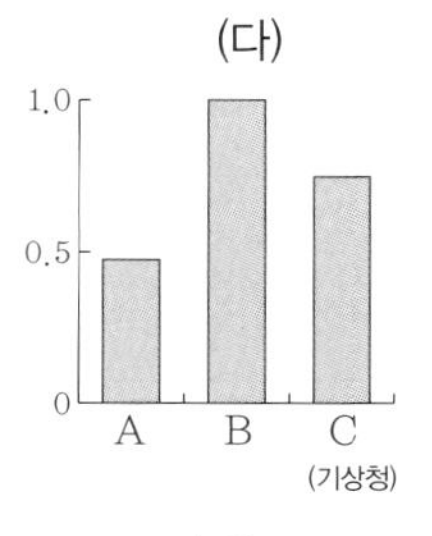

*1981~2010년의 평년값임. (기상청)

	(가)	(나)	(다)
①	기온의 연교차	여름철 강수량	최난월 평균 기온
②	기온의 연교차	최난월 평균 기온	여름철 강수량
③	여름철 강수량	기온의 연교차	최난월 평균 기온
④	여름철 강수량	최난월 평균 기온	기온의 연교차
⑤	최난월 평균 기온	기온의 연교차	여름철 강수량

[21912-0005] ○ △ ×

5 **다음 자료에 대한 설명으로 옳은 것은? (단, (가) ~ (다)는 각각 강원, 경북, 전북, A ~ C는 각각 과수, 맥류, 채소 중 하나임.) [3점]**

〈도별 경작 가능 면적과 작물 재배 면적〉

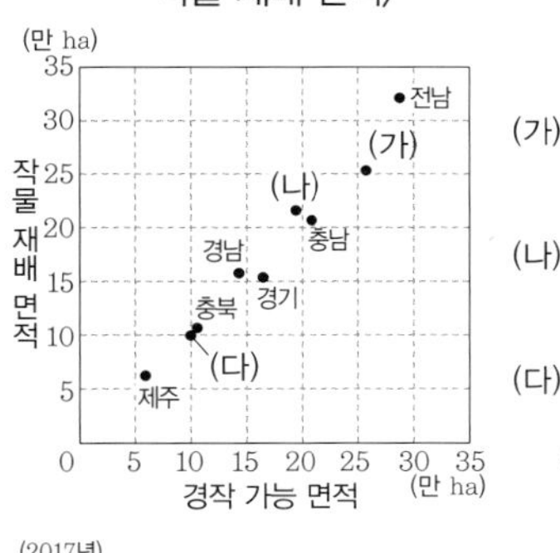

(2017년)

〈(가)~(다) 도의 작물별 재배 면적 비중〉

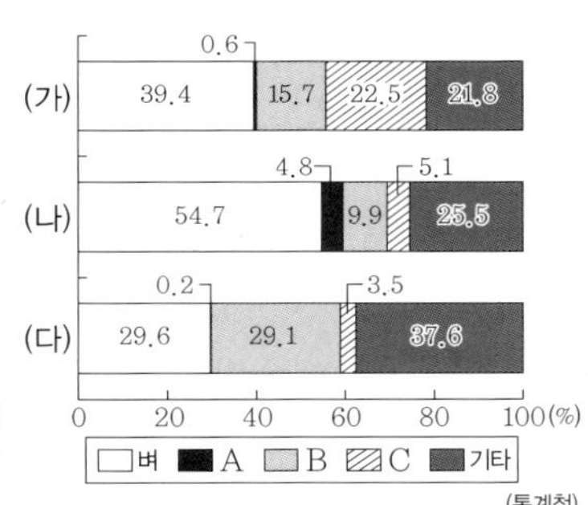

(통계청)

① 경기는 전남보다 경지 이용률이 높다.

② (가)는 (나)보다 도내 맥류 재배 면적 비중이 높다.

③ (다)는 (가)보다 채소 재배 면적이 넓다.

④ (다)에서 B는 대부분 시설 농업 방식으로 재배된다.

⑤ A는 C보다 벼의 그루갈이 작물로 재배되는 경우가 많다.

[21912-0006] ○ △ ×

6 **다음 글에서 설명하는 (가) ~ (다)의 분포도를 A ~ C에서 고른 것은?**

> (가) 전통문화를 보존하고 자연을 보전하면서 느림의 철학을 체험할 수 있는 마을로, 지역의 정체성을 유지하면서 관광 산업의 발전을 통해 지역 경제를 활성화한다.
> (나) 외국인 투자 기업의 경영 환경과 생활 여건을 개선하고 각종 규제 완화를 통한 기업의 경제 활동 자율성을 보장하여 외국인 투자를 적극적으로 유치하기 위해 지정된 구역이다.
> (다) 공공 기관의 지방 이전을 계기로 지방의 성장 거점에 조성되는 미래형 도시로, 공공 기관 청사 및 이와 관련된 기업, 학교, 연구소 등이 함께 입지한다.

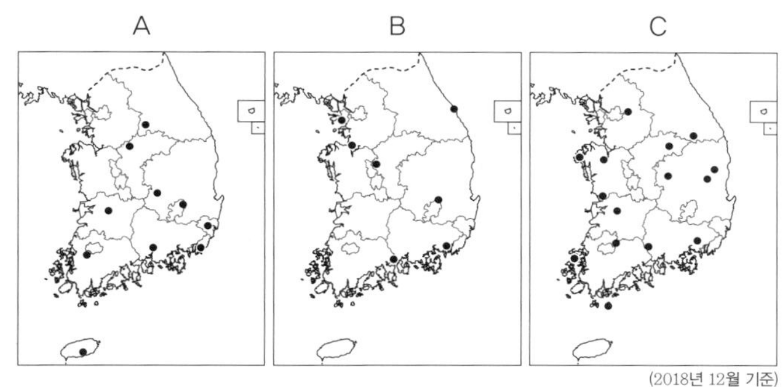

(2018년 12월 기준)

	(가)	(나)	(다)
①	A	C	B
②	B	A	C
③	B	C	A
④	C	A	B
⑤	C	B	A

[21912-0007] ○ △ ×

7 **다음은 '호남 지방의 다양한 관광 자원'을 주제로 한 다큐멘터리 촬영 장면을 설정한 것이다. 촬영 장소가 위치한 지역을 지도의 A ~ D에서 순서대로 고른 것은?**

#No. 1	#No. 2	#No. 3
한지를 만드는 모습을 촬영해 '천년을 사는 종이, 한지'라는 내레이션을 넣고, 슬로 시티의 모습을 보여 주는 한옥 등을 화면에 담는다.	'문학은 인간의 인간다운 삶을 위하여 인간에게 기여해야 한다'는 글이 새겨진 태백산맥 문학관을 소개하고, 녹차, 참다래 농장을 안내한다.	공룡 박물관에서 과거 공룡의 흔적을 찾아 화면에 담고, 한반도의 끝 혹은 시작을 알리는 토말(땅끝)의 다양한 모습을 촬영한다.

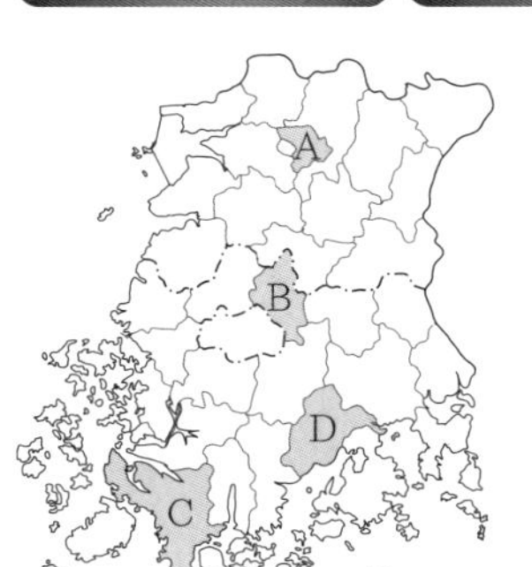

① A → B → D

② A → D → C

③ B → D → C

④ C → A → B

⑤ D → C → A

[21912-0008] ○ △ ×

8 **그래프의 (가)~(다)에 해당하는 지역을 지도의 A~C에서 고른 것은? [3점]**

〈통근·통학 인구 비중〉

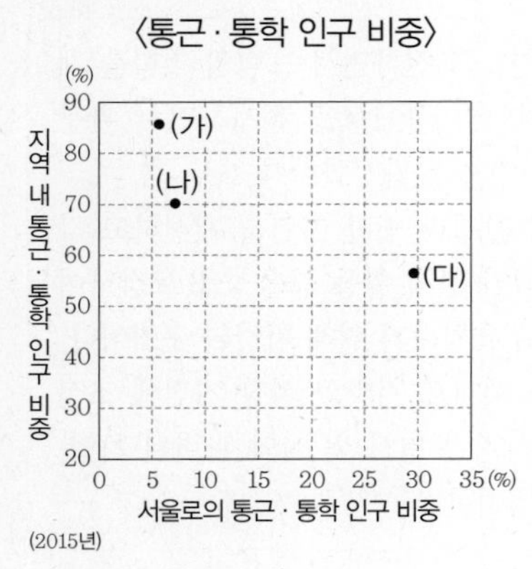

〈통근·통학 인구〉

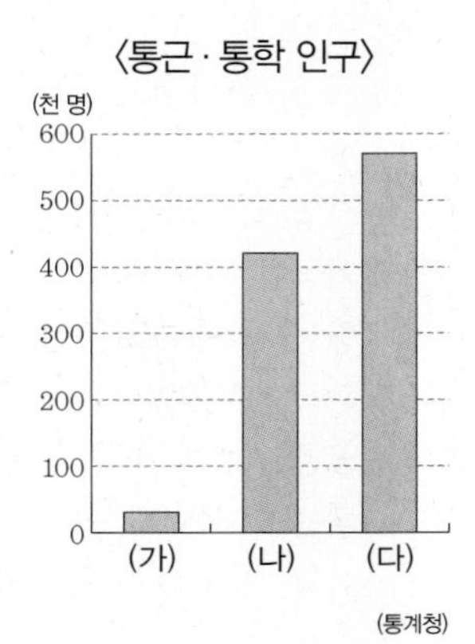

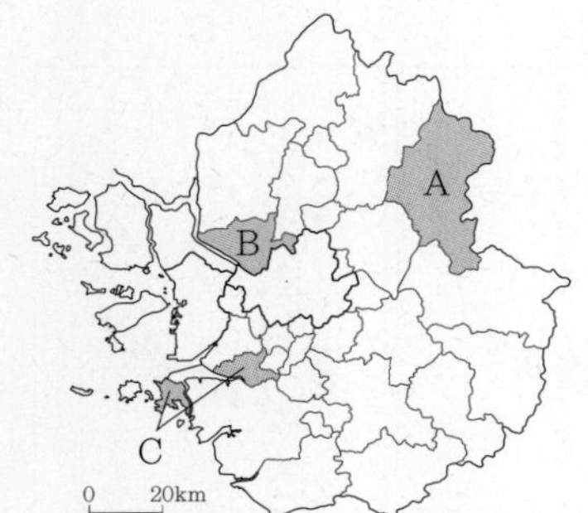

	(가)	(나)	(다)
①	A	B	C
②	A	C	B
③	B	A	C
④	B	C	A
⑤	C	A	B

[21912-0009] ○ △ ×

9 **그래프는 세 지역의 인구 특성을 나타낸 것이다. 이에 대한 설명으로 옳지 않은 것은? (단, (가)~(다) 및 A~C는 각각 순창, 안산, 철원 중 하나임.) [3점]**

〈내국인과 외국인의 인구와 성비〉

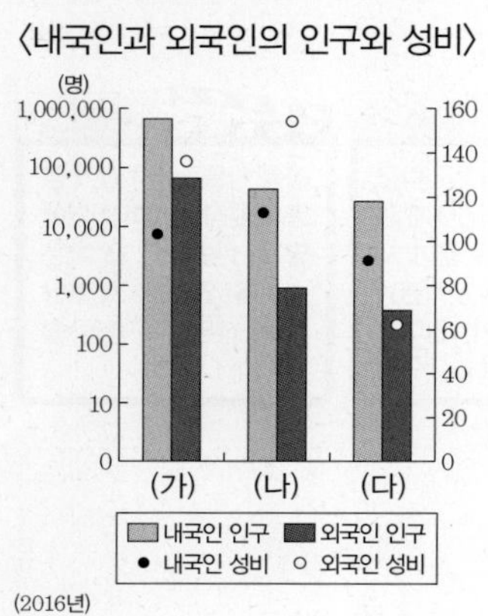

〈연령층별 인구 비중〉

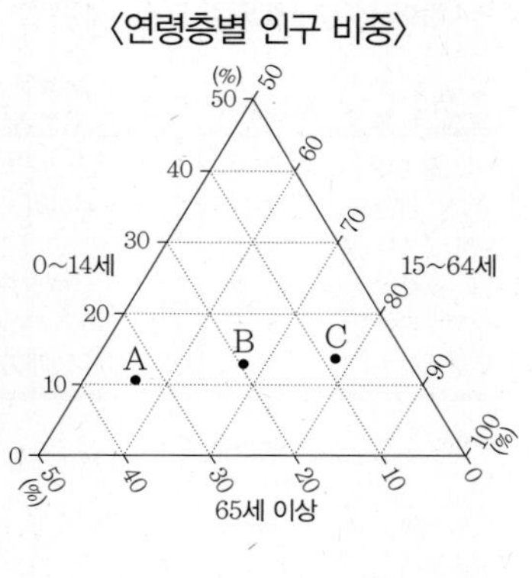

① (가)는 (나)보다 총 부양비가 낮다.
② (나)는 (다)보다 유소년층 인구가 많다.
③ (다)는 (가)보다 외국인 여성 인구가 많다.
④ 노령화 지수는 A>B>C 순으로 높다.
⑤ (가)는 C, (나)는 B, (다)는 A에 해당한다.

[21912-0010] 

10 **그래프는 5개 도시의 제조업 출하액에 대한 것이다. (가)~(마)에 대한 설명으로 옳은 것은? (단, (가)~(마)는 각각 지도에 표시된 지역 중 하나임.)**

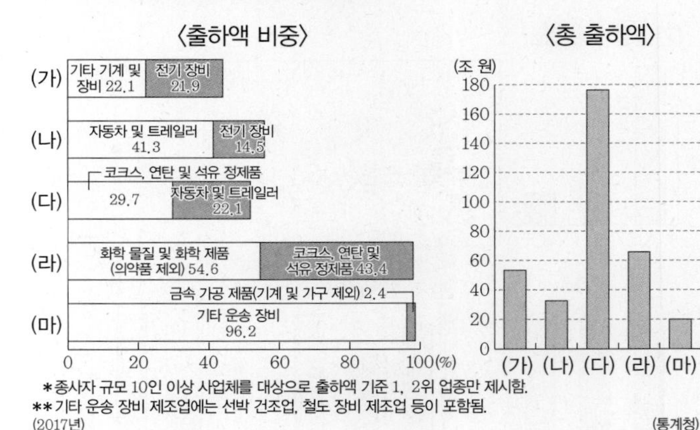

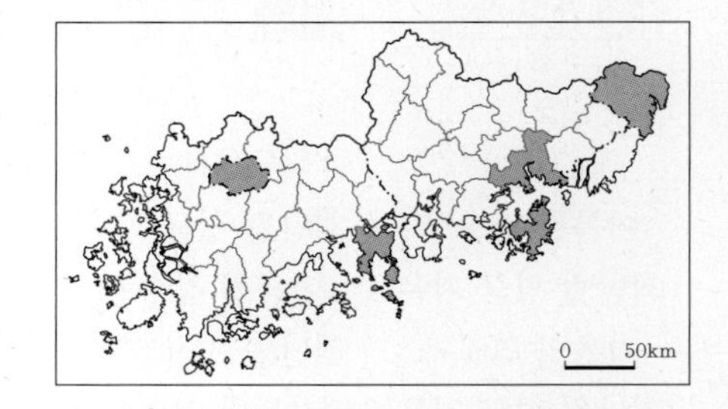

① (나)에는 원자력 발전소가 위치해 있다.
② (다)는 (나)보다 원료 수입과 제품 수출에 불리하다.
③ (다)는 (마)보다 총인구가 많다.
④ (가)와 (다)는 광역시이다.
⑤ (가), (나)는 호남권, (다), (라), (마)는 영남권에 위치한다.

학습일 | 20 년 월 일

02회 미니모의고사

제한 시간 15분 / 배점 25점

EBS 수능특강 Q 미니모의고사 한국지리

○ 알고 맞힘 /10 △ 헷갈림 /10 ✕ 모르고 틀림 /10

[21912-0011] ○ △ ✕

1 다음 글의 (가) ~ (다)를 표현하기에 가장 적절한 통계 지도의 유형을 〈보기〉에서 고른 것은?

지구 온난화는 우리 생활 전반에서 다양한 변화를 일으키고 있다. 대표적인 사례로 (가) 봄꽃 개화 시기와 단풍 절정 시기의 변화를 들 수 있다. 봄꽃 개화 시기는 빨라지고 있는 반면, 단풍 절정 시기는 늦어지고 있다. 또한 우리나라 주변 해역도 변하고 있다. 회귀성 (나) 어종의 이동 경로가 바뀌면서 과거에 비해 (다) 현재 포획되고 있는 어종의 유형을 분석해 보면 동해, 남해, 황해 모두 한류성 어족은 사라지거나 대폭 감소하고 대부분 난류성 어종으로 구성되어 있다.

〈보기〉

ㄱ. ㄴ. ㄷ.

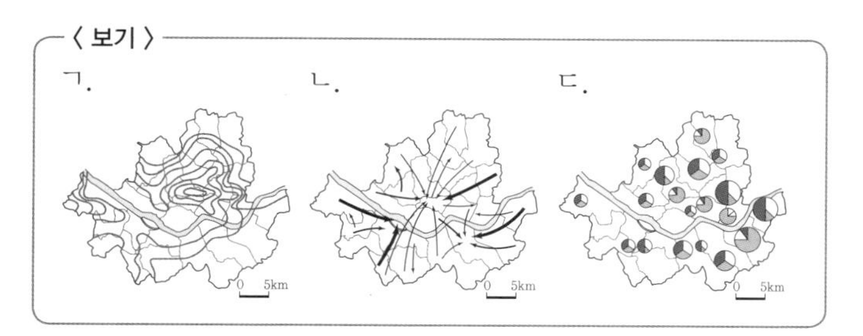

	(가)	(나)	(다)
①	ㄱ	ㄴ	ㄷ
②	ㄱ	ㄷ	ㄴ
③	ㄴ	ㄱ	ㄷ
④	ㄴ	ㄷ	ㄱ
⑤	ㄷ	ㄴ	ㄱ

[21912-0012] ○ △ ✕

2 그래프는 한반도의 지질 시대별 암석 분포 비중을 나타낸 것이다. (가) ~ (다) 암석에 대한 설명으로 옳은 것은? (단, (가) ~ (다)는 각각 변성암, 퇴적암, 화성암 중 하나임.) [3점]

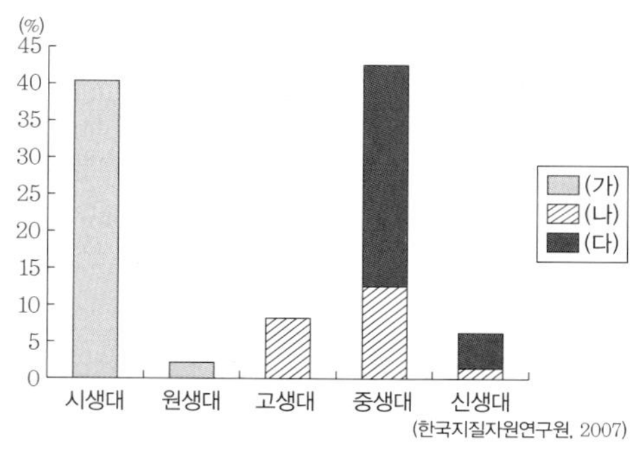

① (가)는 대체로 금강산과 같은 돌산의 기반암을 이룬다.

② 고생대 초기의 (나)는 얕은 호수 밑에서 형성되었다.

③ 공룡의 흔적은 주로 중생대의 (나)에서 발견된다.

④ 중생대의 (다)로 이루어진 산지의 정상부는 대체로 식생이 풍부하다.

⑤ 남해안의 적색토는 신생대의 (다)가 풍화 작용을 받아 형성되었다.

[21912-0013] ○ △ ✕

3 다음 자료는 우리나라의 국토 계획에 대한 것이다. (가), (나)에 들어갈 내용을 〈보기〉에서 고른 것은?

제○차 국토 종합 개발 계획	
개발 방식	균형 개발
개발 시기	1992 ~ 1999년
개발 내용	(가)

제□차 국토 종합 개발 계획	
개발 방식	성장 거점 개발
개발 시기	1972 ~ 1981년
개발 내용	(나)

〈보기〉

ㄱ. 남동 연안 지역에 대규모 공업 단지 건설

ㄴ. 국토 통일에 대비한 남북 교류 지역 개발 및 관리

ㄷ. 국토의 균형 발전을 위해 혁신 도시와 기업 도시 지정

	(가)	(나)
①	ㄱ	ㄴ
②	ㄱ	ㄷ
③	ㄴ	ㄱ
④	ㄴ	ㄷ
⑤	ㄷ	ㄱ

[21912-0014] 

4 **다음 자료의 ㉠, ㉡에 대한 설명으로 옳은 것만을 〈보기〉에서 있는 대로 고른 것은?**

> • 양양 낙산사와 간성 청간정과 울진 망양정과 평해 월송정은 모두 바닷가에 집을 지었다. …(중략)… 해안은 모두 ㉠ 빤짝빤짝하는 눈빛 모래로 밟으면 사각사각하는 소리가 구슬 위를 걸어가는 듯하다.
> • 나주의 서쪽은 칠산 바다이다. 옛날에는 깊었으나 근래에 와서는 ㉡ 모래와 앙금이 쌓여 점점 얕아져서, 썰물이 빠지면 겨우 무릎이 빠질 정도이다. 한복판 한 군데 물길만이 강줄기와 같아서 배는 여기를 통해 다닌다.
>
> –『택리지』–

〈보기〉
ㄱ. ㉠은 주로 만(灣)보다 곶(串)에서 형성된다.
ㄴ. ㉡은 오염 물질을 정화하는 기능을 한다.
ㄷ. ㉠은 ㉡보다 퇴적물의 평균 입자 크기가 크다.
ㄹ. ㉡은 ㉠보다 지형 형성 과정에서 조류의 영향을 많이 받는다.

① ㄱ, ㄷ ② ㄴ, ㄹ ③ ㄱ, ㄴ, ㄷ
④ ㄱ, ㄷ, ㄹ ⑤ ㄴ, ㄷ, ㄹ

[21912-0015] 

5 **그래프는 월별 기상 특보 발령 횟수를 나타낸 것이다. (가) ~ (다) 자연재해에 대한 설명으로 옳은 것은? (단, (가) ~ (다)는 각각 대설, 태풍, 호우 중 하나임.)**

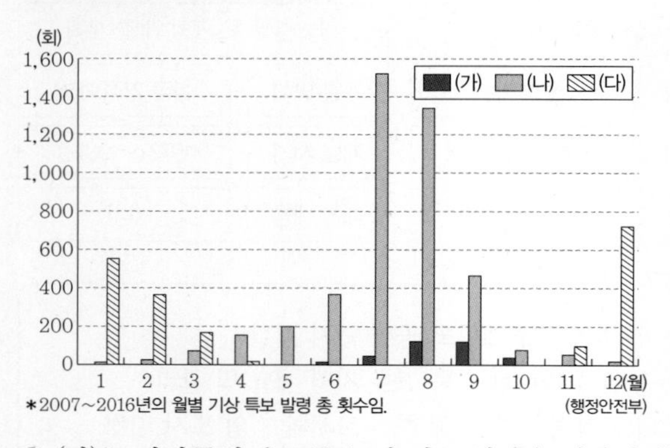

*2007~2016년의 월별 기상 특보 발령 총 횟수임.

① (가)는 바닷물의 온도를 높여 적조 현상을 심화시킨다.
② (나)는 여름철보다 겨울철에 발생하는 빈도가 높다.
③ (다)는 주로 장마 전선의 정체에 따라 발생한다.
④ (가)는 (다)보다 남부 지방에서 연간 피해액이 많다.
⑤ (다)는 (나)보다 우리나라 연 강수량에 큰 영향을 준다.

[21912-0016] ○ △ ×

6 **지도는 주요 신·재생 에너지의 전국 대비 발전량 비중 상위 3개 지역을 표시한 것이다. A ~ C 에너지에 대한 설명으로 옳은 것은? (단, A ~ C는 각각 수력, 태양광, 풍력 중 하나임.) [3점]**

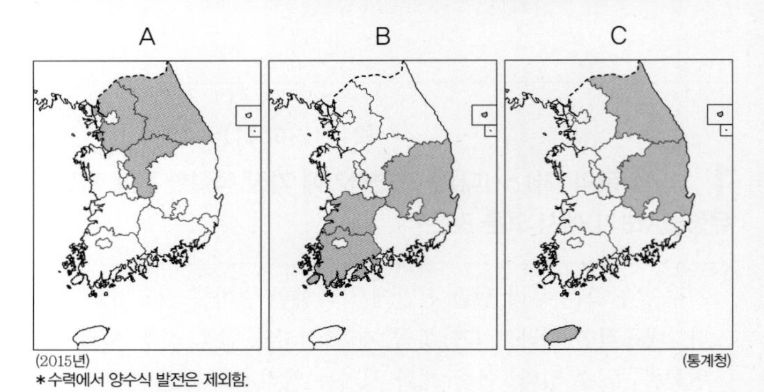

*수력에서 양수식 발전은 제외함.

① A는 주로 해안 지역에 발전소가 입지한다.
② B를 생산하기 위해서는 댐 건설이 필요하다.
③ C는 일조 시간이 긴 지역이 에너지 생산에 유리하다.
④ A는 B보다 상업적 이용 시기가 이르다.
⑤ C는 B보다 발전 시 소음 발생량이 적다.

[21912-0017] 

7 **그래프는 네 제조업의 출하액 상위 5개 시·도를 나타낸 것이다. 이에 대한 설명으로 옳은 것만을 〈보기〉에서 있는 대로 고른 것은? (단, A, B는 각각 경기와 울산 중 하나이며, (가) ~ (라)는 각각 1차 금속, 자동차 및 트레일러, 전자 부품·컴퓨터·영상·음향 및 통신 장비, 화학 물질 및 화학 제품(의약품 제외) 제조업 중 하나임.) [3점]**

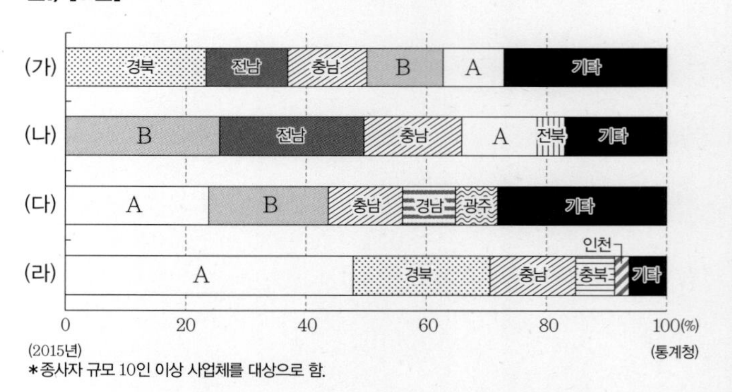

*종사자 규모 10인 이상 사업체를 대상으로 함.

〈보기〉
ㄱ. (나)는 많은 부품을 필요로 하는 계열화된 조립형 공업이다.
ㄴ. (라)는 원료의 해외 의존도가 높아 주로 적환지에 입지한다.
ㄷ. (가)는 (다)보다 원자재의 해외 의존도가 높다.
ㄹ. A는 B보다 1인당 제조업 출하액이 적다.

① ㄱ, ㄴ ② ㄴ, ㄷ ③ ㄷ, ㄹ
④ ㄱ, ㄴ, ㄹ ⑤ ㄱ, ㄷ, ㄹ

[21912-0018] 

8 **그래프는 우리나라의 총 부양비와 노령화 지수 변화를 나타낸 것이다. 이에 대한 분석으로 옳은 것은? (단, (가)와 (나)의 합은 총 부양비임.) [3점]**

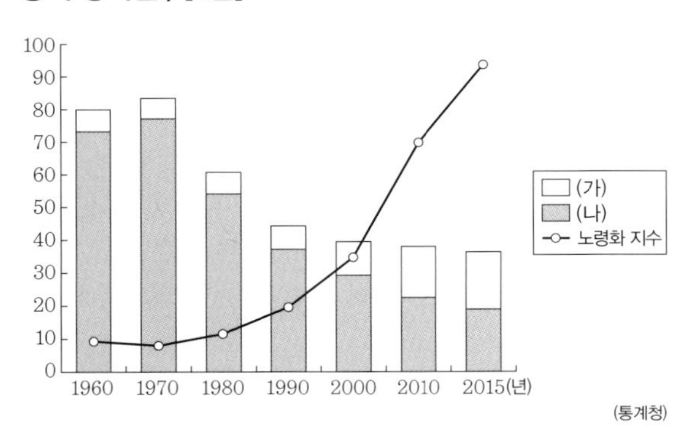

① (가)는 유소년 부양비, (나)는 노년 부양비이다.
② 1960년은 2010년보다 중위 연령이 높다.
③ 1970년 이후 청장년층 인구 비중은 지속적으로 감소하였다.
④ 2015년에는 유소년층 인구가 노년층 인구보다 많다.
⑤ 2015년은 1970년보다 청장년층 인구 비중이 2배 이상 높다.

[21912-0019] 

9 **그래프의 (가) ~ (라)에 해당하는 지역을 지도의 A ~ D에서 고른 것은? [3점]**

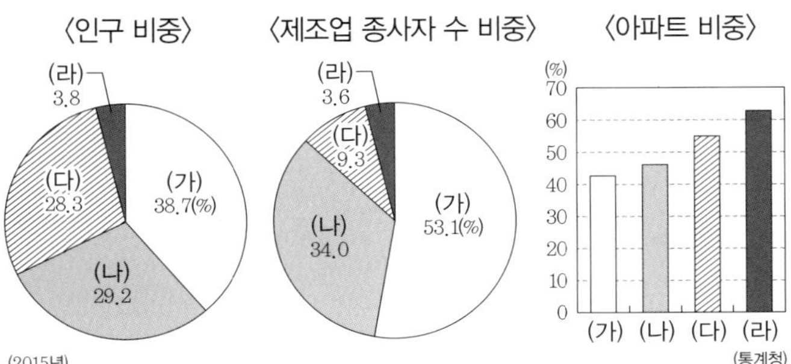

*인구 비중과 제조업 종사자 수 비중은 충청권 전체에서 각 지역이 차지하는 값이며, 아파트 비중은 각 지역 내에서 아파트 수가 차지하는 값임.

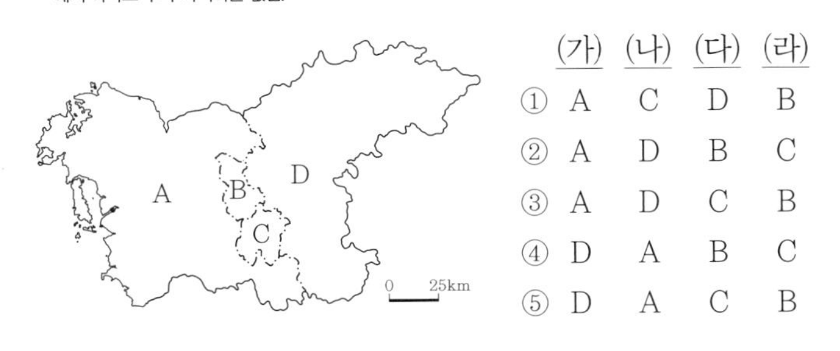

	(가)	(나)	(다)	(라)
①	A	C	D	B
②	A	D	B	C
③	A	D	C	B
④	D	A	B	C
⑤	D	A	C	B

[21912-0020] ○ △ ×

10 **다음 자료는 어느 두 지역의 지리 조사 계획이다. (가), (나) 지역을 지도의 A ~ D에서 고른 것은?**

(가) 지역의 지리 조사 계획

오전	침식 분지와 도시 발달
점심 식사	향토 음식인 닭갈비와 막국수
오후	수도권 전철 연결과 지역 경제 변화

(나) 지역의 지리 조사 계획

오전	고위 평탄면과 채소 재배
점심 식사	향토 음식인 곤드레 나물밥
오후	동계 올림픽 개최와 지역 경제 변화

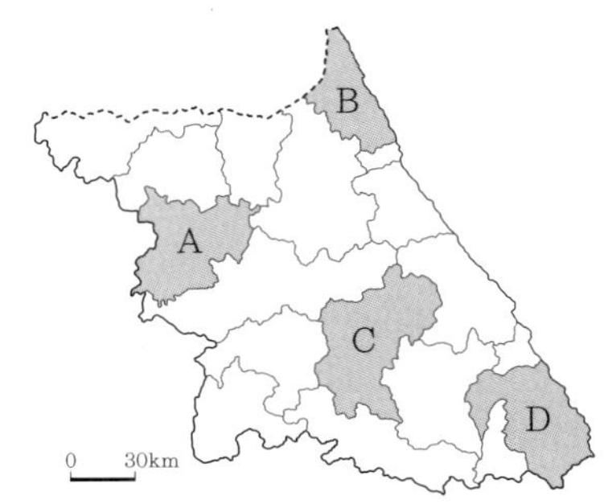

	(가)	(나)
①	A	B
②	A	C
③	B	A
④	B	D
⑤	D	C

제한 시간 15분 / 배점 25점

03회 미니모의고사

○ 알고 맞힘 /10 △ 헷갈림 /10 ✕ 모르고 틀림 /10

[21912-0021] ○ △ ✕

1 **다음 조건만을 고려하여 태양광 발전소의 입지를 선정하고자 할 때, 가장 적절한 곳을 입지 후보 지역 A~E에서 고른 것은?**

〈 조건 〉

1. 평가 항목별 점수는 표와 같으며, 각 평가 항목 점수의 합이 가장 큰 곳에 입지함. (단, 입지 후보 지역 중심점과 송전 선로 간의 거리가 100m 이내인 경우에는 평가 항목 점수의 합에 20%의 가중치를 부여함.)

평가 항목별 점수	사면향	지가
4	남향	1만 원/m^2 미만
2	서향, 동향	1~3만 원/m^2
1	북향	3만 원/m^2 이상

2. 조건 1에 따른 평가 항목 점수의 합이 같을 경우 남향인 곳을 입지 지역으로 선정함.

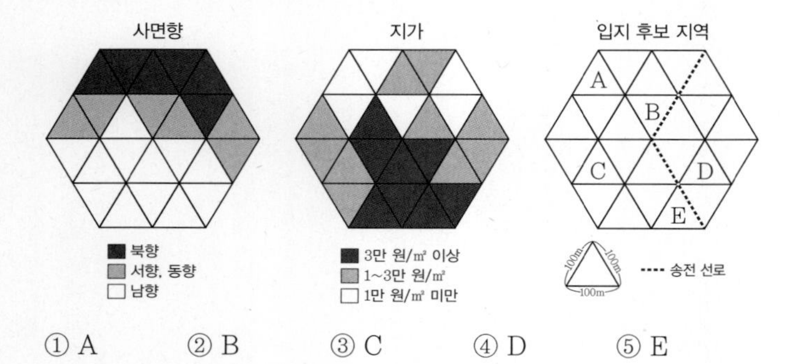

① A ② B ③ C ④ D ⑤ E

[21912-0022] ○ △ ✕

2 **다음은 어느 하천에 대한 대동여지도의 일부이다. 이에 대한 설명으로 옳은 것만을 〈보기〉에서 있는 대로 고른 것은? (단, (가), (나)는 동일한 하계망의 하천으로 각각 A, B 중 한 지역에서 흐름.)** **[3점]**

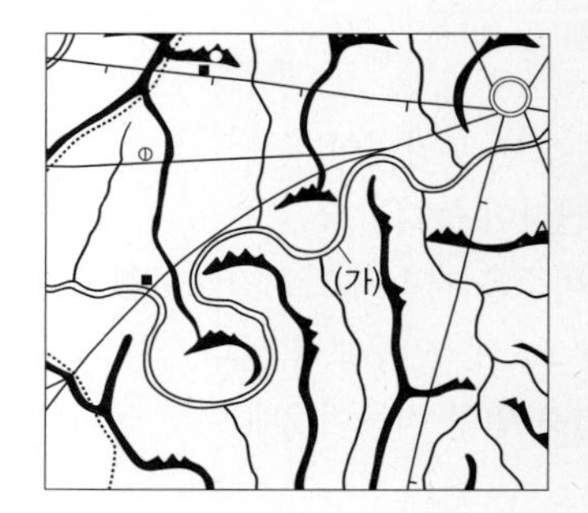

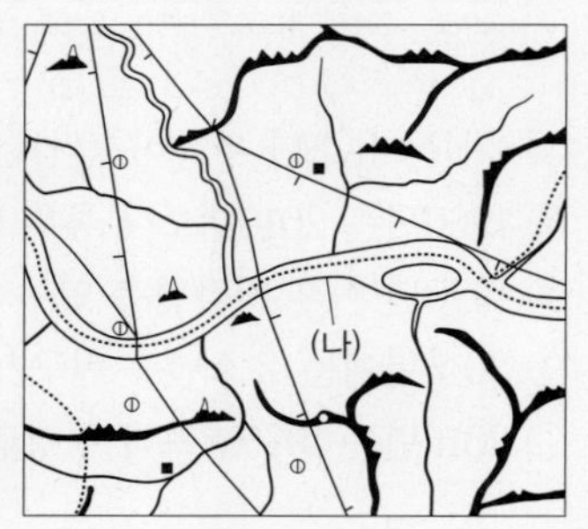

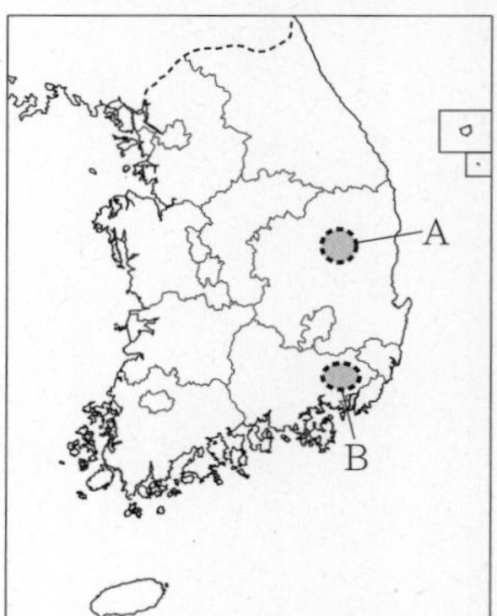

〈 보기 〉

ㄱ. (가)는 (나)보다 평균 유량이 많다.
ㄴ. (가)는 (나)보다 하상의 평균 해발 고도가 높다.
ㄷ. (나)는 (가)보다 하천의 발원지와 거리가 멀다.
ㄹ. (나)는 (가)보다 하상 퇴적물의 평균 원마도가 높다.

① ㄱ, ㄷ ② ㄴ, ㄹ ③ ㄱ, ㄴ, ㄷ
④ ㄱ, ㄴ, ㄹ ⑤ ㄴ, ㄷ, ㄹ

[21912-0023]

3 **다음 자료는 지리적 표시제에 등록된 지역 특산물과 관련된 것이다. (가)~(다) 지역에 주로 분포하는 토양의 특성을 그림의 A~D에서 고른 것은? (단, (가)~(다)는 각각 단양, 제주, 해남 중 하나임.)**

(가)

우리 고장 ○○은/는 연평균 기온이 높고 강수량이 많아 난대성 작물이 잘 자랍니다. 울퉁불퉁한 생김새를 가진 한라봉은 달콤한 비타민의 보고로 알려져 있는데, 껍질의 농약은 소금으로 문질러 제거할 수 있습니다.

(나)

우리 고장 ◇◇은/는 따뜻한 겨울과 청정 지역의 해풍, 미네랄이 풍부한 황토 등을 이용하여 겨울 배추 생산이 많습니다. 우리나라 겨울 배추의 약 80% 이상이 우리 고장에서 생산되고 있습니다.

(다)

우리 고장 △△은/는 내륙 산간 지역에 위치해 있어 기온의 일교차가 크고, 석회암 지대의 토양 등이 마늘 재배에 유리합니다. 우리 고장에서 생산된 마늘의 가장 중요한 특징은 육쪽으로 되어 있다는 것인데, 단단해서 저장성이 강합니다.

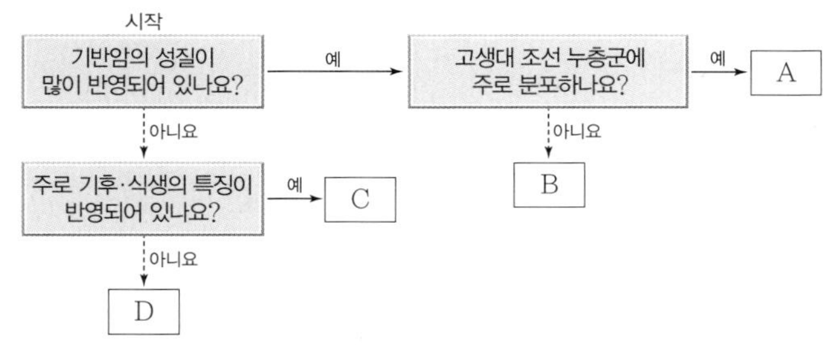

	(가)	(나)	(다)
①	A	B	C
②	A	C	D
③	B	A	D
④	B	C	A
⑤	C	D	A

[21912-0024]

4 **다음은 사이버 지리 학습 장면의 일부이다. 답글 ㉠~㉣ 중에서 옳은 내용만을 고른 것은?**

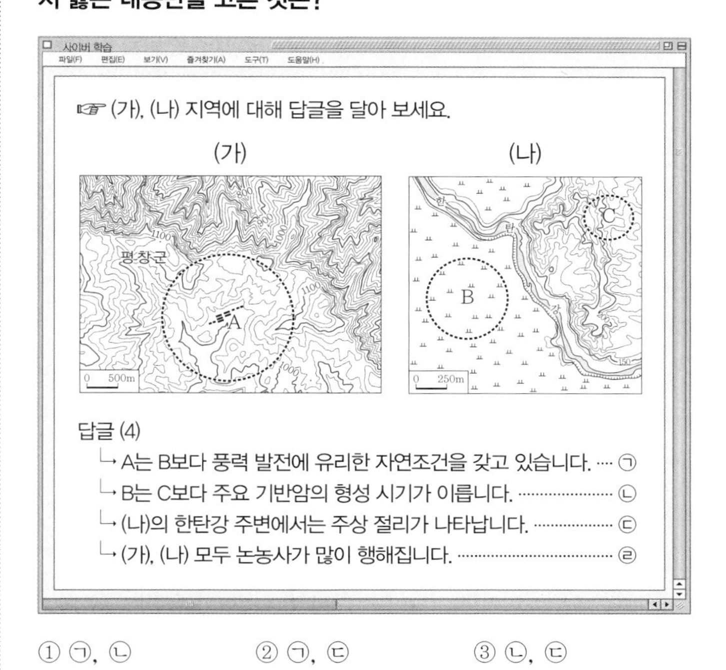

① ㉠, ㉡ ② ㉠, ㉢ ③ ㉡, ㉢
④ ㉡, ㉣ ⑤ ㉢, ㉣

[21912-0025]

5 **다음 자료는 세 구(區)의 특성을 나타낸 것이다. 이에 대한 설명으로 옳지 않은 것은? (단, (가)~(다), A~C는 각각 지도에 표시된 구(區) 중 하나임.) [3점]**

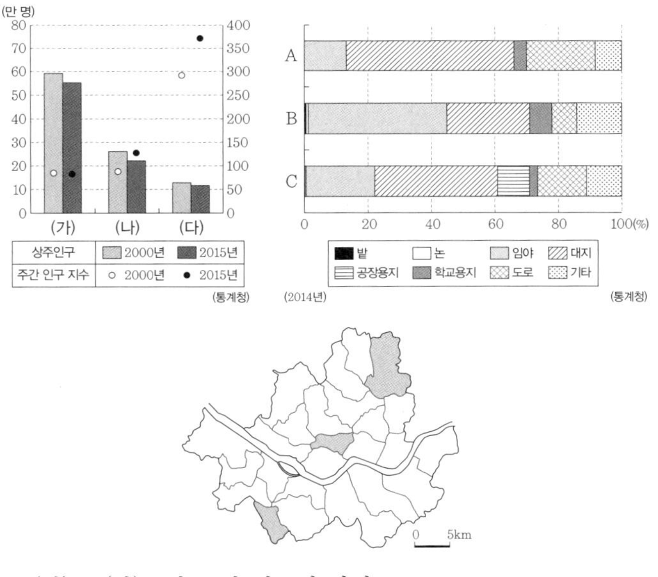

① (가)는 (나)보다 주간 인구가 많다.
② (다)는 (가)보다 업무용 건물의 평균 층수가 많다.
③ A는 B보다 초등학교 학급 수가 적다.
④ C는 A보다 상업 시설의 평균 임대료가 높다.
⑤ (가)는 B, (나)는 C, (다)는 A에 해당한다.

[21912-0026] 

6 그래프는 지도에 표시된 (가) 지역의 변화를 나타낸 것이다. 2000년과 2015년의 상대적 특성을 옳게 나타낸 것은? [3점]

〈상주인구와 주간 인구 변화〉

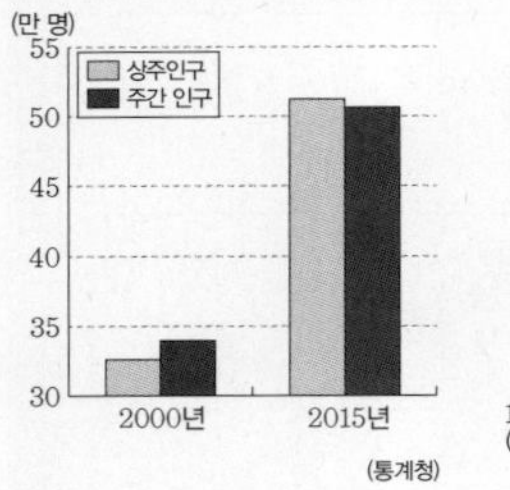

〈주택 유형 및 농가와 경지 면적 변화〉

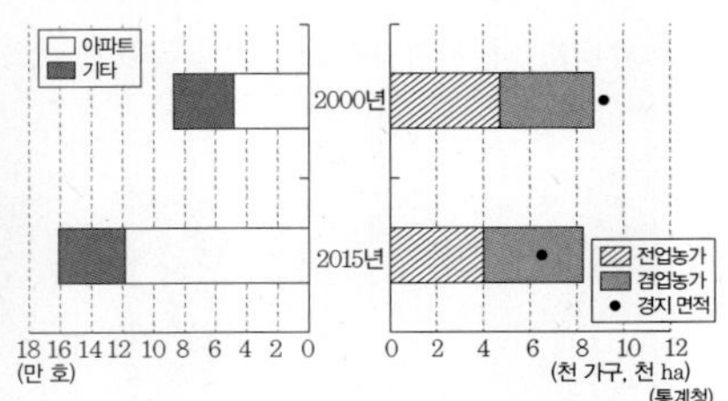

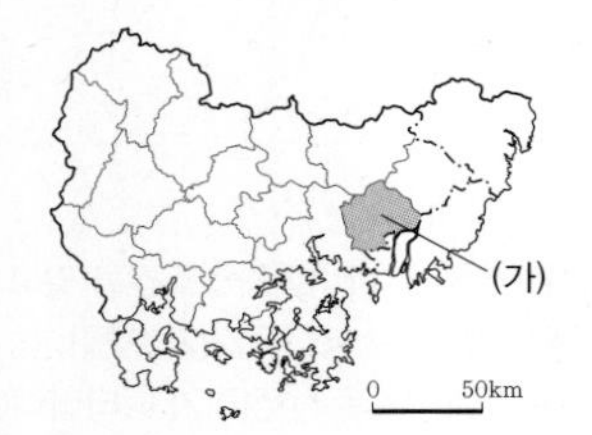

①
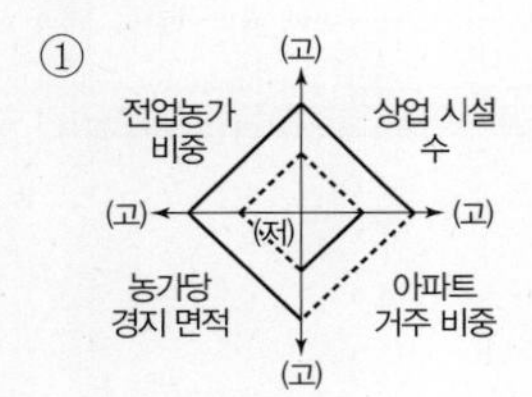

②
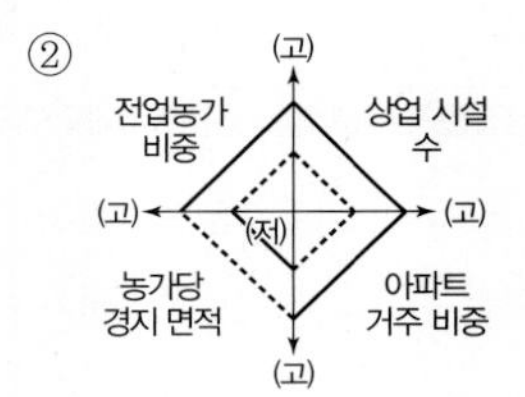

③
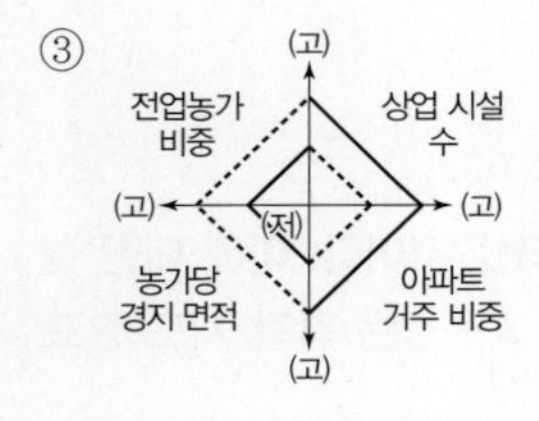

④
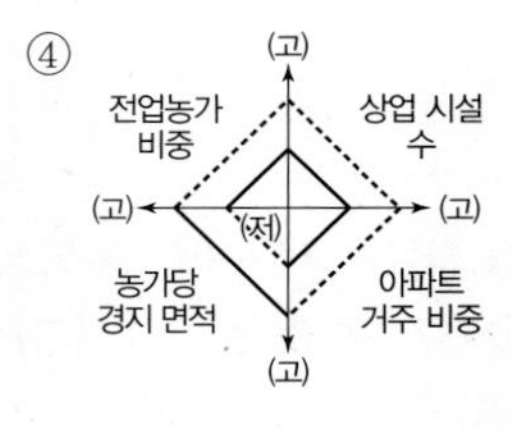

⑤
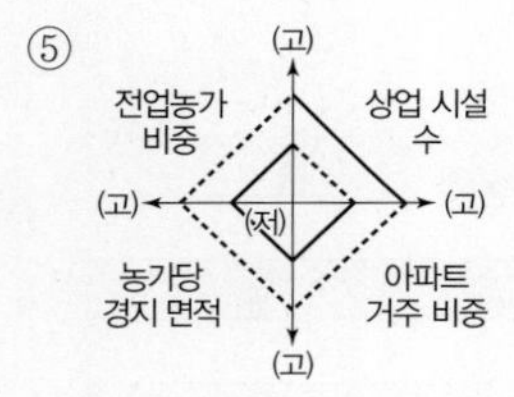

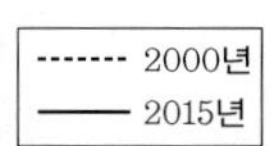

*(고)는 높음, 넓음, 많음을 의미함.
(저)는 낮음, 좁음, 적음을 의미함.

[21912-0027] ○ △ ×

7 (가)~(다) 제조업에 대한 설명으로 옳은 것만을 〈보기〉에서 고른 것은? (단, (가)~(다)는 각각 1차 금속 제조업, 섬유 제품(의복 제외) 제조업, 자동차 및 트레일러 제조업 중 하나임.) [3점]

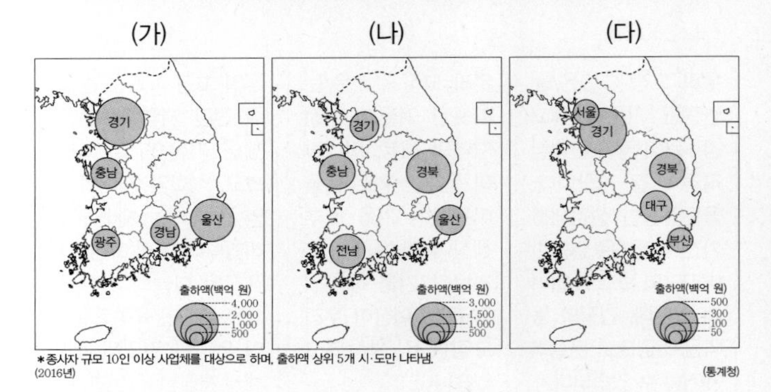

*종사자 규모 10인 이상 사업체를 대상으로 하며, 출하액 상위 5개 시·도만 나타냄.
(2016년) (통계청)

〈 보기 〉

ㄱ. (가)는 (나)보다 제조 과정에서 석탄을 많이 소비한다.
ㄴ. (나)는 (다)보다 공장이나 기계 등의 설비 규모가 크다.
ㄷ. (다)는 (가)보다 총생산비에서 차지하는 연구 개발비의 비중이 높다.
ㄹ. (가)는 종합 조립 공업, (나)는 기초 소재 공업에 해당한다.

① ㄱ, ㄴ ② ㄱ, ㄷ ③ ㄴ, ㄷ
④ ㄴ, ㄹ ⑤ ㄷ, ㄹ

[21912-0028] ○ △ ×

8 그래프는 충청 지방의 시·도별 인구 이동 및 인구 현황을 나타낸 것이다. 이에 대한 설명으로 옳은 것은? (단, A, B는 각각 (가), (나) 중 하나임.) [3점]

〈인구 이동〉

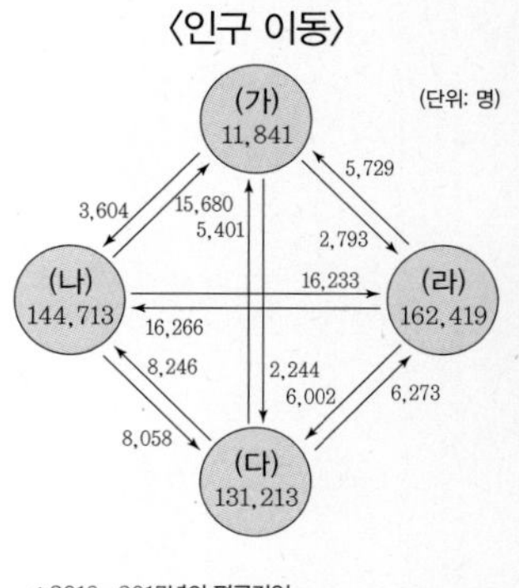

*2012~2017년의 평균값임.
**원 안의 수치는 지역 내 인구 이동 값임.
(통계청)

〈연령층별 인구 비율 및 총인구〉

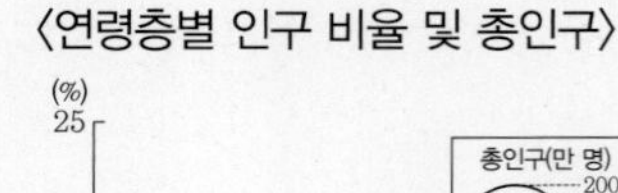

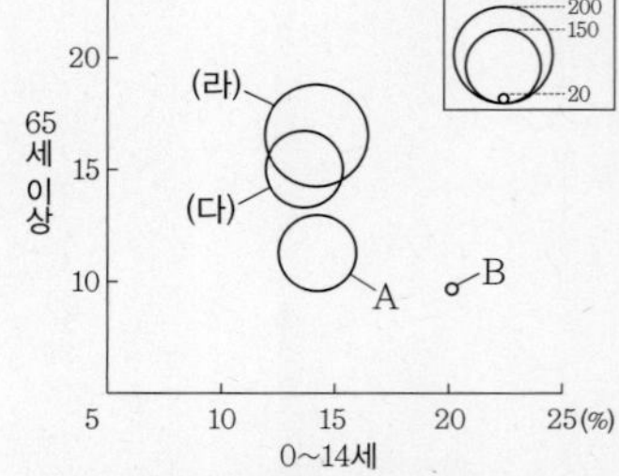

*0~14세와 65세 이상 인구 비율은 해당 지역에서 차지하는 비율이며, 원의 가운데 값임.
(2016년) (통계청)

① (가)는 (라)보다 노령화 지수가 높다.
② (나)는 (가)보다 유소년 부양비가 높다.
③ B는 A보다 2012~2017년에 인구의 사회적 증가가 많다.
④ (다)는 A보다 지역 내 인구 이동이 많다.
⑤ (가)와 A는 대전, (나)와 B는 세종이다.

[21912-0029] ○ △ ×

9 **다음 자료는 북한의 주요 개방 지역을 나타낸 것이다. (가)~(라) 지역에 대한 설명으로 옳은 것만을 〈보기〉에서 있는 대로 고른 것은?**

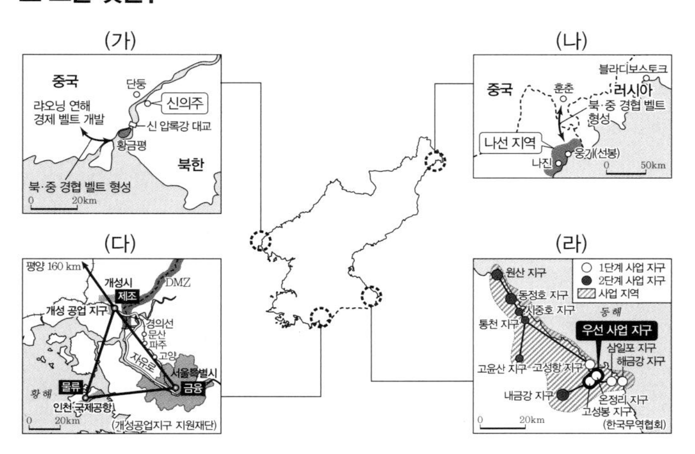

〈 보기 〉

ㄱ. (가)는 홍콩처럼 개발하기 위해 2002년 지정된 독립적인 개방 지역이다.

ㄴ. (다)는 남한의 기술과 자본, 북한의 노동력을 결합하여 제품을 생산하였다.

ㄷ. (라)는 금융 기반을 갖춘 국제 교류의 거점으로 만들기 위해 지정된 경제특구이다.

ㄹ. (나)는 (다)보다 개방 지역으로 지정된 시기가 이르다.

① ㄱ, ㄴ ② ㄴ, ㄷ ③ ㄷ, ㄹ
④ ㄱ, ㄴ, ㄹ ⑤ ㄱ, ㄷ, ㄹ

[21912-0030] ○ △ ×

10 **다음 자료는 어느 모둠의 답사 보고서 일부이다. 이 모둠의 답사 경로를 지도의 A~E에서 고른 것은?**

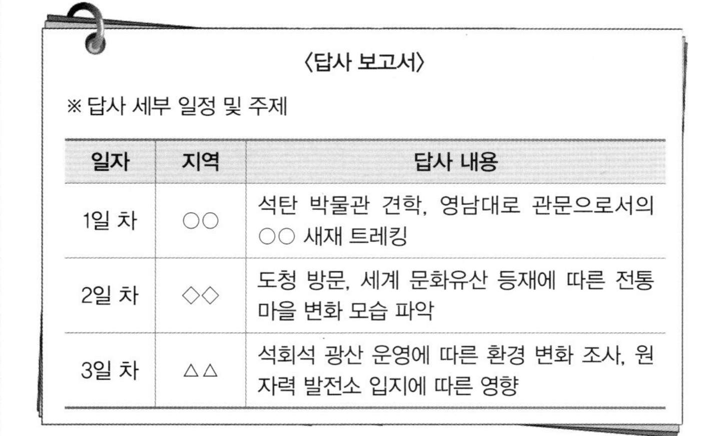

〈답사 보고서〉

※ 답사 세부 일정 및 주제

일자	지역	답사 내용
1일 차	○○	석탄 박물관 견학, 영남대로 관문으로서의 ○○ 새재 트레킹
2일 차	◇◇	도청 방문, 세계 문화유산 등재에 따른 전통 마을 변화 모습 파악
3일 차	△△	석회석 광산 운영에 따른 환경 변화 조사, 원자력 발전소 입지에 따른 영향

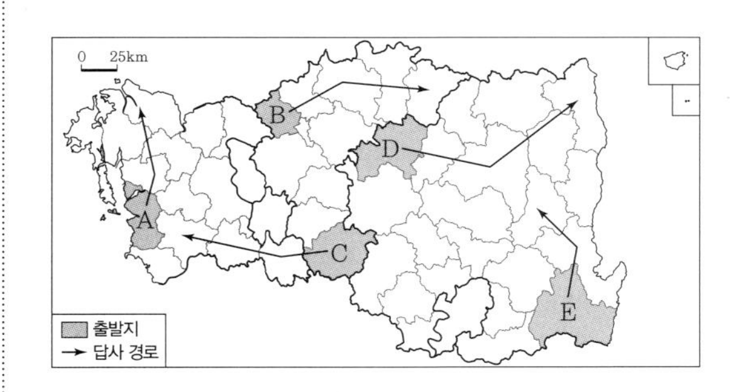

① A
② B
③ C
④ D
⑤ E

04회 미니모의고사

제한 시간 15분 / 배점 25점

○ 알고 맞힘 /10 △ 헷갈림 /10 ✕ 모르고 틀림 /10

[21912-0031] ○ △ ✕

1 다음은 조선 시대에 작성한 가상 여행기의 일부이다. 각 여행지를 대동여지도의 (가)~(다)에서 고른 것은?

첫째 날	읍치 주변에는 봉수가 있으며 북서쪽에 산지가 있다. 읍치 북서쪽에서 내려오는 하천은 배가 다닐 수 없는 작은 하천으로 읍치의 북서쪽에서 동쪽 방향으로 흐르다 읍치 남쪽에 있는 배가 다닐 수 있는 큰 하천으로 유입된다. 이 읍치는 성이 없는 무성 읍치이며, 주변에는 역참이 있다.
둘째 날	이곳은 성이 있는 읍치로 어제 지냈던 읍치보다는 읍치를 지나는 도로의 수가 적다. 이 읍치의 주변에도 봉수가 있으며, 읍치의 북쪽에서 동쪽으로는 산줄기가 이어져 있고, 읍치 서쪽에는 남쪽에서 북쪽으로 흐르는 하천이 있다.
셋째 날	이 읍치는 둘째 날 묵었던 읍치에 비해 규모가 커서 그런지 지나는 도로의 수가 월등히 많다. 이 읍치도 성이 있는 유성 읍치이며, 주변에는 고산성도 있다. 읍치 동쪽에는 남쪽에서 북쪽으로 흐르는 하천이 지나가는데, 이 하천은 읍치의 북동쪽에서 배가 다닐 수 있는 하천으로 유입된다.

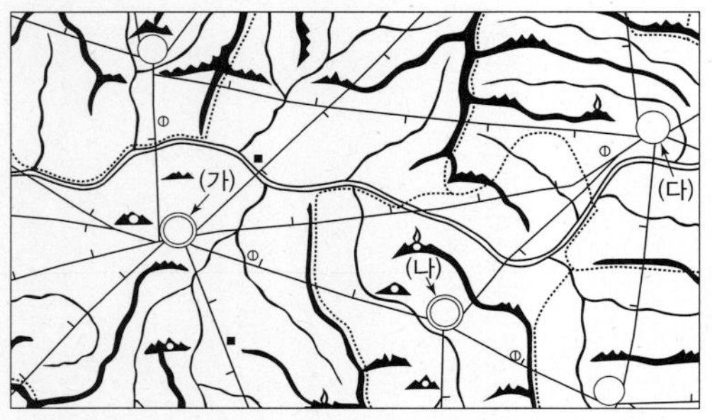

	첫째 날	둘째 날	셋째 날
①	(가)	(나)	(다)
②	(가)	(다)	(나)
③	(나)	(다)	(가)
④	(다)	(가)	(나)
⑤	(다)	(나)	(가)

[21912-0032] ○ △ ✕

2 그래프는 지도에 표시된 세 지역의 기후 자료이다. (가)~(다) 지역에 대한 설명으로 옳은 것만을 〈보기〉에서 있는 대로 고른 것은? [3점]

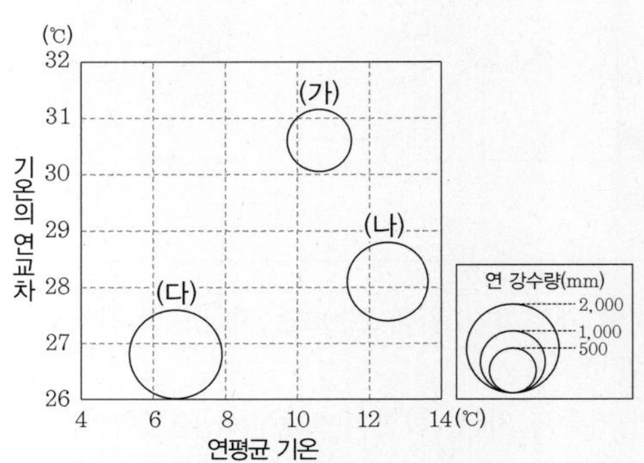

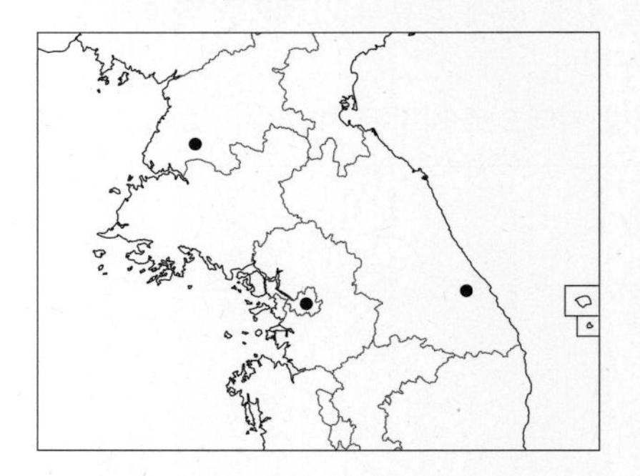

〈 보기 〉

ㄱ. (가)는 (다)보다 해발 고도가 높다.
ㄴ. (나)는 (다)보다 여름철 강수 집중률이 높다.
ㄷ. (다)는 (가)보다 최난월 평균 기온이 높다.
ㄹ. (가)는 북한에, (나), (다)는 남한에 위치한다.

① ㄱ, ㄷ ② ㄴ, ㄹ ③ ㄱ, ㄴ, ㄷ
④ ㄱ, ㄷ, ㄹ ⑤ ㄴ, ㄷ, ㄹ

[21912-0033] ○ △ ×

3 **다음 자료는 지도에 표시된 산지와 관련해 조선 시대 지리지에 수록된 내용의 일부이다. 이에 대한 설명으로 옳은 것은? (단, (가)~(라)는 각각 지도에 표시된 네 산지 중 하나임.) [3점]**

(가) 장양현의 동쪽 30리쯤에 있다. 풍악(楓岳)이라고도 하고, 개골(皆骨)이라고도 한다. 우리나라의 산수(山水)가 천하(天下)에 이름났는데, 이 산의 수많은 봉우리는 눈처럼 서서, 높고 절묘함이 으뜸이며 …(하략)… －『세종실록지리지』－

(나) 남원도호부의 동쪽 60리에 있다. 산세가 높고 웅대하여 수백 리에 웅거하였으니, 여진 백두산의 산맥이 뻗어 내려 여기에 이른 것이다. 그리하여 두류(頭流)라고도 부른다. …(중략)… 동쪽의 천왕봉과 서쪽의 반야봉이 가장 높으니 …(하략)… －『신증동국여지승람』－

(다) 여진과 조선의 경계에 있는 ○○산은 온 나라의 눈썹처럼 되어 있다. 산 위에는 ㉠큰 못이 있는데 둘레가 80리이다. 서쪽으로 흐르는 물은 압록강이 되고, 동쪽으로 흐르는 물은 두만강이 되며, 북쪽으로 흐르는 물은 혼동강(混同江)이 되는데 …(하략)… －『택리지』－

(라) 바다 가운데에 있는 산도 기이한 것이 많다. 영주산(瀛洲山)이라고도 하는 ◇◇산 위에는 ㉡큰 못이 있는데, 사람들이 시끄럽게 굴면 갑자기 구름과 안개가 짙게 낀다. 정상에는 마치 사람이 일부러 쪼은 것 같은 모난 바위가 있고 …(하략)… －『택리지』－

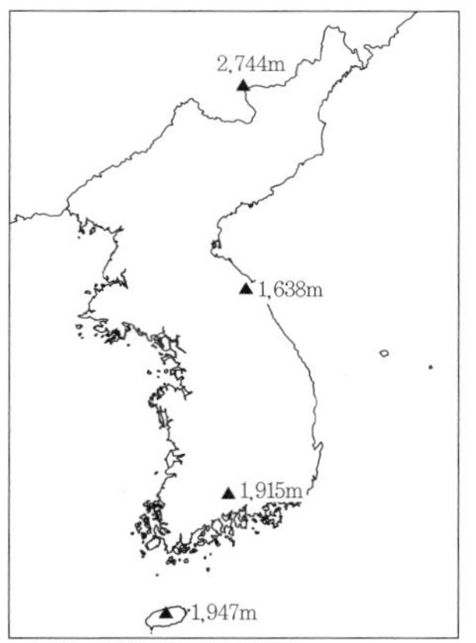

* 수치는 산 정상의 해발 고도임.

① (가)의 주요 기반암은 주로 시·원생대의 변성암으로 이루어져 있다.
② (가)는 (나)보다 산 정상부의 식생 밀도가 낮다.
③ (나)는 (다)보다 산 정상의 해발 고도가 높다.
④ (라)의 주요 기반암은 (가)의 주요 기반암보다 형성 시기가 이르다.
⑤ ㉠은 화구호, ㉡은 칼데라호이다.

[21912-0034] ○ △ ×

4 **지도의 A~C에 대한 설명으로 옳은 것만을 〈보기〉에서 있는 대로 고른 것은?**

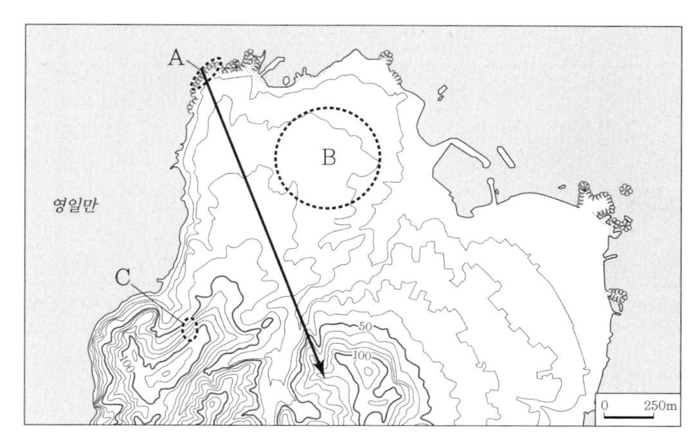

〈 보기 〉
ㄱ. A는 주로 바람의 퇴적 작용으로 형성되었다.
ㄴ. B에는 과거 파랑의 작용으로 형성된 둥근 자갈이 분포한다.
ㄷ. B는 C보다 경지로 이용하기에 유리하다.
ㄹ. 화살표 방향으로 가면서 계단 형태의 모습이 나타난다.

① ㄱ, ㄹ ② ㄴ, ㄷ ③ ㄱ, ㄴ, ㄷ
④ ㄱ, ㄷ, ㄹ ⑤ ㄴ, ㄷ, ㄹ

[21912-0035] ○ △ ×

5 **그래프는 지도에 표시된 네 지역의 1차 에너지 공급 구조를 나타낸 것이다. 이에 대한 설명으로 옳은 것은? (단, A~D는 각각 석유, 석탄, 원자력, 천연가스 중 하나임.) [3점]**

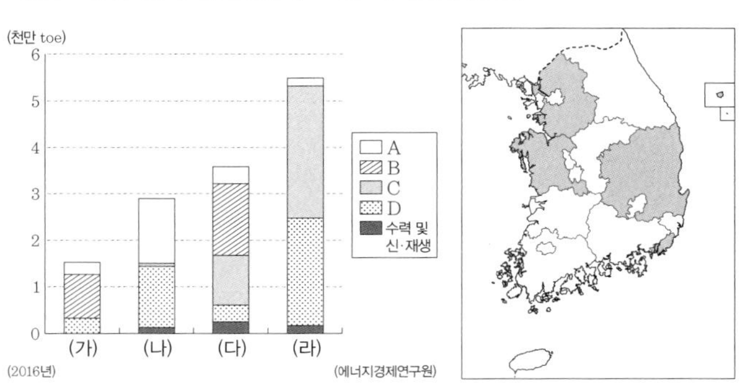

① (가)는 (나)보다 총인구가 많다.
② (다)는 영남권, (라)는 수도권에 위치한다.
③ A는 C보다 연소 시 대기 오염 물질을 많이 배출한다.
④ D는 B보다 수송용으로 이용되는 비중이 높다.
⑤ 우리나라 1차 에너지 소비 구조에서 차지하는 비중은 D>A>B>C 순으로 높다.

[21912-0036] ○ △ ×

6 표는 지도에 표시된 세 지역의 인구와 교육 기관 현황을 나타낸 것이다. 이를 통해 추론한 내용으로 적절하지 않은 것은? (단, A~C는 각각 초등학교, 고등학교, 전문 대학 및 대학교 중 하나임.)

구분		(가)	(나)	(다)
주민 등록 인구(명)		2,484,557	419,891	26,301
교육 기관 (개)	A	11	3	0
	B	17	8	3
	C	225	48	8

(2016년) (통계청)

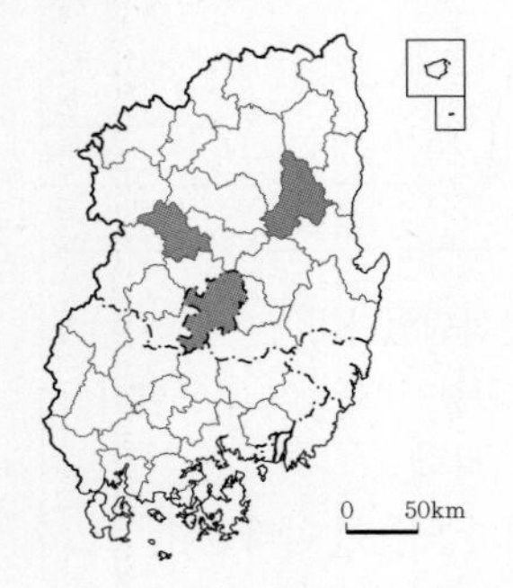

① (가)는 (다)보다 인구 밀도가 높을 것이다.
② (나)는 (가)보다 중심 기능의 영향권이 좁을 것이다.
③ (다)는 (가)보다 최소 요구치가 큰 기능을 보유한 상점의 수가 많을 것이다.
④ B는 C보다 재학생들의 평균 통학 거리가 멀 것이다.
⑤ C는 A보다 교육 기관당 학생 수가 적을 것이다.

[21912-0037] ○ △ ×

7 다음 자료는 지도에 표시된 세 지역의 인구 특성과 통근 유형별 인구 비중을 나타낸 것이다. 이에 대한 추론으로 적절하지 않은 것은? (단, A, B는 각각 '다른 시·도, 현재 살고 있는 읍·면·동' 중 하나임.) [3점]

구분	통근 인구(명)	총인구(명)
(가)	27,889	58,909
(나)	448,364	990,073
(다)	333,069	747,035

(2015년) (통계청)

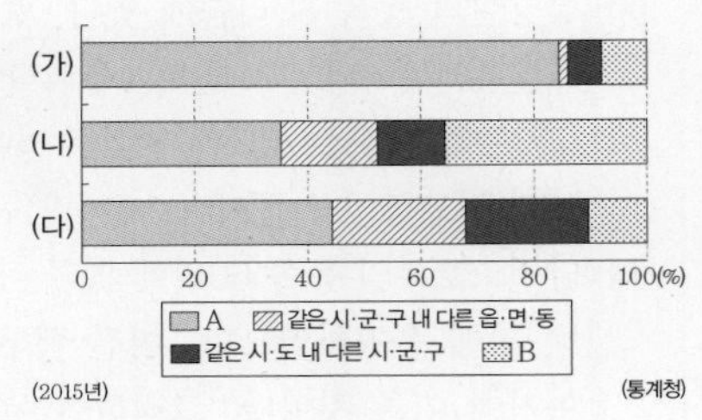

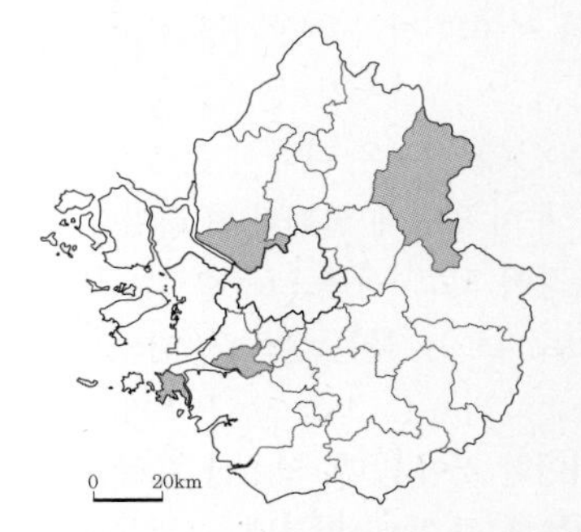

① (나)는 상주인구보다 주간 인구가 많을 것이다.
② (가)는 (다)보다 인구 밀도가 낮을 것이다.
③ (나)는 (가)보다 서울로의 통근 인구가 많을 것이다.
④ (다)는 (나)보다 주간 인구 지수가 높을 것이다.
⑤ A는 '현재 살고 있는 읍·면·동', B는 '다른 시·도'일 것이다.

[21912-0038] ○ △ ×

8 그래프에 대한 설명으로 옳은 것은? (단, (가), (나)는 각각 수력, 화력, A~C는 각각 석유, 석탄, 수력 중 하나임.) [3점]

〈북한의 발전 설비 용량 변화〉 〈북한의 1차 에너지 소비 비중 변화〉

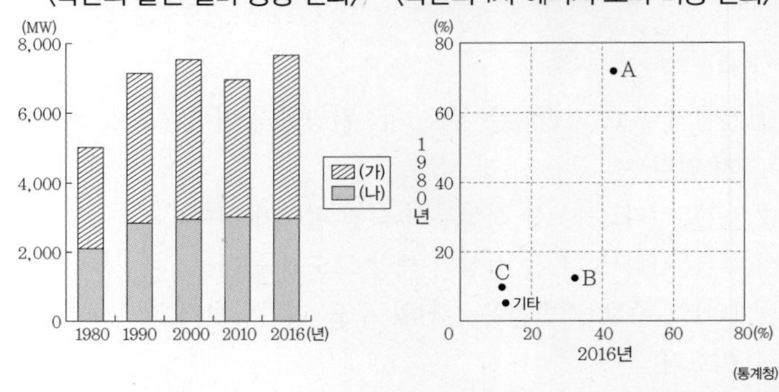

① 북한에서 (가)는 평양과 그 주변 지역에 주로 분포한다.
② (가)는 (나)보다 발전 과정에서 대기 오염 물질 배출량이 많다.
③ A의 생산량은 북한이 남한보다 많다.
④ 북한에서 B는 C보다 수입 의존도가 높다.
⑤ 남한에서 C는 수송용보다 발전용으로의 이용 비중이 높다.

06회 미니모의고사

제한 시간 15분 / 배점 25점

○ 알고 맞힘 /10 △ 헷갈림 /10 ✕ 모르고 틀림 /10

[21912-0051] 

1 **다음은 한국지리 수업 장면이다. 교사의 질문에 옳게 답한 학생만을 고른 것은?**

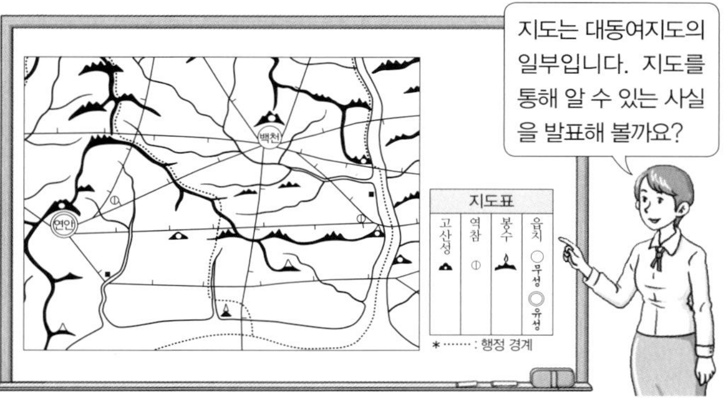

갑: 백천은 수운 교통보다 도로 교통이 발달하였습니다.

을: 백천에서 동쪽으로 도로를 따라 30리 이상 가야 배를 탈 수 있는 하천에 도달합니다.

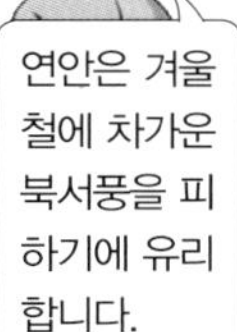

정: 백천에서 도로를 따라 역참에 도착하려면 하천을 세 번 이상 건너야 합니다.

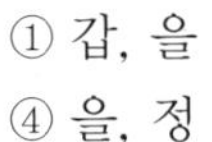

① 갑, 을 ② 갑, 병 ③ 을, 병
④ 을, 정 ⑤ 병, 정

[21912-0052]

2 **다음 자료는 학생이 어느 지역을 답사하면서 기록한 답사 노트의 일부이다. ㄱ ~ ㄹ 중 옳은 내용만을 있는 대로 고른 것은?** [3점]

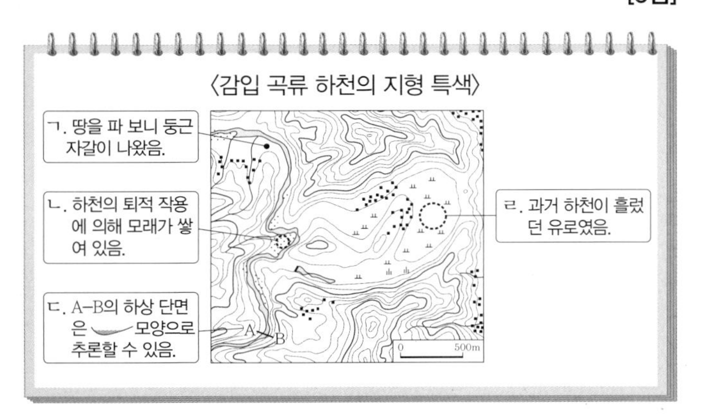

① ㄱ, ㄴ ② ㄱ, ㄷ ③ ㄷ, ㄹ
④ ㄱ, ㄴ, ㄹ ⑤ ㄴ, ㄷ, ㄹ

[21912-0053]

3 **그래프는 세 지역의 농가 특성과 인구 변화를 나타낸 것이다. (가) ~ (다)에 해당하는 지역을 지도의 A ~ C에서 고른 것은?** [3점]

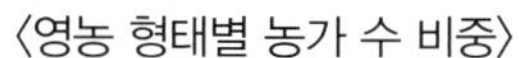

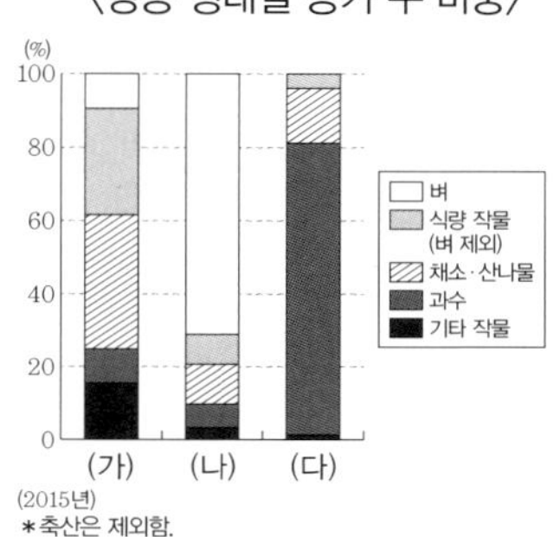

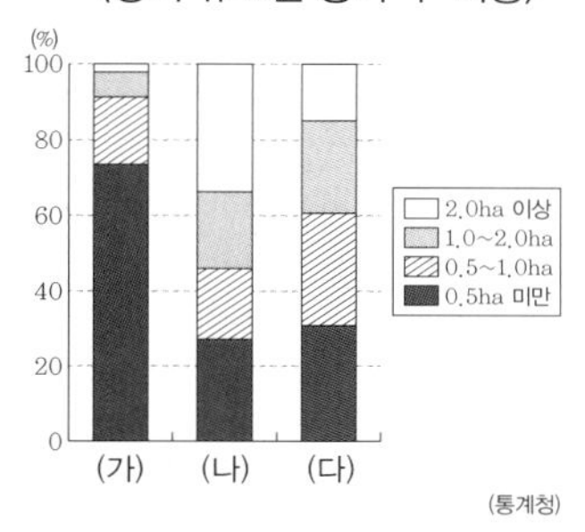

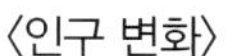

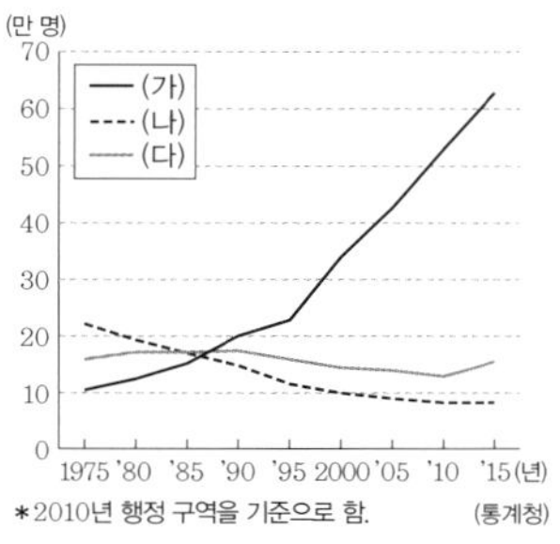

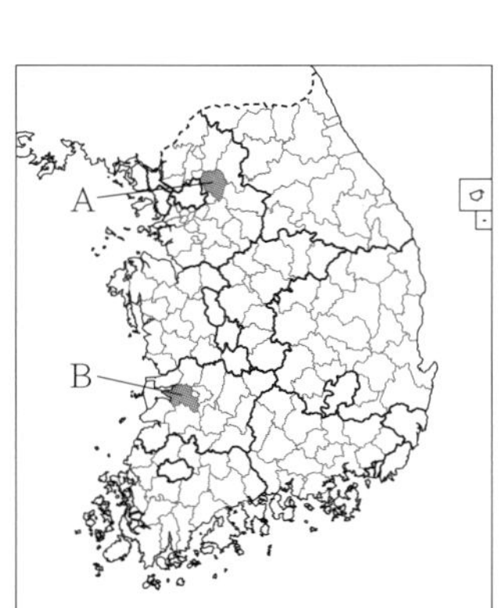

	(가)	(나)	(다)
①	A	B	C
②	A	C	B
③	B	A	C
④	C	A	B
⑤	C	B	A

[21912-0054] 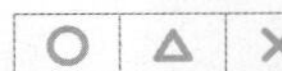

4 다음은 지형에 대한 한국지리 수업 장면이다. 교사의 질문에 옳게 답한 학생만을 있는 대로 고른 것은?

정

갑	을	병	정
서로 다른 암석 간의 차별적인 풍화·침식으로 형성된 분지 지형입니다.	해발 고도가 높아 여름철이 서늘하여 고랭지 채소 재배에 유리합니다.	바람이 강하고 자주 불어 풍력 발전소 건설에 유리합니다.	신생대 제3기 경동성 요곡 운동에 의한 지반 융기의 영향을 받았습니다.

① 갑, 을　② 을, 정　③ 병, 정
④ 갑, 병, 정　⑤ 을, 병, 정

[21912-0055] 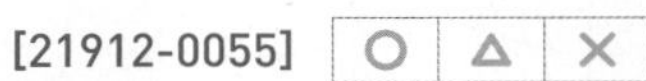

5 다음 자료는 두 지역의 전통 가옥 평면도와 외부 모습을 나타낸 것이다. (가), (나) 지역에 대한 설명으로 옳은 것만을 〈보기〉에서 있는 대로 고른 것은?

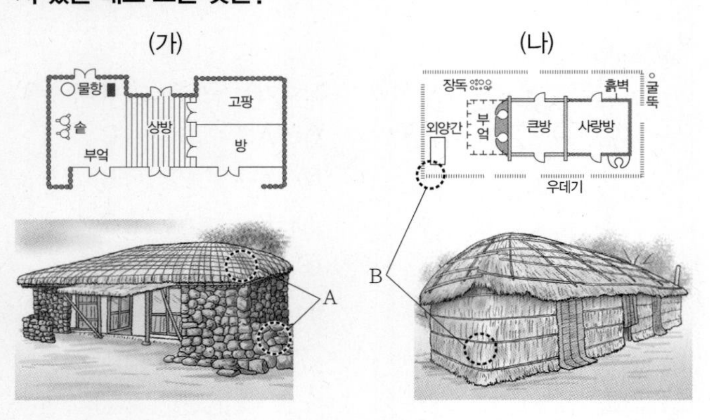

〈 보기 〉
ㄱ. (가)는 (나)보다 최한월 평균 기온이 높다.
ㄴ. (가)는 (나)보다 여름철 강수 집중률이 높다.
ㄷ. (나)는 (가)보다 식생의 수직적 분포가 다양하게 나타난다.
ㄹ. (가)의 A는 바람, (나)의 B는 강수의 영향이 반영된 것이다.

① ㄱ, ㄴ　② ㄱ, ㄷ　③ ㄷ, ㄹ
④ ㄱ, ㄴ, ㄹ　⑤ ㄴ, ㄷ, ㄹ

[21912-0056] ○ △ ×

6 다음 자료의 (가)~(다)에 해당하는 지역을 지도의 A~C에서 고른 것은? [3점]

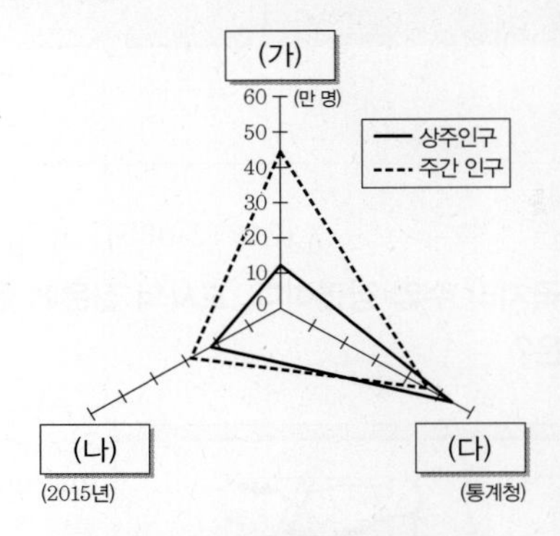

〈통근·통학 유형별 인구 비중〉

(단위: %)

지역	현재 살고 있는 동(洞)	같은 구(區) 내 다른 동(洞)	서울의 다른 구(區)	다른 시·도	계
(가)	48.2	8.8	36.2	6.8	100
(나)	40.3	8.1	32.0	19.6	100
(다)	39.0	6.4	42.6	12.0	100

(2015년)　(통계청)

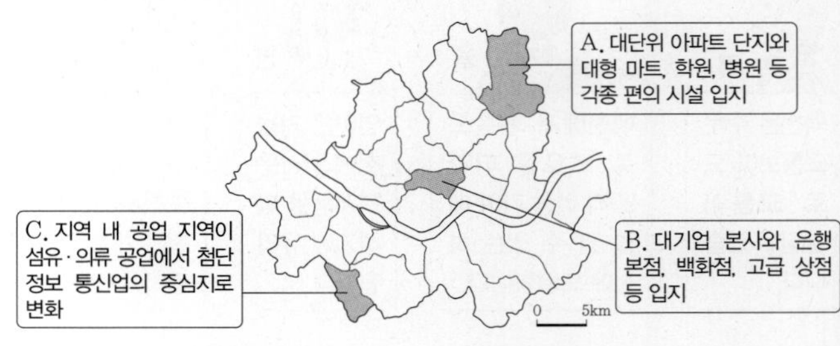

	(가)	(나)	(다)
①	A	B	C
②	A	C	B
③	B	A	C
④	B	C	A
⑤	C	B	A

[21912-0057] 

7 **그래프는 (가) ~ (다) 지역의 제조업 구조를 나타낸 것이다. A ~ C에 해당하는 제조업으로 옳은 것은? (단, (가) ~ (다)는 각각 경기, 울산, 충남 중 하나임.) [3점]**

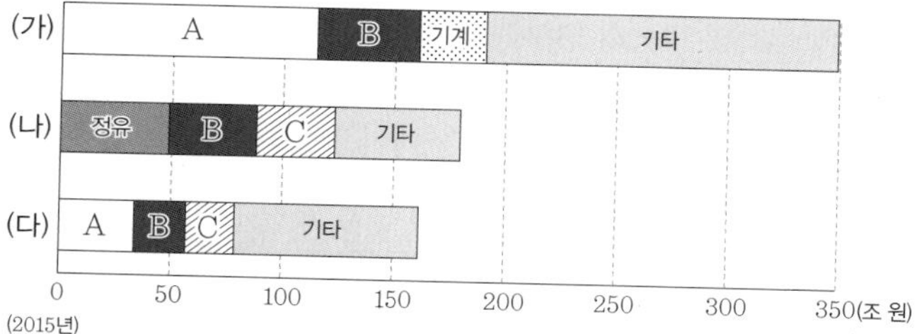

*종사자 규모 10인 이상 사업체를 대상으로 하며, 지역별 출하액 상위 3개 제조업을 제외한 나머지 제조업은 기타에 포함됨.
**'기계'는 '기타 기계 및 장비 제조업', '자동차'는 '자동차 및 트레일러 제조업', '전자'는 '전자 부품·컴퓨터·영상·음향 및 통신 장비 제조업', '정유'는 '코크스, 연탄 및 석유 정제품 제조업', '화학'은 '화학 물질 및 화학 제품(의약품 제외) 제조업'을 의미함.

	A	B	C
①	전자	화학	자동차
②	전자	자동차	화학
③	화학	자동차	전자
④	자동차	전자	화학
⑤	자동차	화학	전자

[21912-0058] 

8 **그래프는 (가) ~ (다) 지역의 인구 변화에 관한 것이다. 이에 대한 설명으로 옳지 <u>않은</u> 것은? (단, 인구 순 이동은 전입자 수 − 전출자 수임.)**

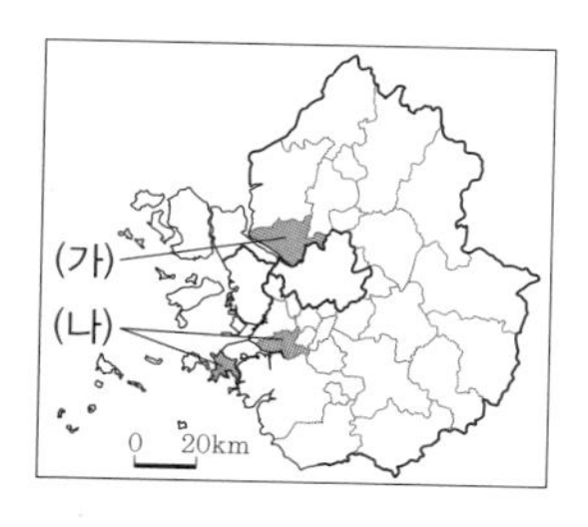

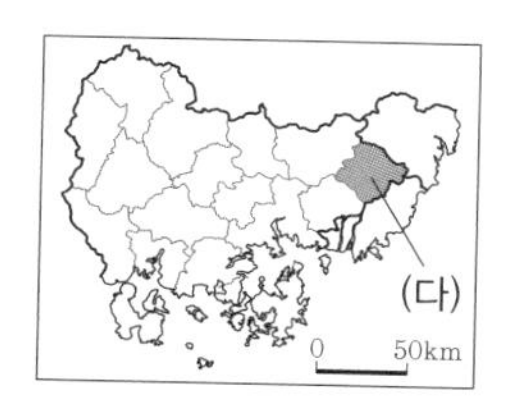

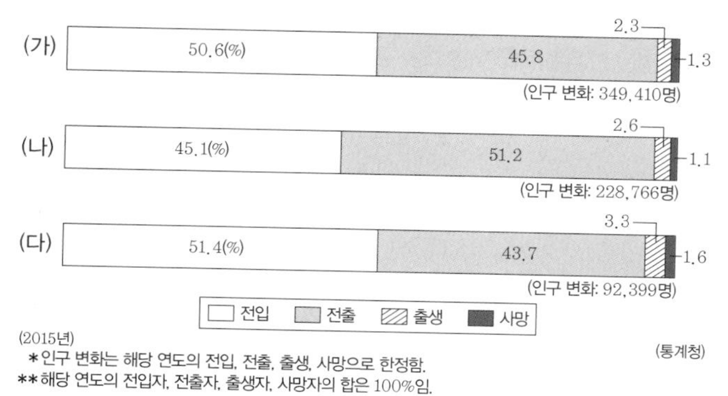

*인구 변화는 해당 연도의 전입, 전출, 출생, 사망으로 한정함.
**해당 연도의 전입자, 전출자, 출생자, 사망자의 합은 100%임.

① (가)는 인구의 자연적 증가가 나타났다.
② (나)는 인구 순 이동이 음(−)의 값이다.
③ (가)는 (나)보다 인구 이동 규모가 크다.
④ (나)는 (다)보다 전입자 수가 적다.
⑤ (가)는 인구가 증가하고, (나)는 인구가 감소하였다.

[21912-0059] 

9 **그래프는 남한과 북한의 농업을 비교한 것이다. 이에 대한 설명으로 옳은 것은? (단, (가), (나)는 각각 남한과 북한, A ~ C는 각각 맥류, 쌀, 옥수수 중 하나임.) [3점]**

〈경지 면적과 경지 면적 구성비〉

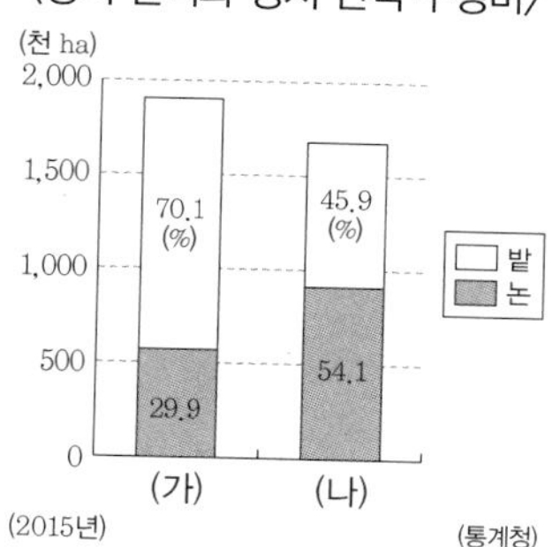

〈식량 작물 생산량 비중〉

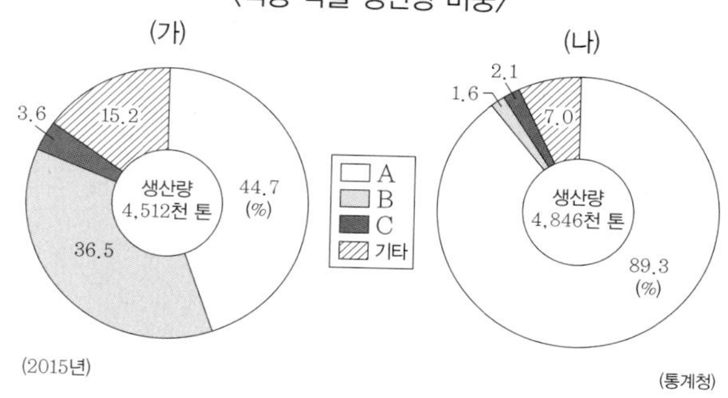

① (가)는 남한, (나)는 북한에 해당한다.
② (가)에서 A는 대부분 사료용으로 소비된다.
③ (가)에서 B는 주로 A의 그루갈이로 재배된다.
④ (나)에서 C의 재배 면적은 1970년대 이후 증가 추세이다.
⑤ A의 토지 생산성은 (나)가 (가)보다 높다.

[21912-0060] 

10 **그래프는 지도에 표시된 세 지역의 인구 변화를 나타낸 것이다. A ~ C 지역에 대한 설명으로 옳은 것은?**

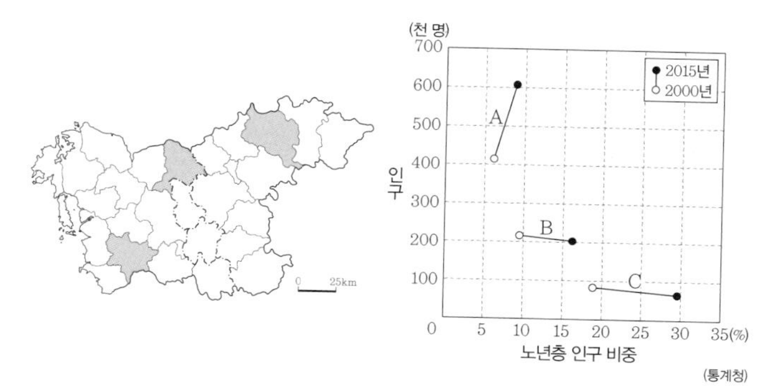

① A는 기업 도시로 지정되었다.
② B는 수도권과 전철로 연결되었다.
③ C에는 경제 자유 구역으로 지정된 곳이 있다.
④ B는 C보다 농림어업 종사자 비율이 높다.
⑤ A와 C는 충청남도, B는 충청북도에 위치해 있다.

07회 미니모의고사

제한 시간 15분 / 배점 25점

○ 알고 맞힘 /10 △ 헷갈림 /10 ✕ 모르고 틀림 /10

[21912-0061] ○ △ ✕

1 지도는 우리나라 주변의 수역을 나타낸 것이다. A ~ E 해역에서 일어난 행위가 적법하지 않은 것은? (단, 모든 행위는 국제 해양법에 따르는 것을 조건으로 하며, 국가 간 상호 사전 허가가 없었음.) [3점]

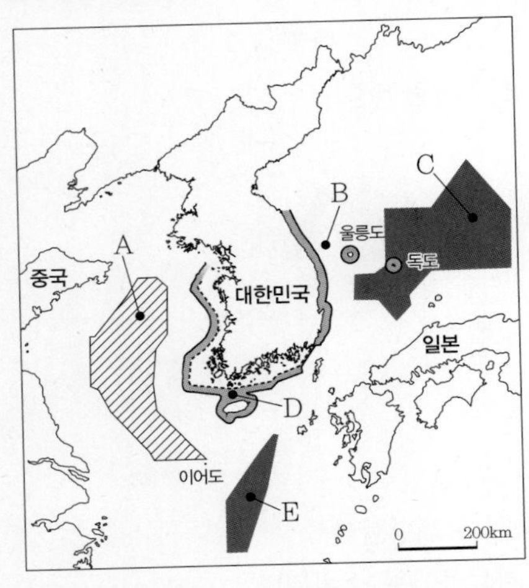

① A : 관광객을 태운 중국 여객선이 항행함.
② B : 자동차를 실은 러시아 화물선이 통과함.
③ C : 러시아로 가기 위해 일본 여객기가 상공을 통과함.
④ D : 에너지 확보를 위해 우리나라가 풍력 발전기를 설치함.
⑤ E : 중국 경비정이 우리나라 어선의 어업 활동을 불법 행위라고 경고함.

[21912-0062] ○ △ ✕

2 다음 자료의 (가) ~ (라) 지역에 대한 설명으로 옳지 않은 것은? (단, (가) ~ (라)는 각각 지도에 표시된 지역 중 하나임.)

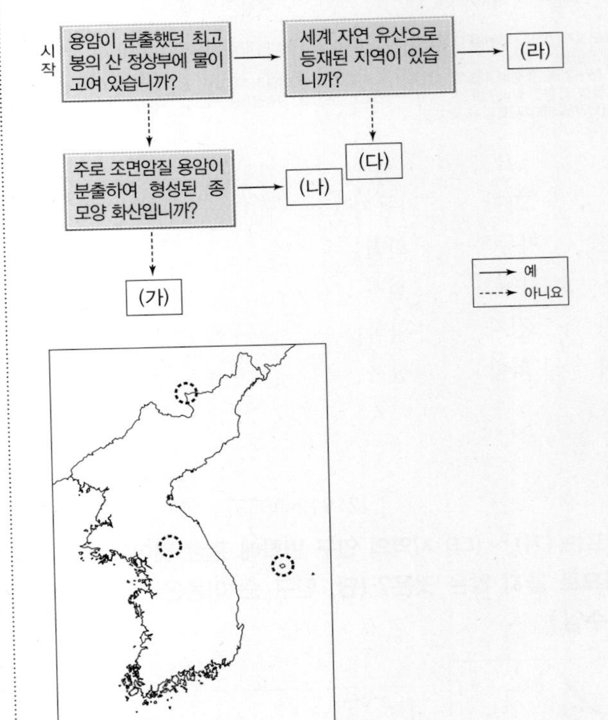

① (가)는 (라)보다 벼농사의 비중이 높다.
② (나)는 (라)보다 용암 동굴이 많이 분포한다.
③ (다)는 (나)보다 최고봉의 해발 고도가 높다.
④ (다)와 (라)의 정상부에서는 종 모양의 화산체를 볼 수 있다.
⑤ (가)와 (나)의 위도 차이는 (다)와 (라)의 위도 차이보다 작다.

[21912-0063]

3 (가) ~ (라)는 지도에 표시된 지역의 생태 관광 자원을 홍보하기 위한 자료이다. ㉠ ~ ㉣에 대한 설명으로 옳은 것만을 〈보기〉에서 있는 대로 고른 것은?

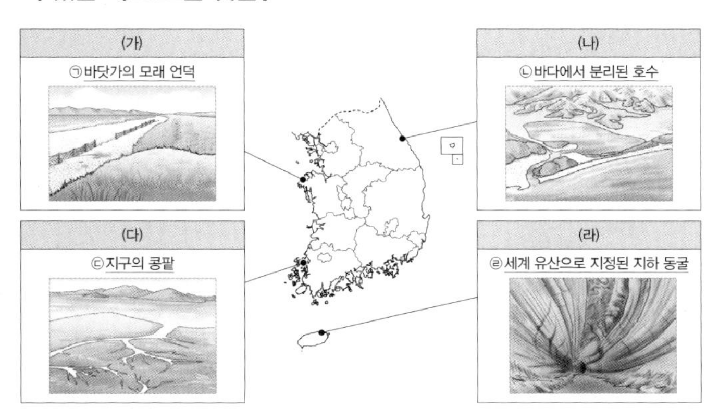

〈 보기 〉
ㄱ. ㉠ – 지하수 저장 기능이 있다.
ㄴ. ㉡ – 규모가 점차 확대되고 있다.
ㄷ. ㉢ – 오염 물질의 정화 기능이 있다.
ㄹ. ㉣ – 지하수의 용식 작용으로 형성되었다.

① ㄱ, ㄷ ② ㄱ, ㄹ ③ ㄴ, ㄷ
④ ㄱ, ㄴ, ㄹ ⑤ ㄴ, ㄷ, ㄹ

[21912-0064]

4 세 도(道)의 상대적 특성이 그래프와 같을 때, (가) ~ (다)에 해당하는 인구 지표로 옳은 것은?

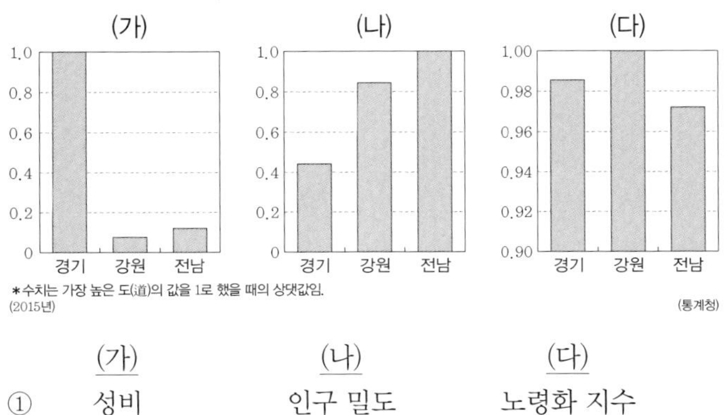

	(가)	(나)	(다)
①	성비	인구 밀도	노령화 지수
②	성비	노령화 지수	인구 밀도
③	인구 밀도	성비	노령화 지수
④	인구 밀도	노령화 지수	성비
⑤	노령화 지수	인구 밀도	성비

[21912-0065]

5 지도에 표시된 A ~ C 지역의 상대적 기후 값을 옳게 나타낸 것만을 〈보기〉에서 고른 것은? (단, 그래프의 값은 최대 지역의 값을 100으로 했을 때의 상댓값임.) [3점]

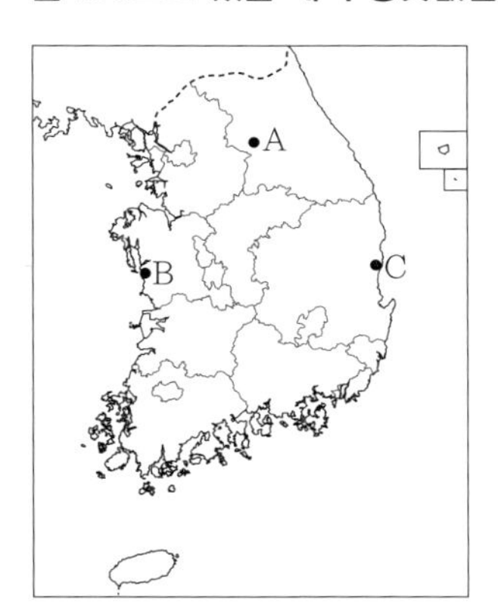

〈 보기 〉

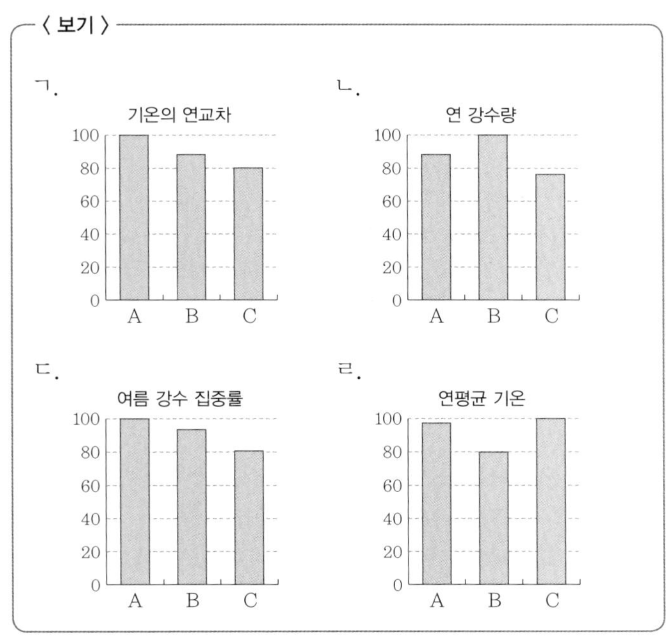

① ㄱ, ㄴ ② ㄱ, ㄷ ③ ㄴ, ㄷ
④ ㄴ, ㄹ ⑤ ㄷ, ㄹ

[21912-0066]

6 그래프는 지도에 표시된 네 구(區)의 특성을 나타낸 것이다. (가) ~ (라) 지역에 대한 추론으로 가장 적절한 것은?

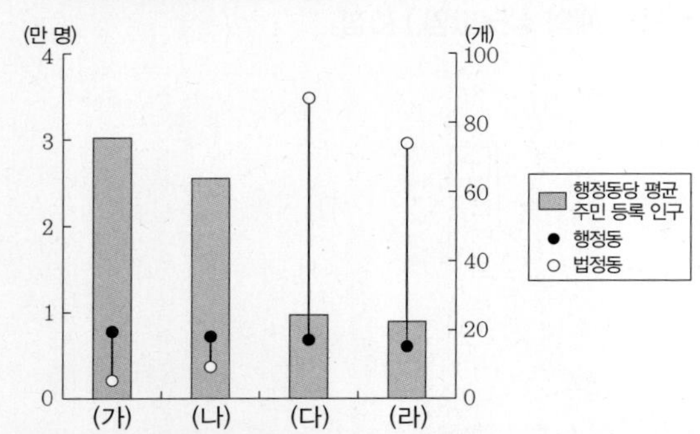

* 행정동은 행정 업무의 원활한 처리를 위해 편의상 구분한 동이고, 법정동은 법률로 정한 동임.
** 인구가 많은 법정동의 경우 행정 편의상 여러 개의 행정동으로 나누기도 하며, 상주인구가 적은 여러 개의 법정동을 합쳐서 하나의 행정동을 만들기도 함.
(2015년) (통계청)

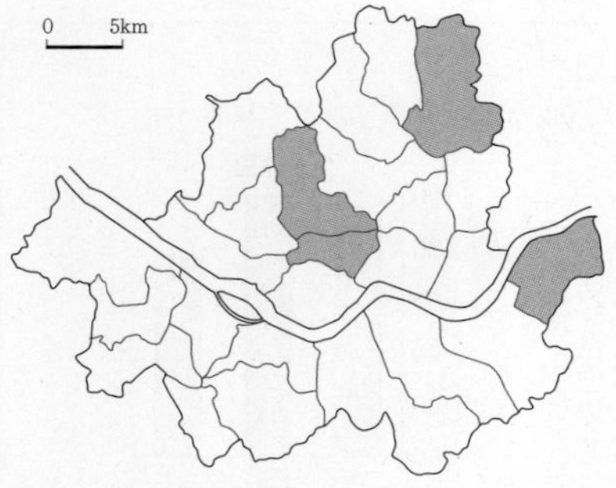

*(가)~(라)는 지도에 표시된 지역 중 하나임.

① (가)는 (라)보다 초등학교당 학급 수가 적을 것이다.
② (나)는 (다)보다 시가지의 형성 시기가 이를 것이다.
③ (다)는 (가)보다 인구 공동화 현상이 뚜렷할 것이다.
④ (라)는 (나)보다 아파트 수가 많을 것이다.
⑤ (가), (나)는 (다), (라)보다 중추 관리 기능이 집중되어 있을 것이다.

[21912-0067]

7 지도는 주요 화석 에너지의 시·도별 공급량 비중을 나타낸 것이다. (가) ~ (다) 에너지에 대한 설명으로 옳은 것만을 〈보기〉에서 고른 것은? (단, (가) ~ (다)는 각각 석유, 석탄, 천연가스 중 하나임.) [3점]

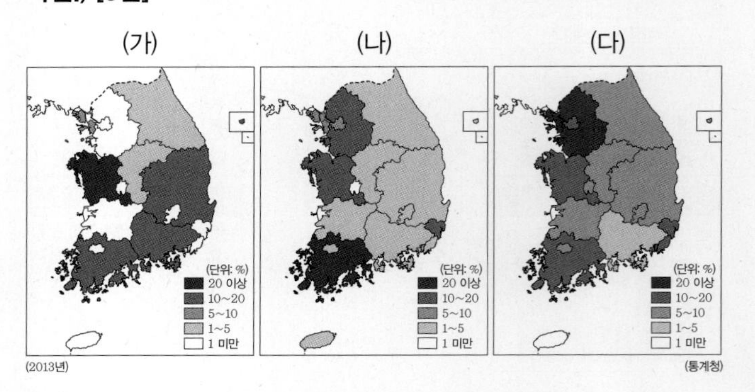

(2013년) (통계청)

〈 보기 〉
ㄱ. (가)는 주로 수송용 및 화학 공업용으로 이용된다.
ㄴ. (나)는 1차 에너지 공급 구조에서 차지하는 비중이 가장 높다.
ㄷ. (가)는 (나)보다 해외 의존도가 높다.
ㄹ. (나)는 (다)보다 연소 시 대기 오염 물질의 배출량이 많다.

① ㄱ, ㄴ ② ㄱ, ㄷ ③ ㄴ, ㄷ
④ ㄴ, ㄹ ⑤ ㄷ, ㄹ

[21912-0068] 

8 그래프는 수도권의 시·도별 특성에 관한 것이다. 이에 대한 분석으로 옳은 것은? [3점]

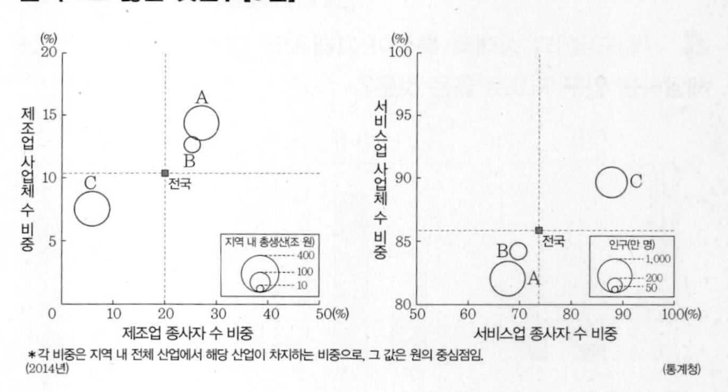

* 각 비중은 지역 내 전체 산업에서 해당 산업이 차지하는 비중으로, 그 값은 원의 중심점임.
(2014년) (통계청)

① A는 서울, B는 경기, C는 인천이다.
② 제조업 사업체당 종사자 수는 B>C>A 순으로 많다.
③ 인구가 많은 지역일수록 서비스업 종사자 수 비중이 높다.
④ 제조업 종사자 수 비중이 높은 지역일수록 지역 내 총생산이 많다.
⑤ 서비스업 사업체 수 비중이 가장 높은 지역은 제조업 사업체 수 비중이 가장 낮다.

[21912-0069] ○ △ ×

9 그래프는 세 제조업의 종사자 수와 출하액을 나타낸 것이다. (가) ~ (다) 제조업에 대한 설명으로 옳은 것만을 〈보기〉에서 있는 대로 고른 것은? (단, (가) ~ (다)는 각각 섬유 제품(의복 제외), 기타 운송 장비, 코크스 · 연탄 및 석유 정제품 제조업 중 하나임.) [3점]

(가)

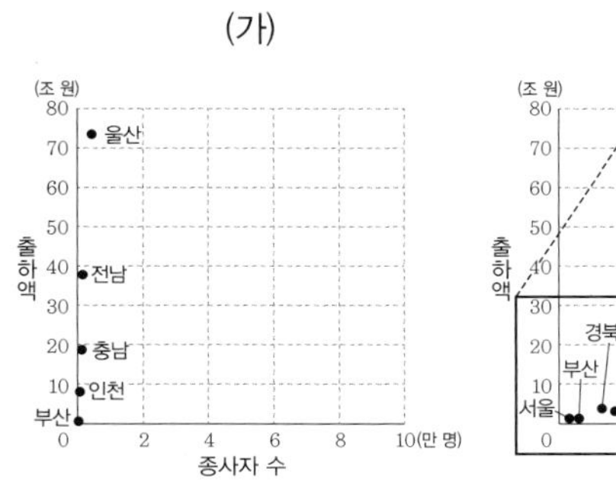

(나)

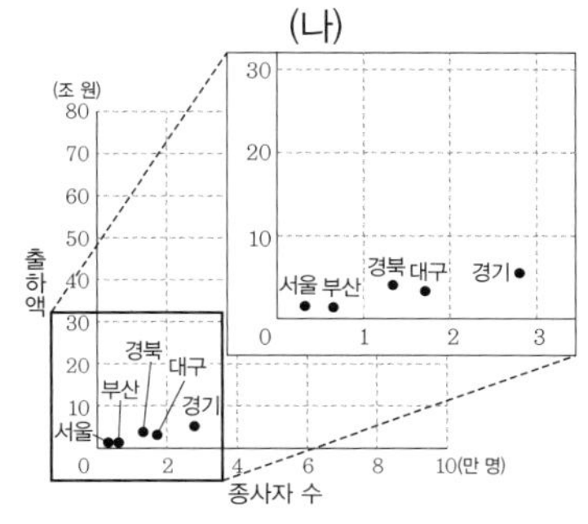

(다)

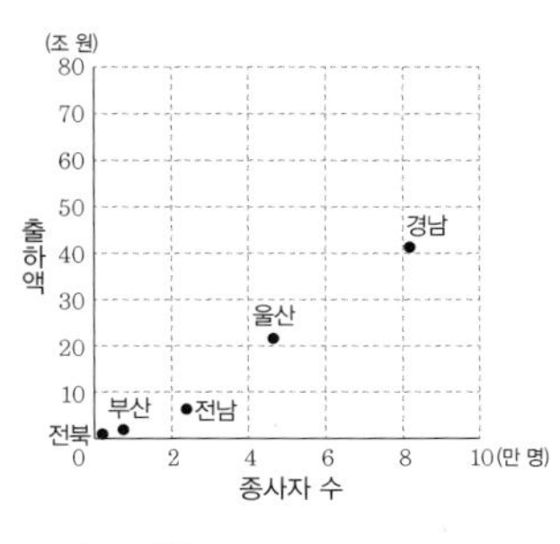

*종사자 규모 10인 이상 기업체를 대상으로 함.
**전국에서 차지하는 출하액 순위 5위까지만 나타냄.
***기타 운송 장비 제조업에는 선박 건조업, 철도 장비 제조업 등이 포함됨.
(2014년) (통계청)

〈보기〉

ㄱ. (나)는 (가)보다 총 생산비에서 노동비가 차지하는 비중이 높다.
ㄴ. (나)는 (다)보다 최종 제품의 무게가 무겁고 부피가 크다.
ㄷ. (다)는 (나)보다 종사자당 출하액이 많다.
ㄹ. (가), (다)의 대규모 생산 시설은 내륙 지역보다 해안 지역에 많이 입지한다.

① ㄱ, ㄴ ② ㄱ, ㄹ ③ ㄱ, ㄴ, ㄹ
④ ㄱ, ㄷ, ㄹ ⑤ ㄴ, ㄷ, ㄹ

[21912-0070] ○ △ ×

10 다음 자료는 영남 지방 어느 도시의 공업 구조를 나타낸 것이다. 이 도시에 대한 설명으로 옳은 것은? (단, 이 도시는 지도에 표시된 도시 중 하나임.)

제조업	전국 비중(%)
섬유 제품(의복 제외)	18.7
금속 가공 제품(기계 및 가구 제외)	6.9
자동차 및 트레일러	5.6
기타 기계 및 장비	4.7
고무 제품 및 플라스틱 제품	4.2
기타	2.0

*종사자 규모 10인 이상 사업체를 대상으로 함.
(2014년) (통계청)

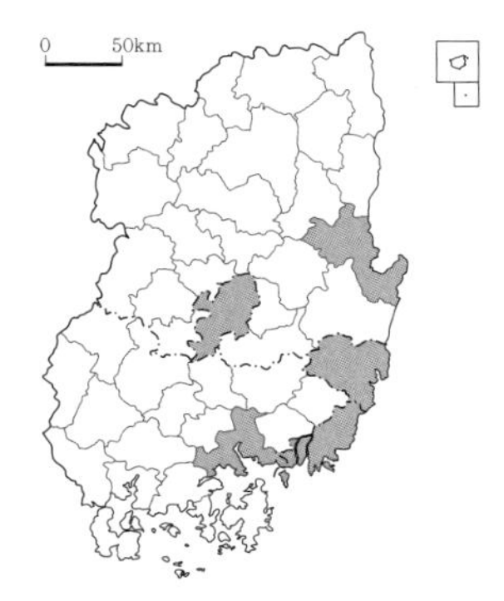

① 우리나라 최대의 항만 도시로 국제 영화제가 개최된다.
② 17개 시 · 도 중 1인당 지역 내 총생산(GRDP)이 가장 많다.
③ 정부의 철강 공업 육성책으로 1970년대 이후 급성장하였다.
④ 경상남도 도청 소재지로 2010년에 인접한 3개 시(市)가 통합되었다.
⑤ 여름철 평균 최고 기온이 가장 높으며 한때는 우리나라 제1의 사과 산지였다.

08회 미니모의고사

제한 시간 15분 / 배점 25점

EBS 수능특강 Q 미니모의고사 한국지리

○ 알고 맞힘 /10 △ 헷갈림 /10 ✕ 모르고 틀림 /10

[21912-0071] ○ △ ✕

1 **다음 자료는 서술형 평가의 일부이다. 옳게 작성한 학생을 고른 것은?**

◎(가), (나) 지도에 대한 ㉠~㉣의 설명 중 옳지 않은 내용을 한 가지만 선택하여 옳게 고쳐 서술하시오.

(가)

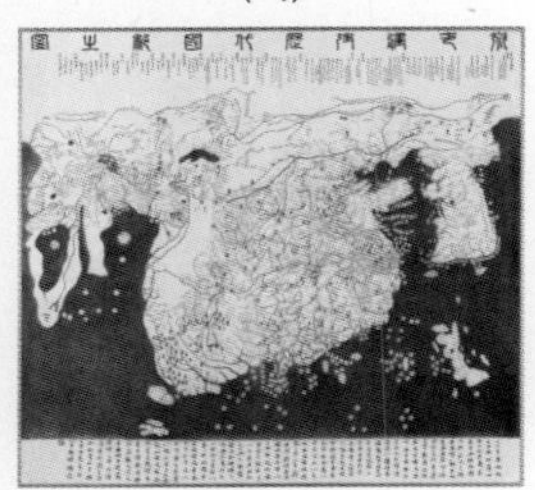

(나)

(가)는 ㉠ 국가 주도로 제작된 지도로 유럽·아프리카·서남아시아까지 표현되어 있으며, ㉡ 우리나라에서 현존하는 가장 오래된 세계 지도로 가치가 높다. (나)는 민간에서 제작된 지도로 천원지방의 세계관을 반영하고 있으며, ㉢ 실학사상의 영향을 반영하여 실제 존재하는 나라만 표현되어 있다. ㉣ 지도 제작 시기는 (나)가 (가)보다 이르며, (가)와 (나) 두 지도에는 우리나라를 세계의 중심으로 인식하는 생각이 반영되어 있다.

답안 : ____________________

갑
㉠ – 개인이 편찬하였으며, 아시아뿐만 아니라 아메리카 대륙까지 표현

을
㉡ – 아시아에서 가장 오래된 세계 지도로, 조선 시대 지리서에 지도의 전체적인 모습만 기록되어 있다.

병
㉢ – 도교의 영향을 받아 실제 존재하는 나라뿐만 아니라 상상의 국가와 지명이 다수 수록

정
㉣ – 지도 제작 시기는 (가)가 (나)보다 이르며, (가)와 (나) 지도 모두 중화사상이 반영

① 갑, 을 ② 갑, 병 ③ 을, 병 ④ 을, 정 ⑤ 병, 정

[21912-0072] 

2 **다음은 (가), (나) 계절에 전형적으로 나타나는 일기도를 나타낸 것이다. (가), (나) 계절에 열리는 지역 축제로 옳은 것을 〈보기〉에서 고른 것은? (단, (가), (나)는 각각 여름 또는 겨울임.)**

(가)

(나)

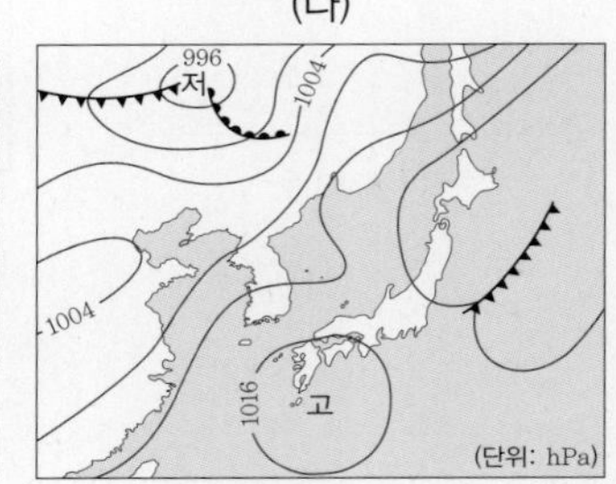

〈 보기 〉

ㄱ.

ㄴ.

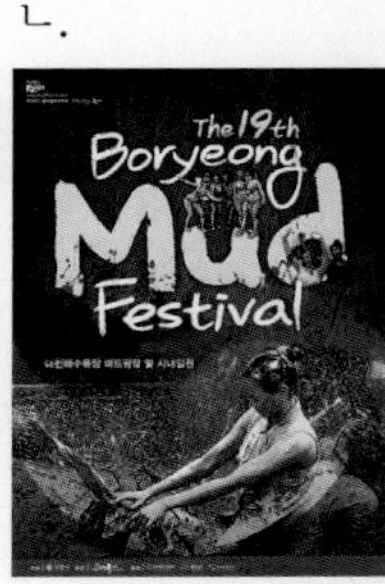

ㄷ.

	(가)	(나)
①	ㄱ	ㄴ
②	ㄱ	ㄷ
③	ㄴ	ㄱ
④	ㄴ	ㄷ
⑤	ㄷ	ㄴ

[21912-0073]

3 (가), (나) 시기의 A ~ C 지역에 대한 추론으로 옳은 것은? [3점]

〈기후 변화에 따른 해수면 변동〉

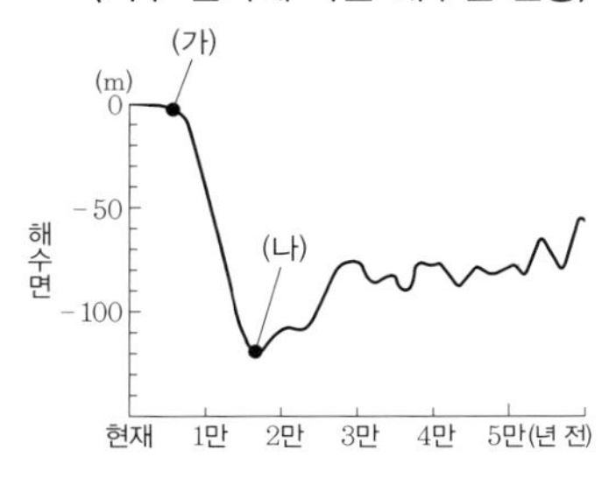

〈현재 한반도 주변 수심〉

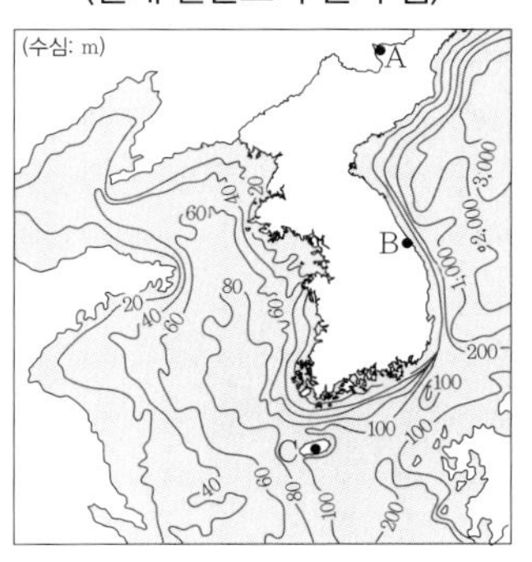

① (가) 시기에 B 지역은 침식 기준면 하강으로 깊은 골짜기가 형성되었을 것이다.
② (나) 시기에 C 지역은 현재처럼 섬이었을 것이다.
③ A 지역은 (가) 시기보다 (나) 시기에 식생 밀도가 높았을 것이다.
④ A~C 지역의 해발 고도는 (가) 시기보다 (나) 시기에 높았을 것이다.
⑤ A~C 지역의 물리적 풍화 작용은 (나) 시기보다 (가) 시기에 활발했을 것이다.

[21912-0074]

4 (가), (나) 지형에 대한 설명으로 옳은 것만을 〈보기〉에서 있는 대로 고른 것은? [3점]

(가)

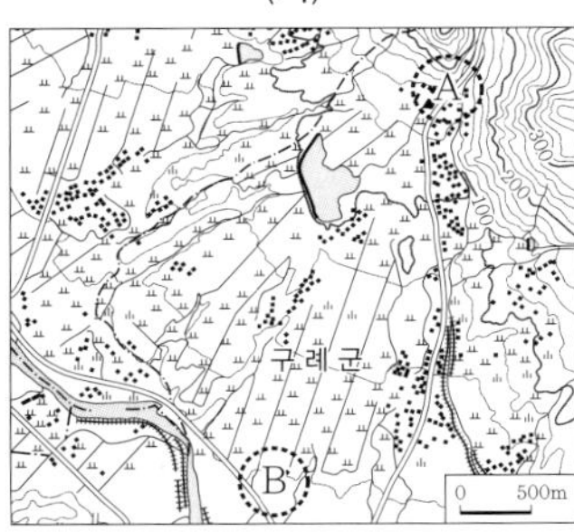

(나)

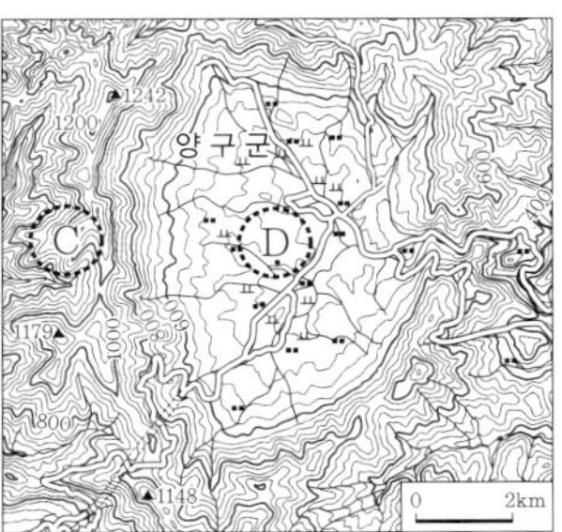

〈 보기 〉
ㄱ. A는 B보다 퇴적물의 평균 입자 크기가 크다.
ㄴ. C의 기반암은 D의 기반암보다 형성 시기가 이르다.
ㄷ. (가)는 하천이 바다와 만나는 하구에서 주로 형성된다.
ㄹ. (나)는 주로 기반암이 차별적인 풍화와 침식을 받아 형성되었다.

① ㄱ, ㄴ ② ㄱ, ㄷ ③ ㄷ, ㄹ
④ ㄱ, ㄴ, ㄹ ⑤ ㄴ, ㄷ, ㄹ

[21912-0075]

5 그래프는 지도에 표시된 세 지역의 1차 에너지원별 공급량을 나타낸 것이다. 이에 대한 설명으로 옳지 않은 것은? (단, A ~ C는 각각 석유, 석탄, 원자력 중 하나임.) [3점]

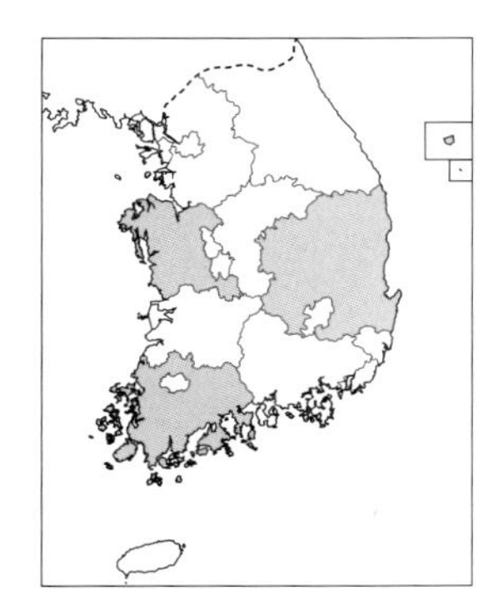

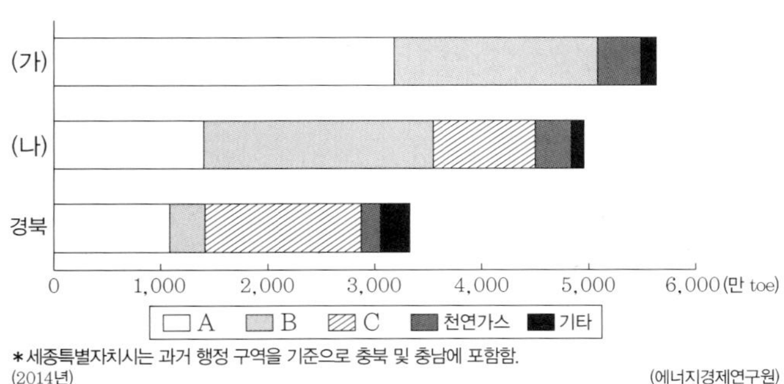

* 세종특별자치시는 과거 행정 구역을 기준으로 충북 및 충남에 포함함.
(2014년) (에너지경제연구원)

① A는 우리나라 1차 에너지 공급 구조에서 차지하는 비중이 가장 높다.
② C는 발전 과정에서 발생하는 폐기물의 처리 비용이 많이 든다.
③ (가)는 충남, (나)는 전남이다.
④ (나)의 B 공급량이 많은 것은 대규모 석유 화학 단지가 입지한 영향이 크다.
⑤ 경북에서 A가 B보다 공급량이 많은 것은 대규모 제철소가 입지하고 있기 때문이다.

[21912-0076] 

6 그래프는 우리나라 총인구 및 시기별 인구 규모 상위 10대 도시의 인구 비중 변화를 나타낸 것이다. 이에 대한 분석으로 옳지 않은 것은? [3점]

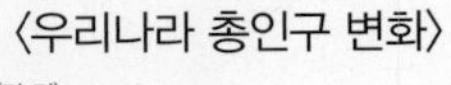

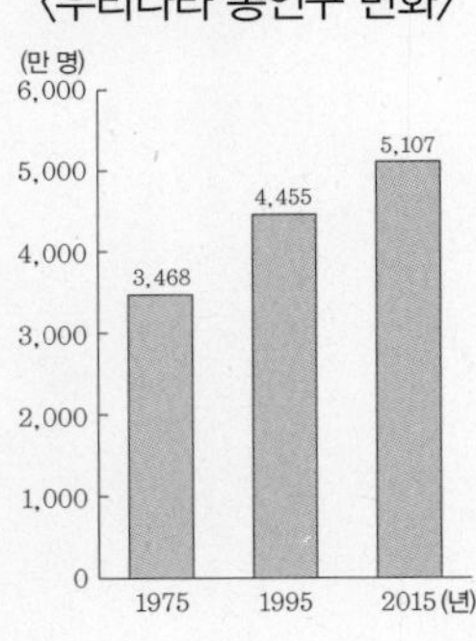

〈도시별 인구 비중 변화〉

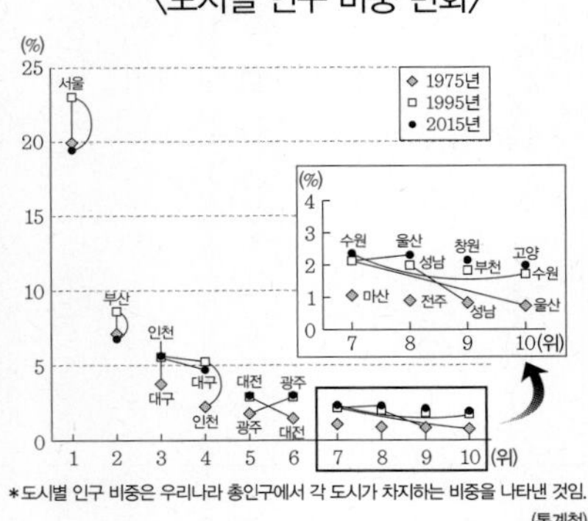

*도시별 인구 비중은 우리나라 총인구에서 각 도시가 차지하는 비중을 나타낸 것임.
(통계청)

① 1975 ~ 2015년에 종주 도시화 현상이 지속되었다.
② 인천은 대구보다 1995 ~ 2015년에 인구가 많이 증가하였다.
③ 10대 도시 중 수도권에 위치한 도시는 2015년이 1975년보다 많다.
④ 2015년의 상위 10대 도시들은 모두 인구 규모가 50만 명 이상이다.
⑤ 총인구에서 10대 도시가 차지하는 비중은 2015년이 1975년보다 낮다.

[21912-0077] 

7 그래프는 세 지역의 인구 증가율을 나타낸 것이다. (가) ~ (다)에 해당하는 지역을 지도의 A ~ C에서 고른 것은? [3점]

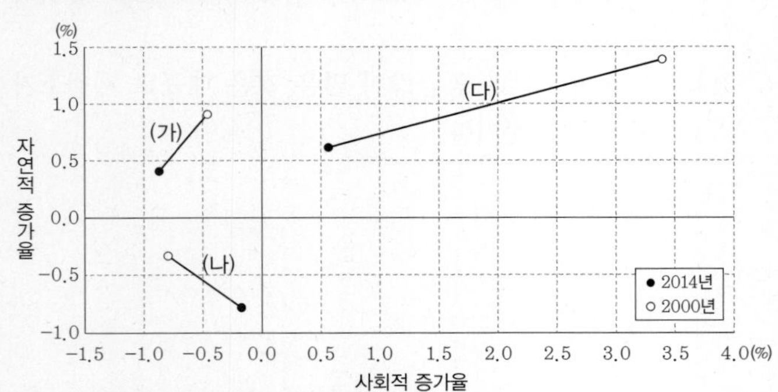

*증가율은 전년도의 총인구에 대한 당해 연도의 변동치를 백분율로 나타낸 것임.
(통계청)

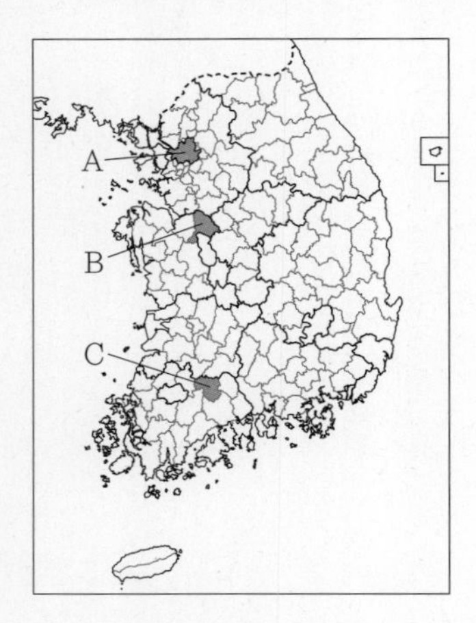

	(가)	(나)	(다)
①	A	B	C
②	A	C	B
③	B	A	C
④	B	C	A
⑤	C	A	B

[21912-0078] ○ △ ×

8 그래프는 지도에 표시된 두 지역의 연령대별 농가 인구 구조를 나타낸 것이다. (가), (나) 지역에 대한 추론으로 옳은 것만을 〈보기〉에서 고른 것은?

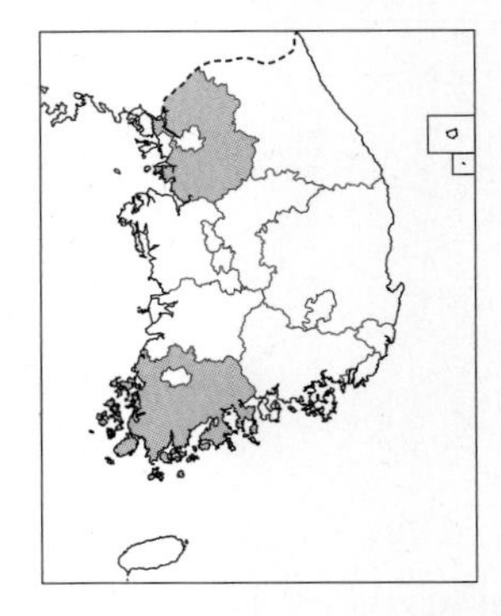

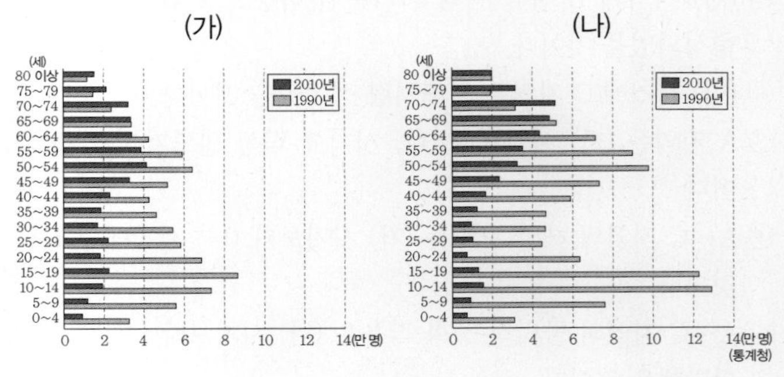

〈 보기 〉
ㄱ. (가)는 (나)보다 2010년에 농가당 경지 면적이 넓었을 것이다.
ㄴ. (가)는 (나)보다 총인구에서 차지하는 청장년층 인구 비중이 높을 것이다.
ㄷ. (나)는 (가)보다 1차 산업 종사자 비중이 높을 것이다.
ㄹ. (나)는 (가)보다 1990~2010년에 총인구의 인구 증가율이 높았을 것이다.

① ㄱ, ㄴ ② ㄱ, ㄷ ③ ㄴ, ㄷ
④ ㄴ, ㄹ ⑤ ㄷ, ㄹ

[21912-0079] 

9 **그래프를 토대로 남북한 인구의 상대적 특성을 그림과 같이 나타낼 때, A, B에 들어갈 지표로 옳은 것은?**

〈남북한의 연령대별 인구 구조〉

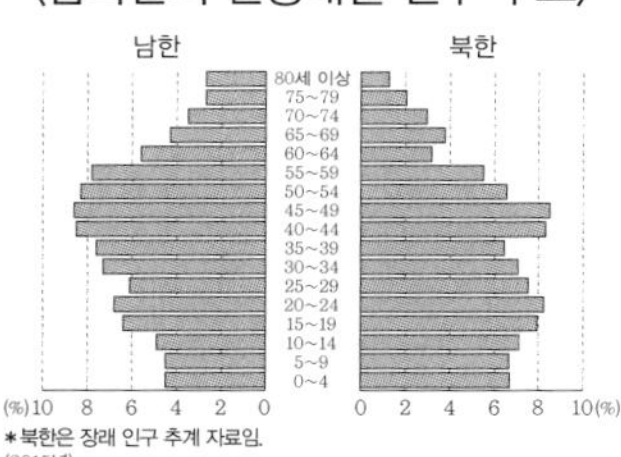

* 북한은 장래 인구 추계 자료임.
(2015년)

〈남북한의 연령대별 성비〉

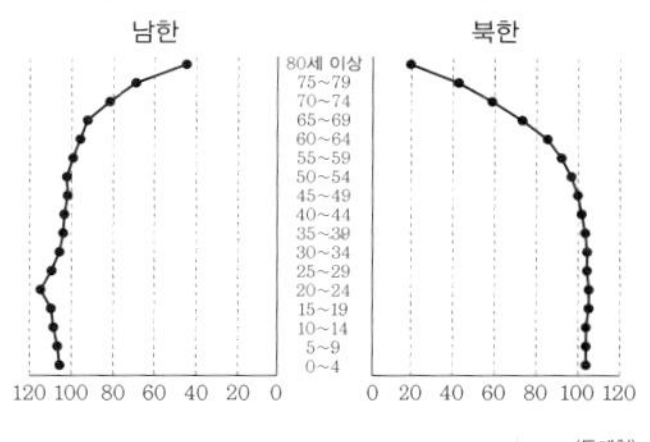

(통계청)

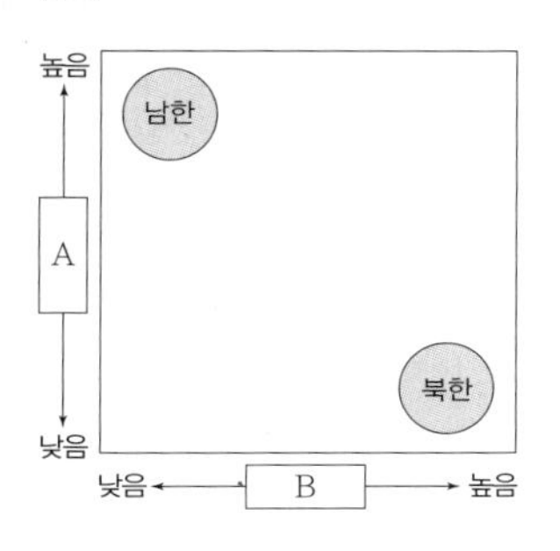

	A	B
①	총 부양비	유소년층 인구 비중
②	노령화 지수	총 부양비
③	노년층 성비	노년층 인구 비중
④	노년층 인구 비중	노년층 성비
⑤	유소년층 인구 비중	노령화 지수

[21912-0080] ○ △ ×

10 **다음 글의 (가) ~ (다) 도시를 지도의 A ~ E에서 고른 것은?**

충청 지방의 인구 최대 도시는 (가) 이다. (가) 은/는 일제 강점기 철도의 개통으로 급성장하였으며, 지금도 경부선 철도와 호남선 철도 및 경부 고속 국도와 호남 고속 국도가 분기하는 교통의 요지이다. (가) 와/과 함께 교통의 요지로 손꼽히는 (나) 은/는 수도권 전철이 연결되면서 인구가 급증하였으며, 인구가 50만 명을 돌파하면서 2008년에 구(區) 단위의 행정 구역을 두는 시(市)가 되었다. 충청권에서 구(區) 단위의 행정 구역을 두는 시(市)로는 (나) 외에도 (다) 이/가 있는데, (다) 은/는 2014년에 인근의 군(郡) 지역과 자율적으로 행정 구역을 통합하여 도농 통합시로 새롭게 출범하였다.

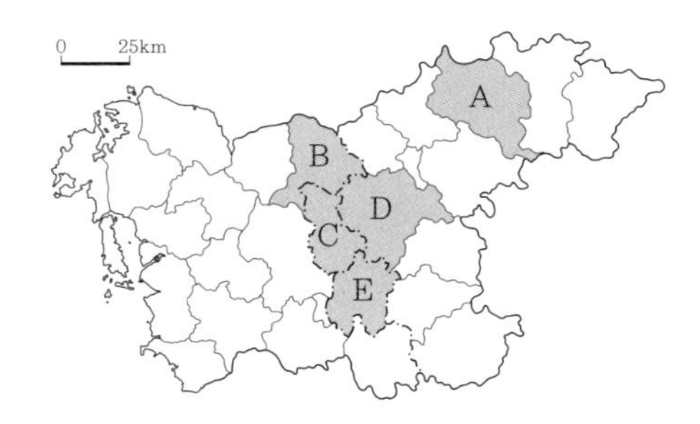

	(가)	(나)	(다)
①	B	A	C
②	C	B	D
③	D	C	A
④	E	A	C
⑤	E	B	D

09회 미니모의고사

제한 시간 15분 / 배점 25점

EBS 수능특강 Q 미니모의고사 한국지리

○ 알고 맞힘 /10 △ 헷갈림 /10 ✕ 모르고 틀림 /10

[21912-0081] ○ △ ✕

1 다음 자료의 A 섬에 대한 설명으로 옳은 것은?

…(상략)… A와 울릉도는 '무릉'이라고도 하고 '우릉'이라고도 한다. …(중략)… 세 봉우리가 곧게 솟아 하늘에 닿았는데, 남쪽 봉우리가 약간 낮다. 날씨가 맑은 날이면 봉우리 머리의 수목과 산 밑의 모래톱을 역력히 볼 수 있으며, 순풍이면 이틀에 갈 수 있다. …(하략)…

– 『신증동국여지승람』, 강원도 울진현조 –

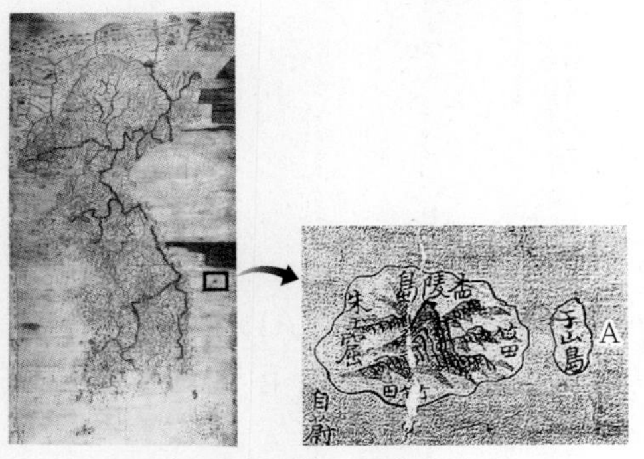

〈18세기 중엽 동국대지도〉

① 현재 행정 구역은 강원도에 속해 있다.
② 점성이 작은 용암 분출로 섬 전체의 경사가 완만하다.
③ 주변 해역의 영해 설정에 직선 기선이 적용되고 있다.
④ 주변 해역이 조경 수역을 이루어 어족 자원이 풍부하다.
⑤ 유네스코(UNESCO) 세계 자연 유산으로 등재되어 있다.

[21912-0082] ○ △ ✕

2 다음 자료의 (가)~(라)에 대한 설명으로 옳은 것은? [3점]

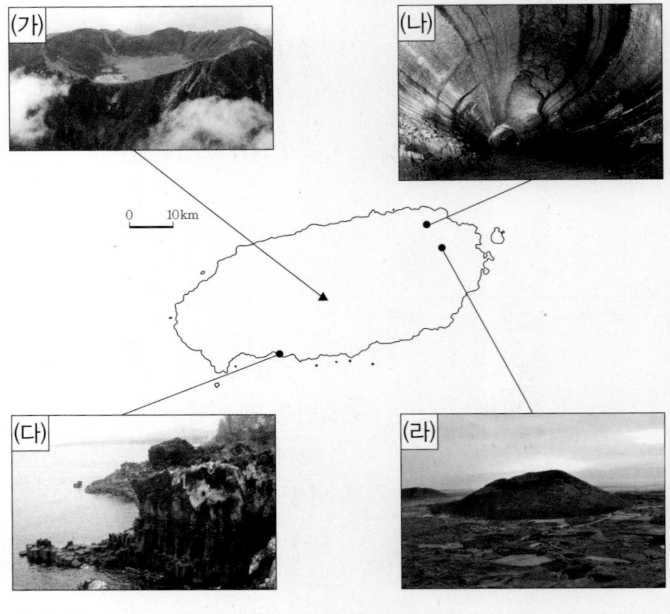

① (가) 산지의 정상에서는 분화구의 함몰로 형성된 지형을 관찰할 수 있다.
② (나) 동굴의 방향은 대체로 등고선의 방향과 평행하다.
③ (다)의 돌기둥은 용암이 냉각 및 수축되는 과정에서 형성되었다.
④ (라)의 산지는 주변의 완경사지보다 먼저 형성되었다.
⑤ (나) 동굴을 형성한 용암은 (가) 산정부를 형성한 용암보다 대체로 점성이 크다.

[21912-0083]

3 (가), (나) 지역을 지도의 A~D에서 고른 것은?

(가) 지역의 지리 조사 계획	
오전	하천의 토사 유입이 석호 면적 변화에 끼치는 영향
점심 식사	끓인 콩물에 바닷물을 부어 만든 순두부 정식
오후	해안 단구 위에 쌓여 있는 퇴적 물질의 특성 조사

(나) 지역의 지리 조사 계획	
오전	역간척 사업이 생태 환경에 끼치는 영향
점심 식사	청정 갯벌에서 캐낸 꼬막으로 요리한 비빔밥과 꼬막회 무침
오후	람사르 협약에 지정된 해안 습지의 생태적 의의

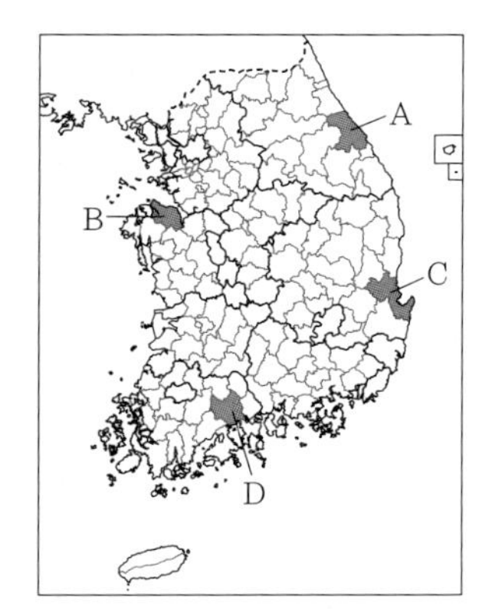

	(가)	(나)
①	A	B
②	A	D
③	B	D
④	C	A
⑤	C	B

[21912-0084]

4 그래프는 서울시의 구(區)별 특성을 나타낸 것이다. (가)~(다)에 해당하는 지역을 A~C에서 고른 것은?

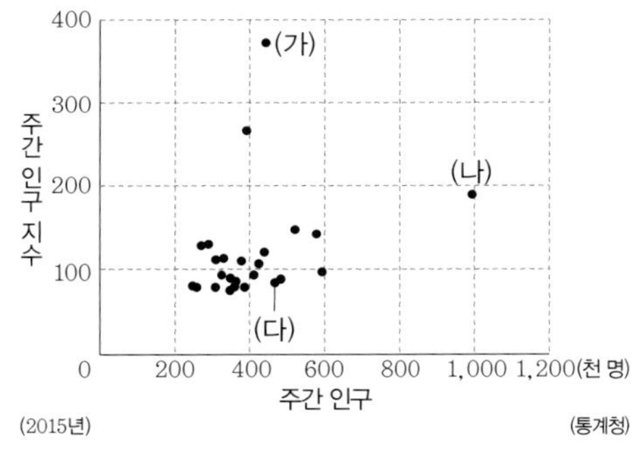

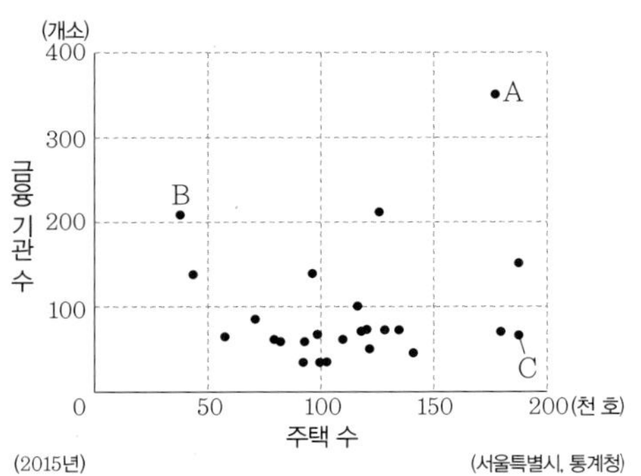

	(가)	(나)	(다)
①	A	B	C
②	A	C	B
③	B	A	C
④	B	C	A
⑤	C	B	A

[21912-0085]

5 그래프의 A~D 지역에 대한 설명으로 옳은 것은? (단, A~D는 각각 지도에 표시된 네 지역 중 하나임.) [3점]

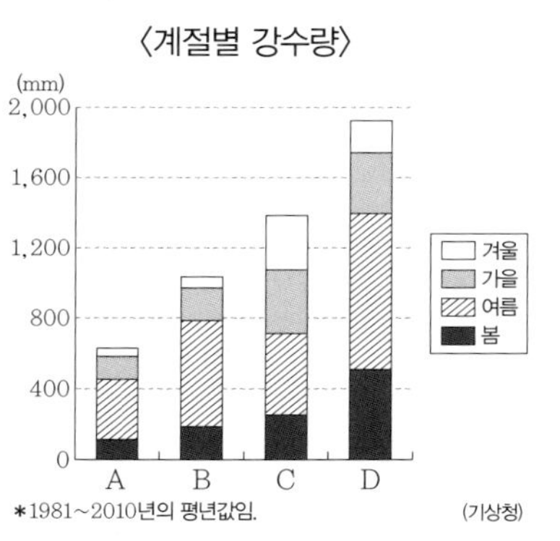

① A는 C보다 겨울 강수량이 많다.
② B는 C보다 해양의 영향을 크게 받는다.
③ B는 D보다 여름 강수 집중률이 높다.
④ D는 A보다 고위도에 위치해 있다.
⑤ D는 C보다 모든 계절의 강수량이 많다.

[21912-0086] ○ △ ×

6 지도는 도(道)별 신·재생 에너지 생산량 비중을 나타낸 것이다. A~C 자원에 대한 설명으로 옳은 것만을 〈보기〉에서 고른 것은? (단, A~C는 각각 수력, 태양광, 풍력 중 하나임.) [3점]

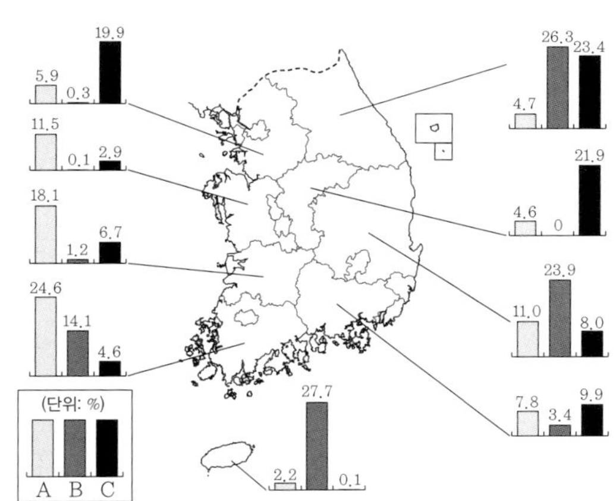

*수치는 신·재생 에너지원별 전국의 총 생산량 대비 비중이며, 수력에서 양수식은 제외함.
(2016년) (에너지경제연구원)

〈보기〉
ㄱ. A는 일조량이 많은 지역에서 생산에 유리하다.
ㄴ. B는 A보다 발전 시 소음으로 인한 피해가 크다.
ㄷ. A~C 중 생산량이 가장 많은 것은 B이다.
ㄹ. 발전 방식별 연간 발전량에서 겨울철 발전량이 차지하는 비중은 C가 B보다 높다.

① ㄱ, ㄴ ② ㄱ, ㄷ ③ ㄴ, ㄷ
④ ㄴ, ㄹ ⑤ ㄷ, ㄹ

[21912-0087] 

7 그래프는 세 제조업의 특성을 나타낸 것이다. (가)~(다) 제조업에 대한 설명으로 옳은 것은? (단, (가)~(다)는 각각 1차 금속, 자동차 및 트레일러, 전자 부품·컴퓨터·영상·음향 및 통신 장비 제조업 중 하나임.) [3점]

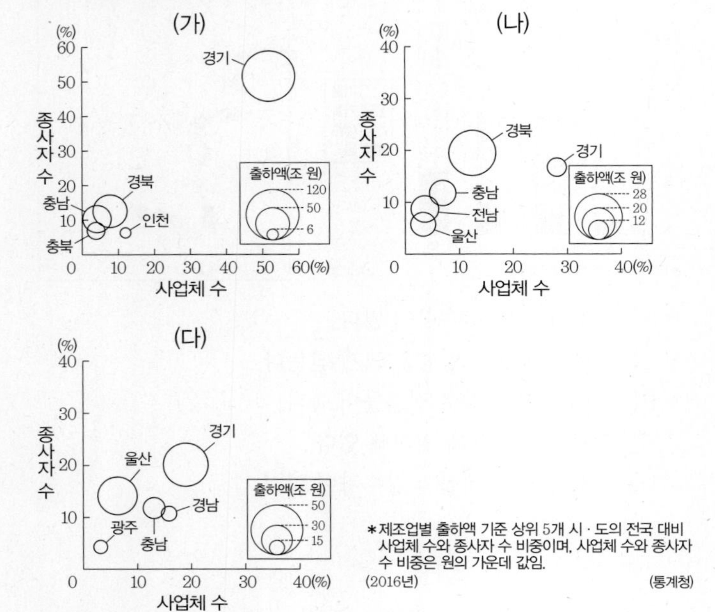

*제조업별 출하액 기준 상위 5개 시·도의 전국 대비 사업체 수와 종사자 수 비중이며, 사업체 수와 종사자 수 비중은 원의 가운데 값임.
(2016년) (통계청)

① (가)의 종사자 절반 이상이 비수도권에 분포한다.
② (나)는 운송비에 비해 부가 가치가 큰 입지 자유형 제조업이다.
③ (다)의 사업체당 출하액은 경기가 울산보다 많다.
④ (나)는 (가)보다 수도권의 사업체 수 집중도가 높다.
⑤ (다)는 (나)에서 생산된 제품을 주요 재료로 이용한다.

[21912-0088] ○ △ ×

8 (가)~(다)에 해당하는 지역을 지도의 A~C에서 고른 것은?

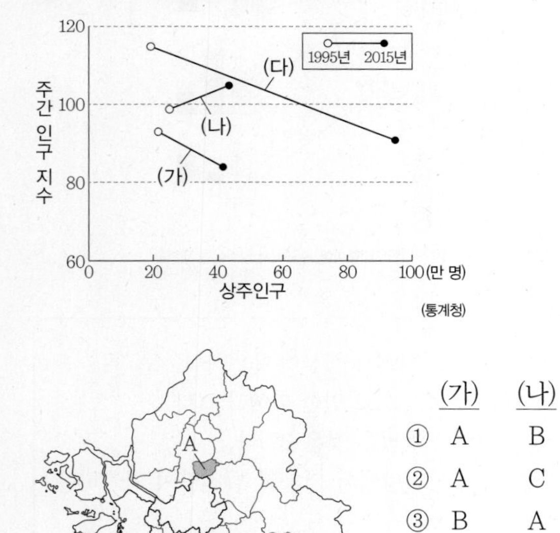

	(가)	(나)	(다)
①	A	B	C
②	A	C	B
③	B	A	C
④	B	C	A
⑤	C	A	B

[21912-0089] 

9 다음 자료는 우리나라의 외국인 주민 현황을 나타낸 것이다. 이에 대한 설명으로 옳은 것은? (단, (가), (나)는 각각 결혼 이민자와 외국인 근로자 중 하나임.) [3점]

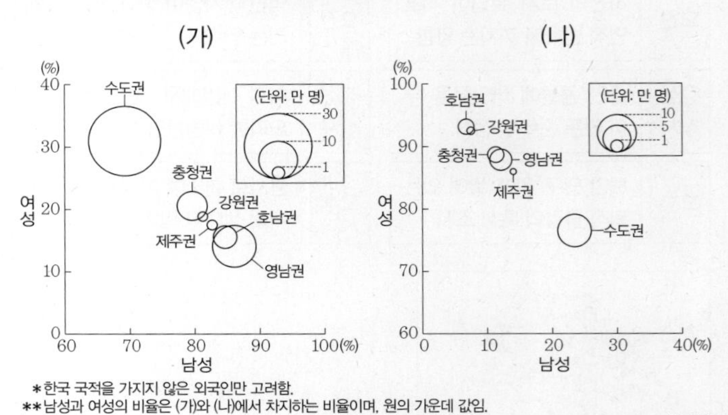

*한국 국적을 가지지 않은 외국인만 고려함.
**남성과 여성의 비율은 (가)와 (나)에서 차지하는 비율이며, 원의 가운데 값임.
(2015년) (통계청)

① (나)는 (가)보다 성비가 높다.
② (가)는 결혼 이민자, (나)는 외국인 근로자이다.
③ 호남권은 영남권보다 외국인 근로자의 수가 많다.
④ 우리나라는 결혼 이민자가 외국인 근로자보다 많다.
⑤ 수도권은 비수도권보다 결혼 이민자의 성비가 높다.

[21912-0090] 

10 다음 자료의 (가)에 들어갈 내용으로 가장 적절한 것은?

우리 모둠은 표에 적힌 지점들을 중심으로 3박 4일 동안 충청 지방을 답사할 예정이야.

일자	주요 답사 지점
1일 차	머드 박물관, 폐광 지역 석탄 박물관과 냉풍욕장
2일 차	행정 중심 복합 도시의 정부 종합 청사
3일 차	경부·호남 고속 철도 분기역과 생명 과학 단지
4일 차	시멘트 공장과 천연기념물로 지정된 석회 동굴

그렇구나. 지도를 보니까 충청 지방을 대략 (가)

① 'ㄷ'자 모양으로 돌아볼 예정이구나.
② 북쪽에서 남쪽으로 종단하는 일정이네.
③ 서쪽에서 동쪽으로 횡단할 계획이구나.
④ 시계 방향으로 한 바퀴 돌아보는 경로이네.
⑤ 반시계 방향으로 한 바퀴 답사할 계획이구나.

10회 미니모의고사

제한 시간 15분 / 배점 25점

EBS 수능특강 Q 미니모의고사 한국지리

○ 알고 맞힘 /10 △ 헷갈림 /10 ✕ 모르고 틀림 /10

[21912-0091] ○ △ ✕

1 다음은 A에 대한 법률 조항이다. 이에 대한 설명으로 옳은 것은? [3점]

> A 및 대륙붕에 관한 법률
>
> 제1조(목적) 이 법은「해양법에 관한 국제 연합 협약」에 따라 A와 대륙붕에 관하여 대한민국이 행사하는 주권적 권리와 관할권 등을 규정하여 대한민국의 해양 권익을 보호하고 국제 해양 질서 확립에 기여함을 목적으로 한다.
>
> 제2조(A와 대륙붕의 범위) ① 대한민국의 A는 협약에 따라「영해 및 접속 수역법」제2조에 따른 ㉠기선(基線)으로부터 그 바깥쪽 [㉡]의 선까지에 이르는 수역 중 대한민국의 [㉢]을/를 제외한 수역으로 한다.
>
> ②, ③ …(생략)…
>
> 제3조(A와 대륙붕에서의 권리) ① 대한민국은 협약에 따라 A에서 다음 각 호의 권리를 가진다.
>
> 1. [㉣]을/를 목적으로 하는 주권적 권리와 해수, 해류 및 해풍을 이용한 에너지 생산 등 경제적 개발 및 탐사를 위한 그 밖의 활동에 관한 주권적 권리
> 2. 다음 각 목의 사항에 관하여 협약에 규정된 관할권
>   가. 인공 섬·시설 및 구조물의 설치·사용
>   나. 해양 과학 조사
>   다. 해양 환경의 보호 및 보전
> 3. 협약에 규정된 그 밖의 권리
>
> ② …(생략)…

① A의 상공은 우리나라의 영공에 해당한다.
② 울릉도와 독도 주변의 ㉠은 평균 해수면이 기준이 된다.
③ ㉡에 들어갈 말은 '12해리'이다.
④ ㉢에 들어갈 말은 '내수(內水)'이다.
⑤ ㉣에는 자원의 탐사·개발·보존·관리에 관한 내용이 포함된다.

[21912-0092] ○ △ ✕

2 (가), (나)는 동일한 하천의 두 지역을 나타낸 것이다. 이에 대한 설명으로 옳은 것만을 〈보기〉에서 있는 대로 고른 것은?

(가)

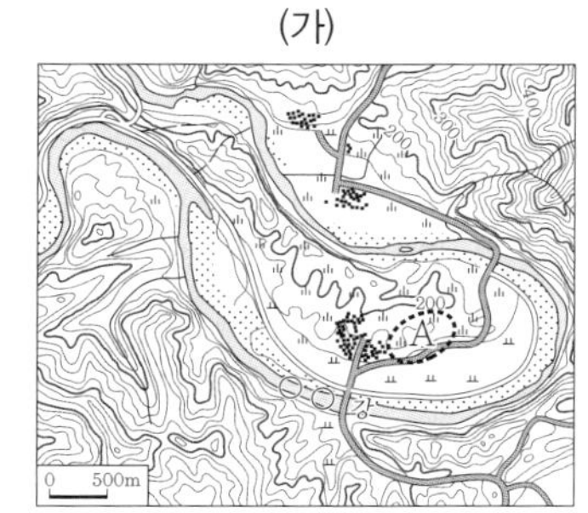

(나)

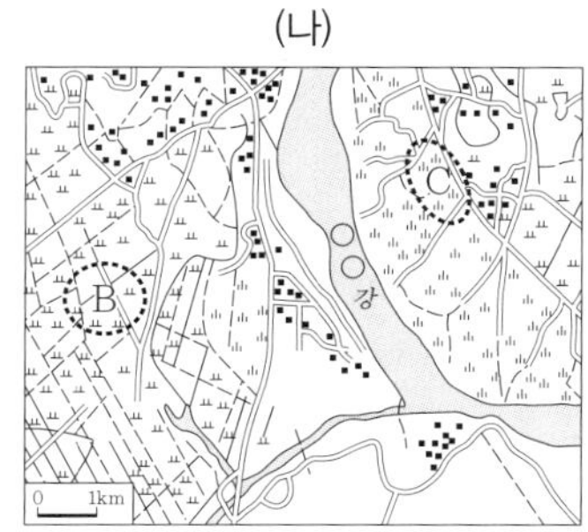

〈 보기 〉
ㄱ. (가)의 하천은 (나)의 하천보다 하방 침식이 우세하다.
ㄴ. A는 B보다 범람에 의한 침수 가능성이 높다.
ㄷ. C는 B보다 전통 취락 입지에 유리하다.
ㄹ. A~C 모두 하천의 침식 작용으로 형성되었다.

① ㄱ, ㄷ ② ㄱ, ㄹ ③ ㄷ, ㄹ
④ ㄱ, ㄴ, ㄷ ⑤ ㄴ, ㄷ, ㄹ

[21912-0093] ○ △ ✕

3 A~C 지역 기후 요소의 상대적 특성을 그래프로 나타낼 때, (가), (나)에 들어갈 내용으로 옳은 것은?

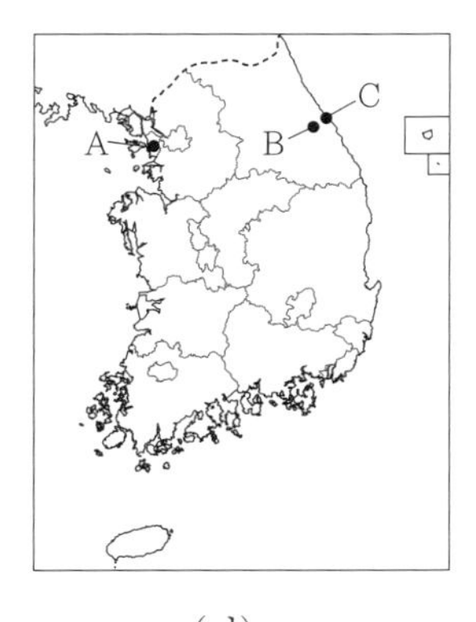

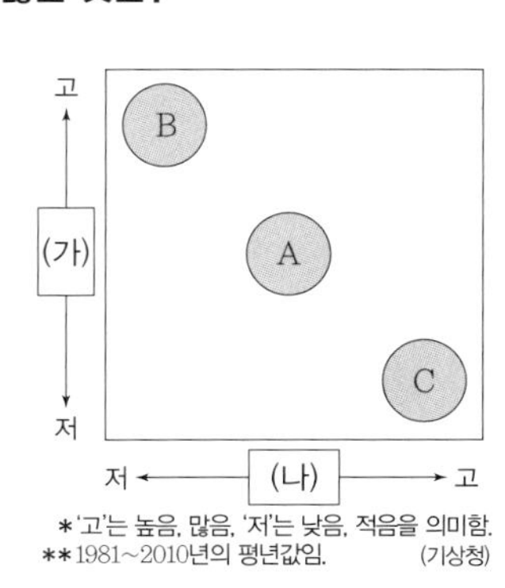

*'고'는 높음, 많음, '저'는 낮음, 적음을 의미함.
**1981~2010년의 평년값임. (기상청)

	(가)	(나)
①	서리 일수	연평균 기온
②	서리 일수	최난월 평균 기온
③	연평균 기온	서리 일수
④	연평균 기온	최난월 평균 기온
⑤	최난월 평균 기온	서리 일수

[21912-0094] ○ △ ✕

4 다음 자료의 (가), (나)를 포함하는 지질 계통을 표의 ㉠~㉤에서 고른 것은? [3점]

〈가 볼 만한 이색 축제 현장〉

- ○○ 석탄문화제는 한때 (가) 석탄 생산이 활발하였던 이곳에서 석탄 산업을 기념하기 위해 열리는 축제로, 사진 전시, 영상 상영, 산업 전사 위령제 등 다양한 행사를 실시한다.
- □□ 공룡나라축제는 '공룡과 어린이의 만남'이라는 주제로 상족암 군립 공원에서 개최된다. 공룡나라축제 행사가 열리는 상족암은 정부에서 지정한 천연기념물 제411호로, 지금까지 발견된 (나) 공룡 발자국 화석만 해도 4,000여 족에 이르고 주변까지 합하면 10,000여 족에 이른다.

지질 시대	선캄브리아대		고생대			중생대			신생대	
	시생대	원생대	캄브리아기	···	페름기	트라이아스기	쥐라기	백악기	제3기	제4기
지질 계통	변성암류		㉠	결층	㉡		대동 누층군	㉢	㉣	㉤

	(가)	(나)
①	㉠	㉡
②	㉡	㉢
③	㉡	㉤
④	㉢	㉣
⑤	㉤	㉡

[21912-0095] ○ △ ✕

5 지도는 충청북도 일부 지역의 버스 운행에 의한 도시 연결 현황을 나타낸 것이다. A, B 계층 도시의 상대적 특성을 그래프와 같이 나타낼 때, (가), (나)에 들어갈 지표로 옳은 것은? (단, A, B는 각각 저차 계층 도시, 고차 계층 도시 중 하나임.)

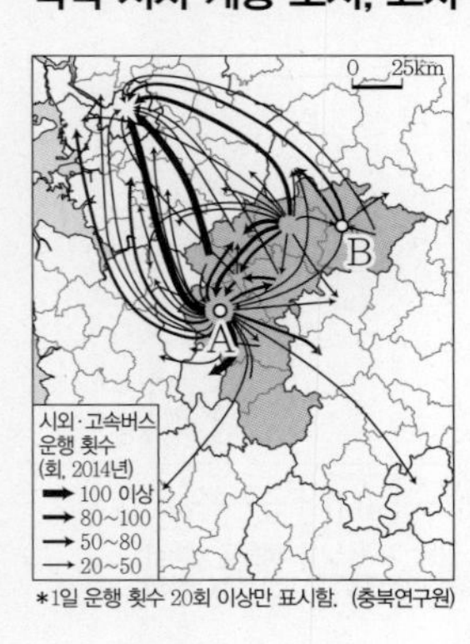

*1일 운행 횟수 20회 이상만 표시함. (충북연구원)

고 ↑ (가) ↓ 저

A

B

저 ← (나) → 고

*'고'는 멂, 큼, 넓음, 많음, '저'는 가까움, 작음, 좁음, 적음을 의미함.

	(가)	(나)
①	도시 수	재화의 도달 범위
②	중심지 기능	중심지 간 거리
③	최소 요구치	중심지 기능
④	중심지 간 거리	최소 요구치
⑤	재화의 도달 범위	도시 수

[21912-0096] ○ △ ✕

6 그래프는 (가)~(다) 화석 에너지의 부문별 소비량을 나타낸 것이다. (가)~(다) 에너지 자원의 특징을 그림의 A~D에서 고른 것은? (단, (가)~(다)는 각각 석유, 석탄, 천연가스 중 하나임.) [3점]

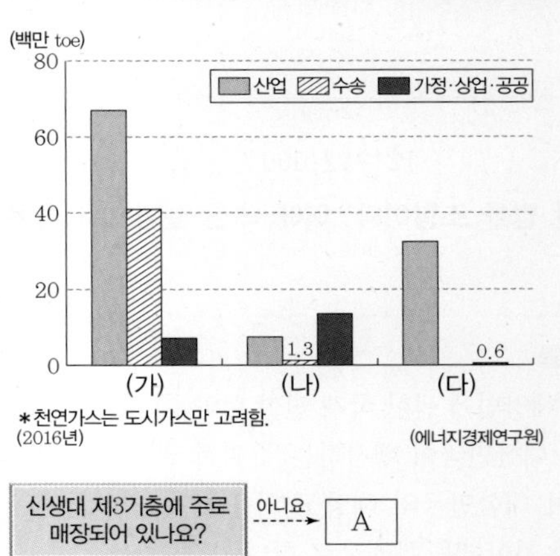

*천연가스는 도시가스만 고려함.
(2016년) (에너지경제연구원)

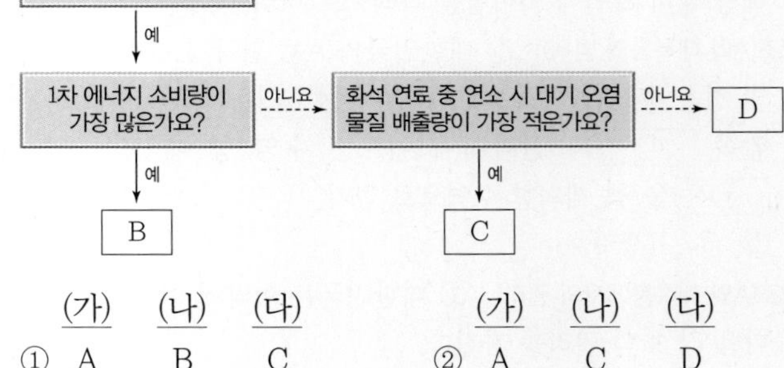

	(가)	(나)	(다)
①	A	B	C
②	A	C	D
③	B	A	D
④	B	C	A
⑤	C	D	A

[21912-0097] ○ △ ✕

7 (가)~(다)에 해당하는 인구 관련 지표로 옳은 것은?

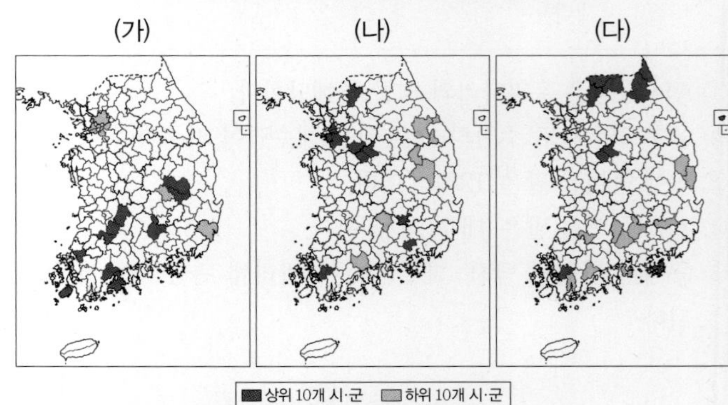

*외국인 주민 비율은 각 지역의 총인구에서 외국인 주민이 차지하는 비율임.
(2015년) (통계청)

	(가)	(나)	(다)
①	성비	총 부양비	외국인 주민 비율
②	성비	외국인 주민 비율	총 부양비
③	총 부양비	성비	외국인 주민 비율
④	총 부양비	외국인 주민 비율	성비
⑤	외국인 주민 비율	총 부양비	성비

[21912-0098] 

8 **그래프는 지역별 (가), (나) 서비스업 분포와 지역 내 총생산 변화를 나타낸 것이다. 이에 대한 설명으로 옳은 것은? (단, (가), (나)는 각각 소매업(자동차 제외), 전문 서비스업 중 하나이며, A~D는 각각 수도권, 영남권, 충청권, 호남권 중 하나임.) [3점]**

〈지역별 (가), (나) 서비스업의 비중〉

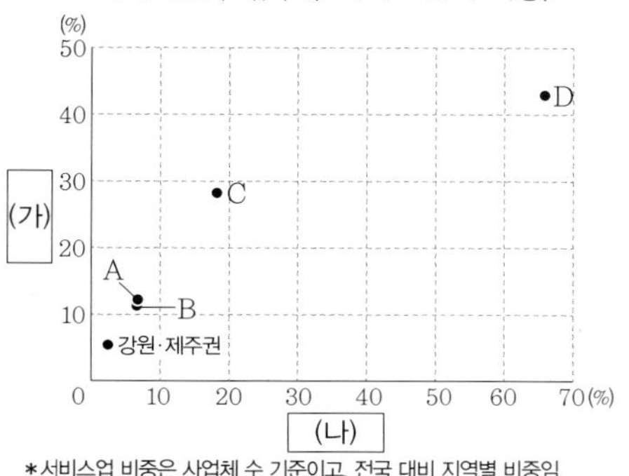

*서비스업 비중은 사업체 수 기준이고, 전국 대비 지역별 비중임.
**전문 서비스업에는 법률, 회계, 광고업 등이 포함됨.
(2016년) (통계청)

〈지역 내 총생산의 변화〉

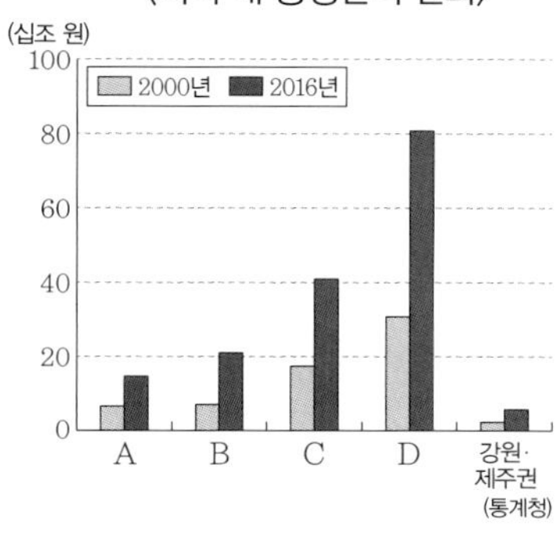

① (가)는 (나)보다 정보 획득이 유리한 곳에 입지하려는 경향이 강하다.
② (나)는 (가)보다 전국의 사업체 수가 많다.
③ (가)는 주로 생산자, (나)는 주로 소비자에게 서비스를 제공한다.
④ 충청권은 호남권보다 2000~2016년에 지역 내 총생산이 많이 증가하였다.
⑤ A는 호남권, B는 충청권, C는 수도권, D는 영남권이다.

[21912-0099] ○ △ ×

9 **다음은 '강원 지방'에 대한 수업 장면이다. 발표 내용이 옳지 <u>않은</u> 학생을 고른 것은?**

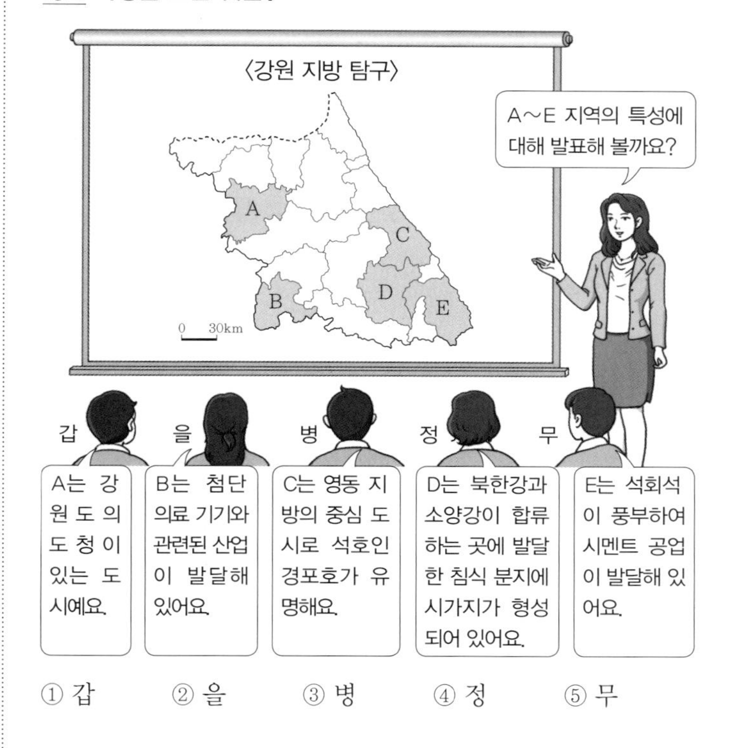

① 갑 ② 을 ③ 병 ④ 정 ⑤ 무

[21912-0100] 

10 **다음 자료는 제주 올레의 코스별 스탬프를 소개한 것이다. ㉠~㉣에 대한 설명으로 옳은 것만을 〈보기〉에서 고른 것은? [3점]**

〈3코스 통오름〉 통오름은 해발 고도 143m 정도의 낮은 ㉠오름으로 모양이 물통처럼 움푹 파여 있다고 해서 통오름이라는 이름이 붙었다.

〈5코스 동백〉 위미의 ㉡동백나무 군락지는 겨울이 되면 환상적인 붉은빛을 뿜어 내기 때문에 관광객들의 발길이 분주해지는 곳이다.

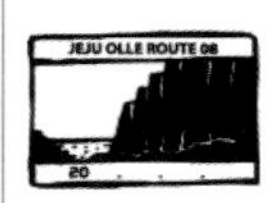

〈8코스 주상 절리〉 검붉은 돌기둥이 병풍처럼 펼쳐져 있는 대포 ㉢주상 절리는 우리나라에서 볼 수 있는 주상 절리 중 최대 규모를 자랑한다.

〈20코스 바람〉 ㉣바람이 많이 부는 제주에는 풍력 발전기가 다수 설치되어 있다. 거대한 풍력 발전기를 넋 놓고 바라보는 올레꾼을 자주 볼 수 있다.

〈 보기 〉
ㄱ. ㉠은 주로 유동성이 큰 용암의 열하 분출(틈새 분출)로 형성되었다.
ㄴ. ㉡은 겨울이 온화한 지역에서 자라는 상록 활엽수이다.
ㄷ. ㉢은 용암이 냉각·수축하는 과정에서 형성되었다.
ㄹ. ㉣의 전통 가옥에는 우데기가 설치된 경우가 많다.

① ㄱ, ㄴ ② ㄱ, ㄷ ③ ㄴ, ㄷ ④ ㄴ, ㄹ ⑤ ㄷ, ㄹ

학습일 | 20 년 월 일

11회 미니모의고사

제한 시간 15분 / 배점 25점

○ 알고 맞힘 /10 △ 헷갈림 /10 ✕ 모르고 틀림 /10

[21912-0101] ○ △ ✕

1 (가) ~ (다) 지역에 대한 설명으로 옳은 것은? [3점]

구분	(가)	(나)	(다)
위치	33°06′N 126°16′E	37°14′N 131°52′E	37°58′N 124°43′E
주요 지리 정보	• 면적 약 0.298km² • 화산섬 • 남북으로 긴 타원형	• 면적 약 0.187km² • 화산섬 • 동도와 서도 및 89개의 부속 도서	• 면적 약 51.086km² • 북한과 인접 • 사곶천연비행장

① (가)는 동해에 위치해 있다.
② (나)는 세계 자연 유산으로 등재되어 있다.
③ (다)는 우리나라 영토의 최서단(극서)에 위치한다.
④ (가), (나)는 현재 천연 보호 구역으로 지정되어 있다.
⑤ (가)~(다) 모두 영해 설정의 기준으로 직선 기선이 적용된다.

[21912-0102] ○ △ ✕

2 다음 자료의 (가) ~ (다) 지역을 지도의 A ~ D에서 고른 것은?

(가)	(나)	(다)
움푹 파인 와지인 돌리네에서는 마늘 등을 재배하는 밭농사가 많이 행해지고 있어요. 종유석, 석순 등이 발달한 석회 동굴이 여러 개 있어서 관광객이 많이 와요.	갯벌이 넓게 발달해 있어 해마다 여름이면 머드 축제가 크게 열려요. 머드 게임이나 머드 마사지 등을 즐기려 국내뿐만 아니라 외국 관광객도 많이 와요.	원시 자연 늪으로 유명한 람사르 협약 지정 습지가 있어요. 낙동강에 홍수가 발생할 때 물을 저장하는 기능을 갖고 있고, 따오기 등을 비롯한 희귀 동식물이 많이 살고 있어요.

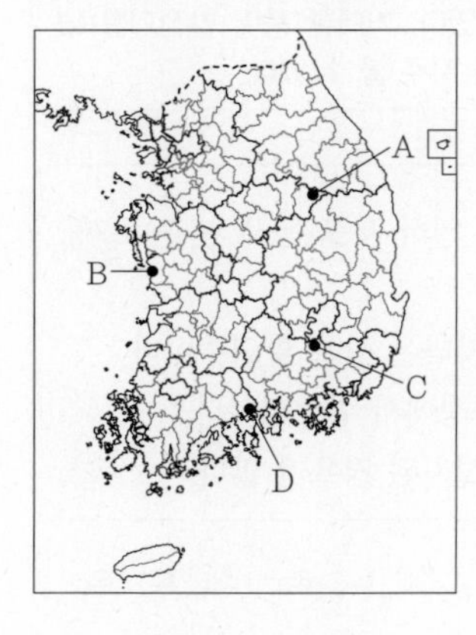

	(가)	(나)	(다)
①	A	B	C
②	A	B	D
③	C	D	A
④	C	D	B
⑤	D	B	C

[21912-0103] ○ △ ✕

3 다음 자료의 (가) ~ (라)에 들어갈 내용으로 옳은 것만을 〈보기〉에서 고른 것은?

〈지리 조사 보고서〉

1. 주제: ○○ 지형의 특성과 주민 생활
2. 조사 대상 지역: A 지역
3. 조사 항목과 내용

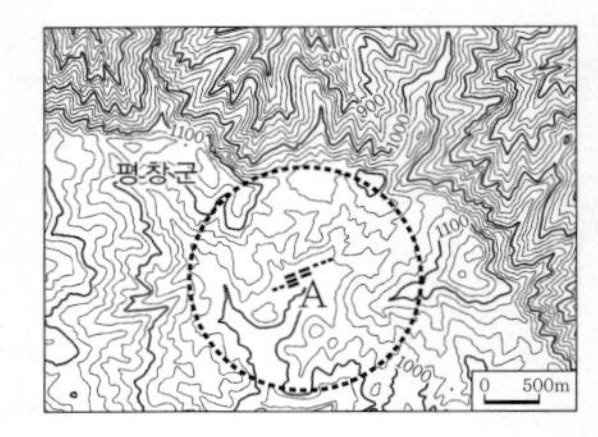

항목	조사 내용
지형 형성 원인	(가)
기후 환경의 특성	(나)
지표 경관의 특성	(다)
토지 이용의 특성	(라)

〈 보기 〉

ㄱ. (가) – 암석의 차별 침식에 의해 형성된 분지 지형이다.
ㄴ. (나) – 동위도의 저지대에 비해 연평균 기온은 낮고 상대 습도는 높은 편이다.
ㄷ. (다) – 해발 고도는 높지만 기복이 작고 경사가 완만한 사면이 나타난다.
ㄹ. (라) – 여름 채소는 주로 시설 농업 형태로 재배된다.

① ㄱ, ㄴ ② ㄱ, ㄷ ③ ㄴ, ㄷ
④ ㄴ, ㄹ ⑤ ㄷ, ㄹ

[21912-0104] 

4 **그래프의 A ~ D 지역에 대한 설명으로 옳은 것은? (단, A ~ D는 각각 지도의 네 지역 중 하나임.) [3점]**

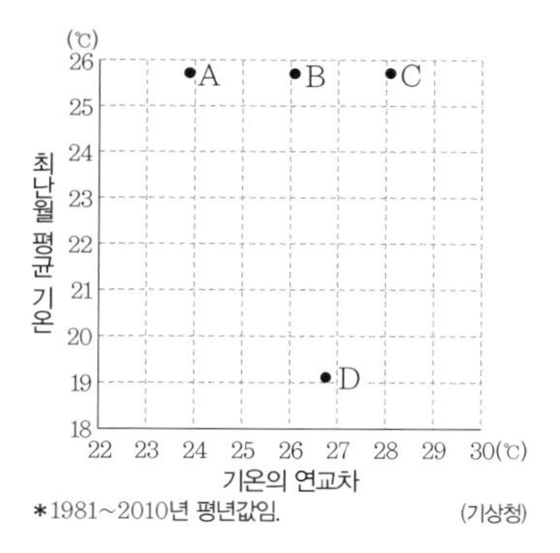

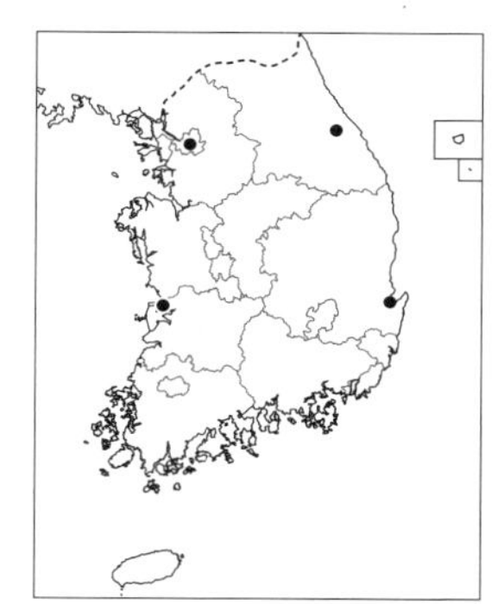

① A는 C보다 위도가 높다.
② B는 A보다 최한월 평균 기온이 높다.
③ B는 D보다 해발 고도가 높다.
④ C는 B보다 무상 기간이 길다.
⑤ D는 C보다 겨울 강수량이 많다.

[21912-0105] 

5 **다음 자료는 두 소매 업태의 구인 정보이다. (가), (나) 소매 업태에 대한 설명으로 옳은 것만을 〈보기〉에서 고른 것은? (단, 백화점과 편의점만 고려함.)**

(가)

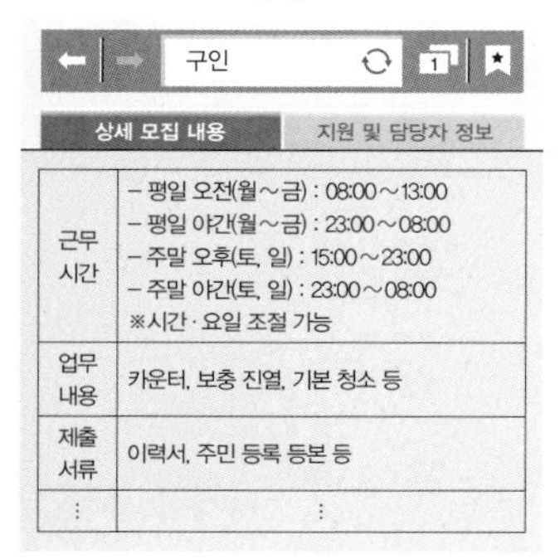

구인 | 상세 모집 내용 | 지원 및 담당자 정보

근무 시간	– 평일 오전(월~금) : 08:00~13:00 – 평일 야간(월~금) : 23:00~08:00 – 주말 오후(토, 일) : 15:00~23:00 – 주말 야간(토, 일) : 23:00~08:00 ※시간·요일 조절 가능
업무 내용	카운터, 보충 진열, 기본 청소 등
제출 서류	이력서, 주민 등록 등본 등
⋮	⋮

(나)

구인 | 상세 모집 내용 | 지원 및 담당자 정보

지원 자격	– 신입·경력 – 학력 무관
근무 조건	– 고용 형태 : 정규직(수습 기간 협의) – 급여 : 회사 내규에 따름(4대 보험 포함) – 시간 : 격주 5일(전일제 10:00~22:00)
분야	중간 관리자, 주차장 관리 등
⋮	⋮

〈 보기 〉

ㄱ. (가)는 (나)보다 판매하는 제품의 종류가 다양하다.
ㄴ. (가)는 (나)보다 제품 구매를 위한 소비자의 평균 이동 거리가 짧다.
ㄷ. (나)는 (가)보다 사업체당 매출액 규모가 작다.
ㄹ. (나)는 (가)보다 자가용 승용차 이용 고객의 비중이 높다.

① ㄱ, ㄴ ② ㄱ, ㄷ ③ ㄴ, ㄷ
④ ㄴ, ㄹ ⑤ ㄷ, ㄹ

[21912-0106] ○ △ ✕

6 **다음 자료는 도시 재개발의 사례이다. (가), (나)의 상대적 특성을 옳게 나타낸 것은?**

(가) 한양 도성에 인접한 ◇◇마을은 주민과 전문가들이 협력하여 주거 환경 관리 사업을 추진하였다. 그 결과 도시가스가 공급되는 등 열악한 주거 환경이 개선되었고 성곽 마을로서의 지역 특성도 유지되었다. 이것은 역사·문화적 특성을 보전하면서 기반 시설을 확충하고 주택을 개량한 사업으로, 지속 가능한 마을 만들기의 사례가 되고 있다.
– □□아카이브, 2016. 10. 11. –

(나) 서울 동작구 ○○동은 2005년 뉴타운으로 지정되면서 재개발이 이루어져, 현재는 좁은 골목길의 달동네와 초고층 아파트 그리고 기존 주택을 허물고 새롭게 아파트를 건설하고 있는 모습을 함께 볼 수 있다. – ☆☆신문, 2016. 9. 3. –

①
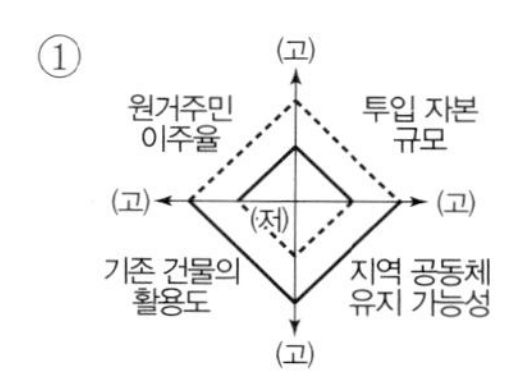

②
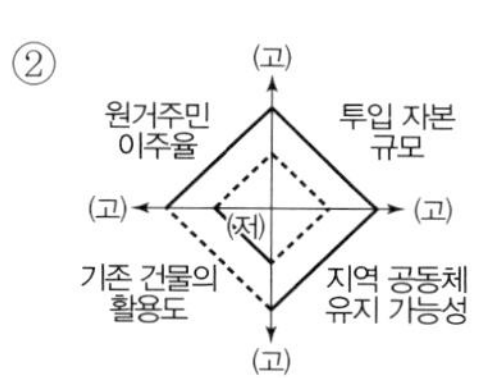

③
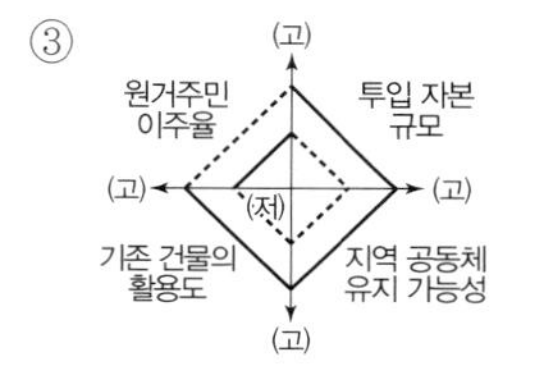

④
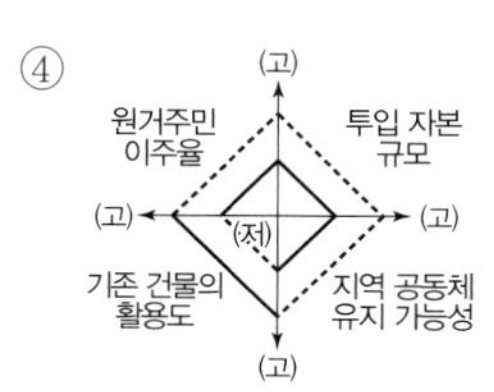

⑤
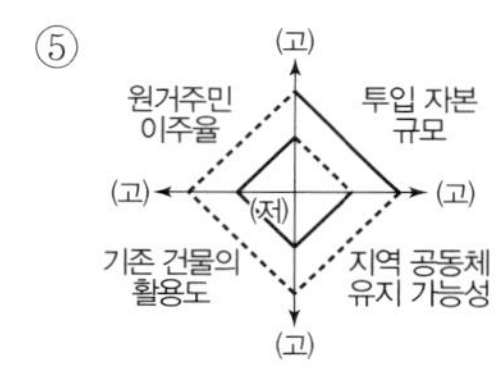

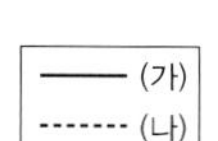

＊(고)는 큼, 높음을 의미함.
(저)는 작음, 낮음을 의미함.

[21912-0107] 

7 그래프의 (가) 지역과 비교한 (나) 지역의 상대적 특성에 대한 추론으로 적절한 것만을 〈보기〉에서 고른 것은? (단, (가), (나)는 각각 경기도 하남시와 전라북도 김제시 중 하나임.) [3점]

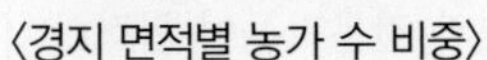

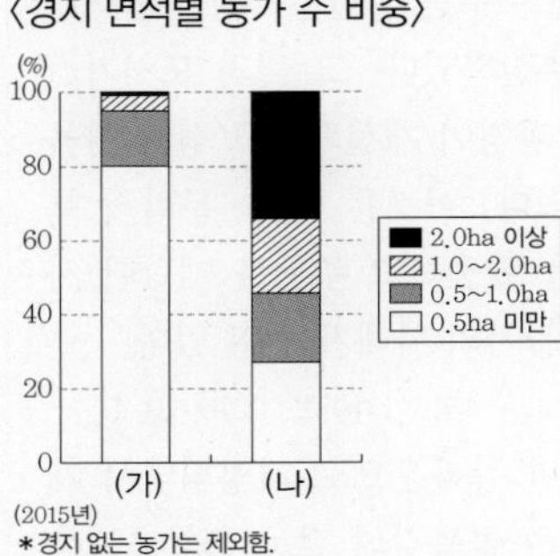

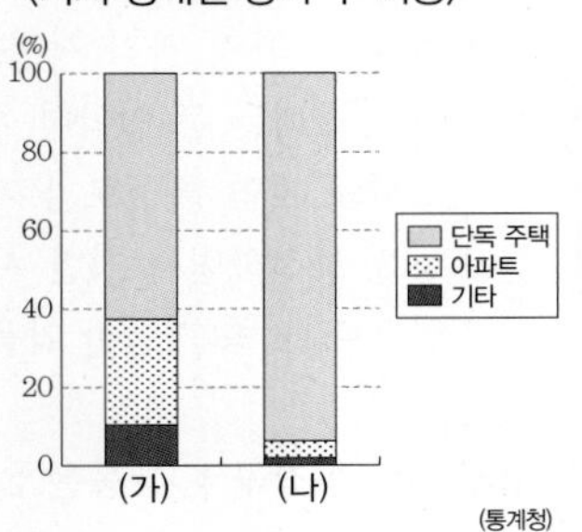

(2015년)
*경지 없는 농가는 제외함.
(통계청)

〈 보기 〉

ㄱ. 농가당 경지 면적이 넓을 것이다.
ㄴ. 경지의 단위 면적당 지가가 높을 것이다.
ㄷ. 경지 면적에서 논이 차지하는 비중이 높을 것이다.
ㄹ. 전체 농가에서 겸업농가가 차지하는 비중이 높을 것이다.

① ㄱ, ㄴ ② ㄱ, ㄷ ③ ㄴ, ㄷ
④ ㄴ, ㄹ ⑤ ㄷ, ㄹ

[21912-0108] 

8 그래프는 어느 지역의 제조업 업종별 종사자 비중 변화를 나타낸 것이다. 이 지역을 지도의 A ~ E에서 고른 것은?

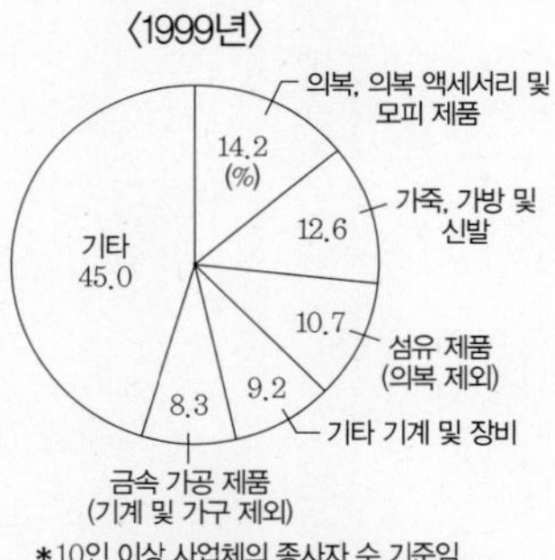

〈2014년〉
기타 기계 및 장비 14.9 (%)
금속 가공 제품 (기계 및 가구 제외) 13.0
자동차 및 트레일러 8.7
1차 금속 7.9
고무 제품 및 플라스틱 제품 7.6
기타 47.9

*10인 이상 사업체의 종사자 수 기준임.
**연도별 종사자 수가 많은 5개 업종을 제시함.
(통계청)

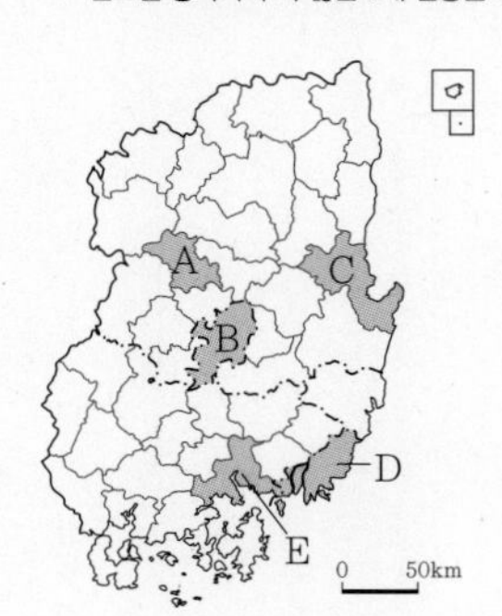

① A
② B
③ C
④ D
⑤ E

[21912-0109] O △ X

9 그래프의 (가) ~ (다) 지역을 지도의 A ~ C에서 고른 것은? (단, 결혼 이민자는 한국 국적을 가지지 않은 외국인 주민임.) [3점]

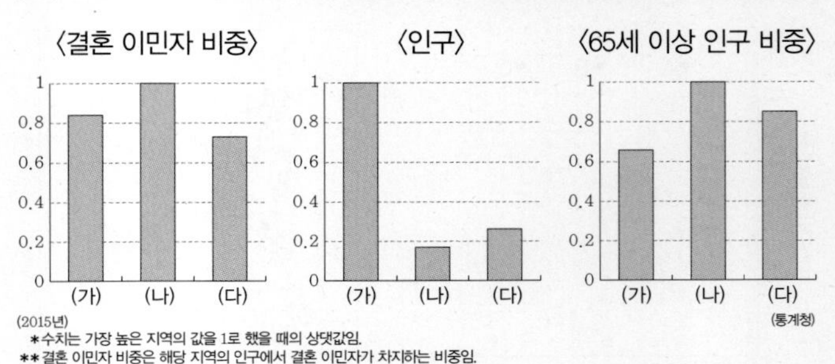

(2015년)
*수치는 가장 높은 지역의 값을 1로 했을 때의 상댓값임.
**결혼 이민자 비중은 해당 지역의 인구에서 결혼 이민자가 차지하는 비중임.
(통계청)

	(가)	(나)	(다)
①	A	B	C
①	A	C	B
③	B	A	C
④	B	C	A
⑤	C	A	B

[21912-0110] O △ X

10 그래프는 지도에 표시된 세 지역의 여름과 겨울의 평균 기온 및 강수 집중률을 나타낸 것이다. (가) ~ (다) 지역에 대한 설명으로 옳은 것은? [3점]

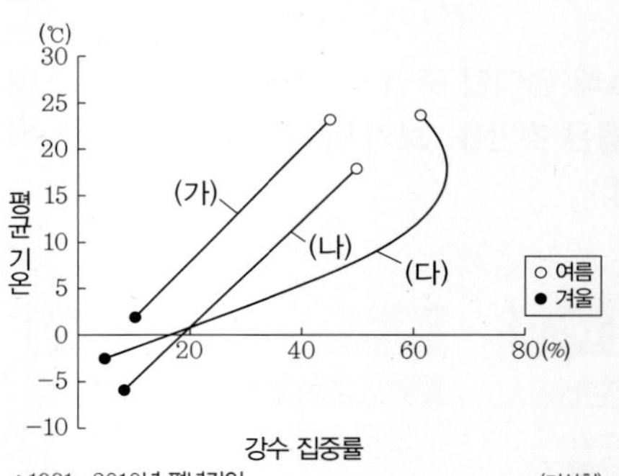

*1981~2010년 평년값임.
(기상청)

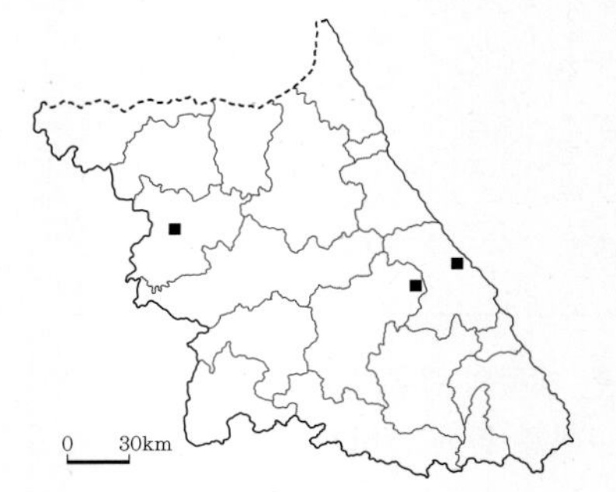

① (가)는 (나)보다 해발 고도가 높다.
② (가)는 (다)보다 바다의 영향을 크게 받는다.
③ (나)는 (가)보다 진달래의 개화 시기가 이르다.
④ (나)는 (다)보다 농작물의 생육 가능 기간이 길다.
⑤ (다)는 (나)보다 연 강수량이 많다.

12회 미니모의고사

제한 시간 15분 / 배점 25점

EBS 수능특강 Q 미니모의고사 한국지리

○ 알고 맞힘 /10 △ 헷갈림 /10 ✕ 모르고 틀림 /10

[21912-0111] ○ △ ✕

1 (가), (나)는 조선 시대에 편찬된 지리지의 일부분이다. 이에 대한 설명으로 옳은 것만을 <보기>에서 있는 대로 고른 것은? (단, (가), (나)는 각각 『택리지』와 『신증동국여지승람』 중 하나임.) [3점]

(가)	[A]은/는 동쪽으로 옥포(玉浦)까지 20리이고 서쪽으로 견내량(見乃梁)까지 37리이며, 고성현(固城縣) 경계까지는 물길로 3리이다. …(중략)… 서울로부터 남쪽으로는 1천 44리 떨어져 있다. 【건치 연혁】 본래 바다 가운데 섬이다. 신라 문무왕(文武王)이 처음으로 상군(裳郡)을 설치하였고 경덕왕(景德王)이 지금 명칭으로 고쳤다. …(후략)… 【토산】 문어 · 전복[鰒] · 조개 · 홍어 · 청어 · 미역 · 대구[大口魚] · 유자 · 석류 · 표고 …(후략)…
(나)	[B]은/는 ㉠ 한강 상류에 있어 물길로 왕래하는 데 편리하여 예부터 서울 사대부들이 이곳에 많이 살았다. 사대부의 정자와 누각이 많고 의관 차린 사람이 모이며, 배와 수레가 모여든다. 또 수도의 동남방에 위치하여, 한 고을에서 과거에 오른 사람이 많기로는 팔도 여러 고을 중 첫째여서 이름난 도회라 부르기에 족하다. …(중략)… 두 고개의 길이 모두 이 고을로 모여 물길 또는 육로로 한양과 통한다. 그러므로 이 고을이 경기도와 영남으로 오가는 요충에 해당되므로, 유사시에는 반드시 다투는 곳이 된다.

< 보기 >

ㄱ. ㉠은 가거지의 조건 중 인심(人心)과 관련이 있다.
ㄴ. A는 B보다 저위도에 위치한다.
ㄷ. (가)는 (나)보다 제작 시기가 이르다.
ㄹ. (나)는 (가)보다 지역에 대한 저자의 해석이 많이 반영되어 있다.

① ㄱ, ㄴ ② ㄱ, ㄹ ③ ㄴ, ㄷ
④ ㄱ, ㄴ, ㄷ ⑤ ㄴ, ㄷ, ㄹ

[21912-0112] ○ △ ✕

2 그래프는 지도에 표시된 도시의 인구 증가율 변화와 총인구를 나타낸 것이다. (가) ~ (마)에 대한 설명으로 옳은 것은? (단, (가) ~ (마)는 각각 지도에 표시된 지역 중 하나임.) [3점]

<시기별 (가) ~ (마) 도시의 인구 증가율>

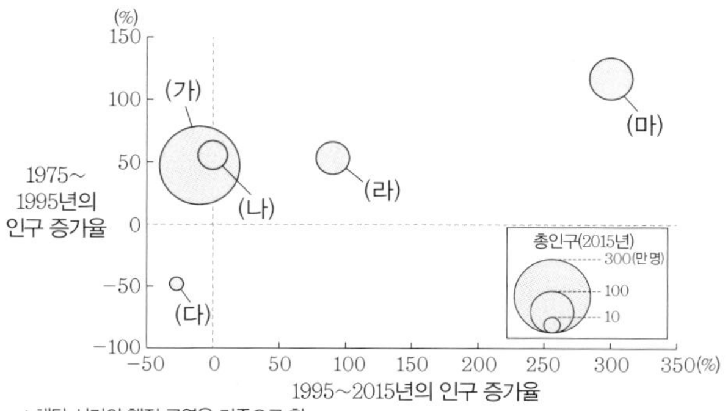

*해당 시기의 행정 구역을 기준으로 함.
**1975~1995년의 인구 증가율과 1995~2015년의 인구 증가율은 원의 가운데 값임. (통계청)

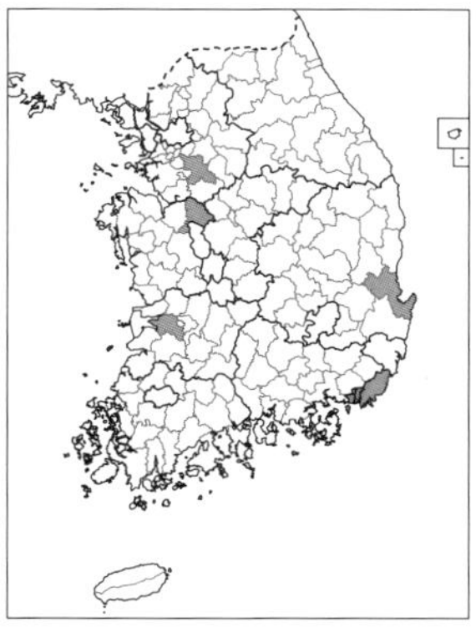

① (가)는 1990년대 이후 서울의 주거 기능을 분담하면서 성장하였다.
② (나)는 고속 국도, 수도권 전철망 등 편리한 육상 교통을 바탕으로 성장하였다.
③ (다)는 국토 개발 과정에서 성장 거점의 역할을 하였다.
④ (라)는 중화학 공업이 발달한 남동 임해 지역에 위치한다.
⑤ (마)는 (가)보다 시 승격이 최근에 이루어졌다.

[21912-0113] ○ △ ×

3 지도 (가)～(라)는 지질 시대별 지층과 암석의 대략적인 분포를 나타낸 것이다. 이에 대한 설명으로 옳은 것은? [3점]

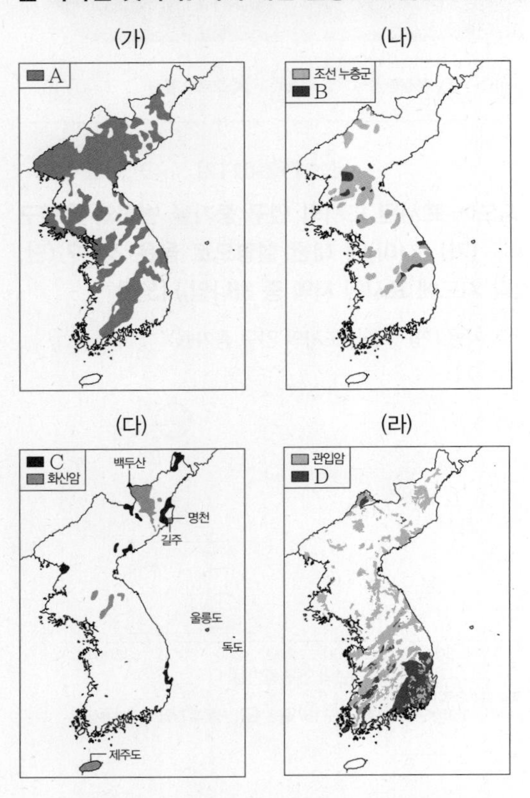

① A를 기반암으로 하는 산지는 대체로 돌산을 이룬다.
② B는 조선 누층군보다 퇴적된 시기가 이르다.
③ B에는 무연탄, C에는 갈탄이 매장되어 있다.
④ C는 퇴적암, D는 화성암에 해당한다.
⑤ 오래된 지질 시대부터 배열하면 (가) → (나) → (다) → (라) 순이다.

[21912-0114] ○ △ ×

4 지도의 A～F에 대한 설명으로 옳은 것은?

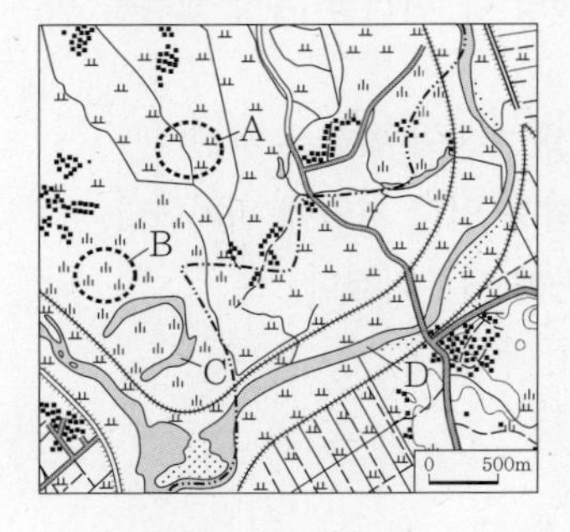

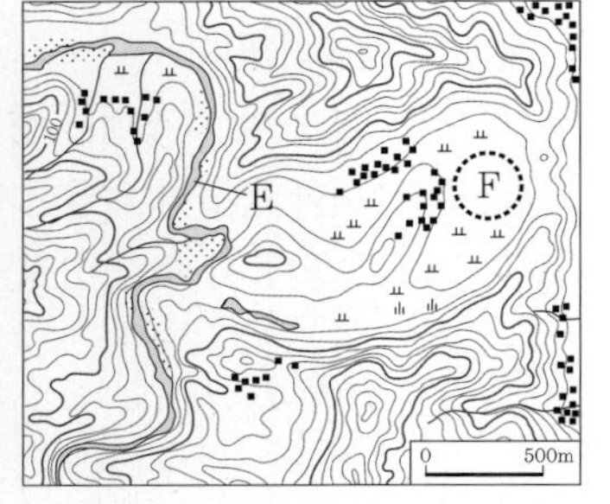

① C는 인위적으로 만든 저수지이다.
② D 하천 주변에는 주상 절리가 나타난다.
③ F의 퇴적층에서는 둥근 자갈이나 모래를 발견할 수 있다.
④ A는 B보다 토양의 투수성이 크다.
⑤ D, E 하천 모두 감입 곡류 하천에 해당한다.

[21912-0115] ○ △ ×

5 지도는 겨울의 시작일을 예측한 것이다. 이러한 변화의 원인으로 인해 우리나라에서 나타날 현상으로 가장 적절한 것은?

〈1971～2000년〉

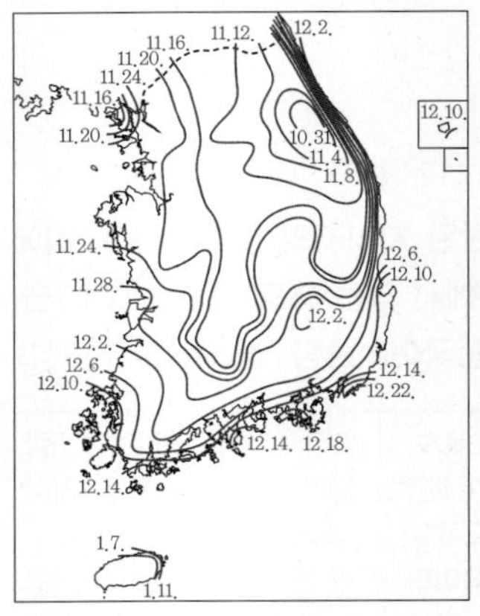

〈2091～2100년〉

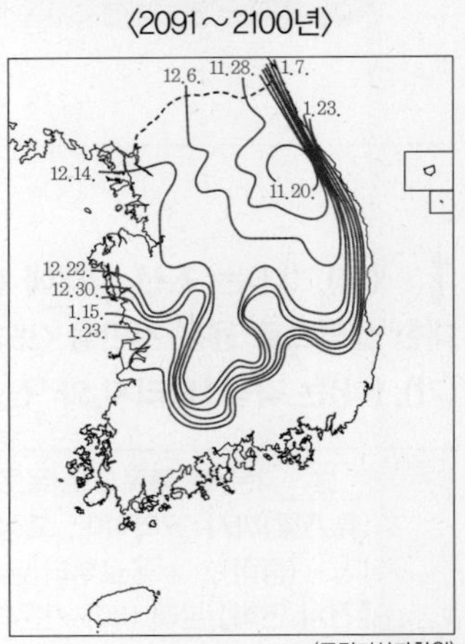

(국립기상과학원)

① 단풍이 드는 시기가 빨라질 것이다.
② 감귤의 재배 북한계가 남하할 것이다.
③ 냉대림의 분포 면적이 줄어들 것이다.
④ 열대성 질병의 발생이 감소할 것이다.
⑤ 난류성 어종의 어획량 비중이 감소할 것이다.

[21912-0116] ○ △ ×

6 그래프는 1차 에너지별 소비량 및 발전량 비중 변화를 나타낸 것이다. A～E 에너지에 대한 설명으로 옳은 것은? (단, A～E는 각각 석유, 석탄, 수력, 원자력, 천연가스 중 하나임.)

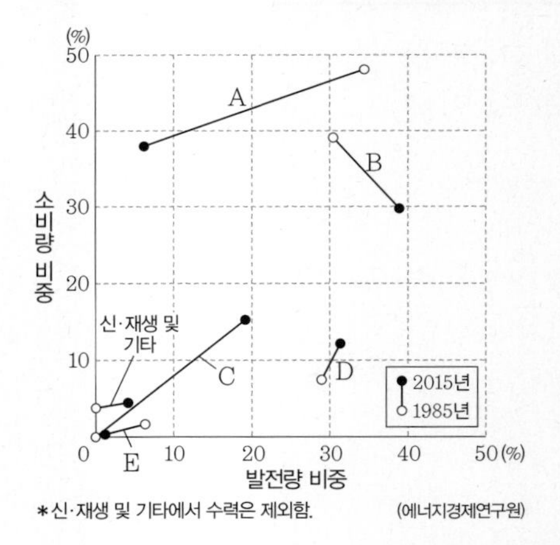

*신·재생 및 기타에서 수력은 제외함. (에너지경제연구원)

① A는 B보다 수송용으로 이용되는 비중이 낮다.
② B는 C보다 연소 시 대기 오염 물질 배출량이 많다.
③ C는 D보다 1985～2015년의 발전량 비중 증가 폭이 작다.
④ D는 E보다 상업적 발전에 이용되기 시작한 시기가 이르다.
⑤ E는 A보다 자원의 고갈 가능성이 높다.

[21912-0117] ○ △ ×

7 그래프는 지역별 제조업 사업체 수, 종사자 수, 출하액 변화를 나타낸 것이다. A ~ D 지역에 대한 설명으로 옳지 않은 것은? (단, A ~ D는 각각 수도권, 영남권, 충청권, 호남권 중 하나임.) [3점]

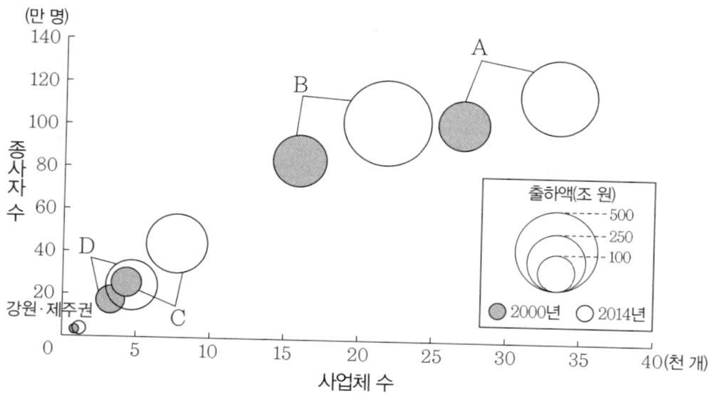

*사업체 수와 종사자 수는 원의 중심값에 해당하며, 10인 이상 사업체만 고려함. (통계청)

① A는 B보다 2014년의 사업체당 출하액이 적다.
② B는 C보다 2000년의 출하액이 많다.
③ C는 D보다 2000 ~ 2014년의 종사자 수 증가율이 낮다.
④ 모든 지역은 2000 ~ 2014년에 사업체 수가 증가하였다.
⑤ A는 수도권, B는 영남권, C는 충청권, D는 호남권이다.

[21912-0118] ○ △ ×

8 (가) ~ (다) 지역을 A ~ C에서 고른 것은? (단, (가) ~ (다)와 A ~ C는 각각 경기, 서울, 인천 중 하나임.)

〈수도권의 인구 순 이동〉

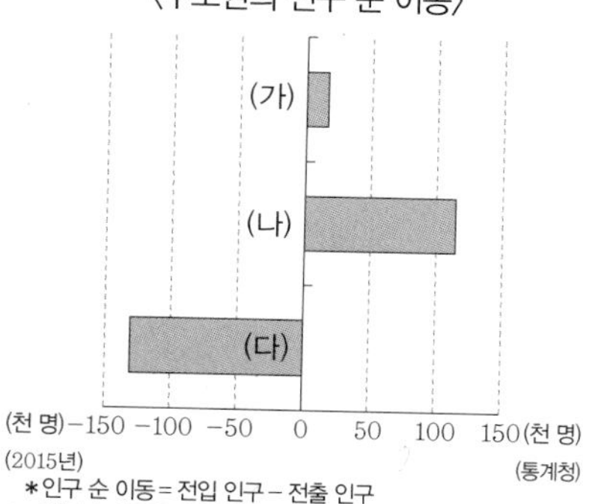

(2015년) (통계청)
*인구 순 이동 = 전입 인구 – 전출 인구
**인구 순 이동은 수도권 내 시·도 간 인구 이동만 고려함.

〈수도권의 통근·통학 인구〉

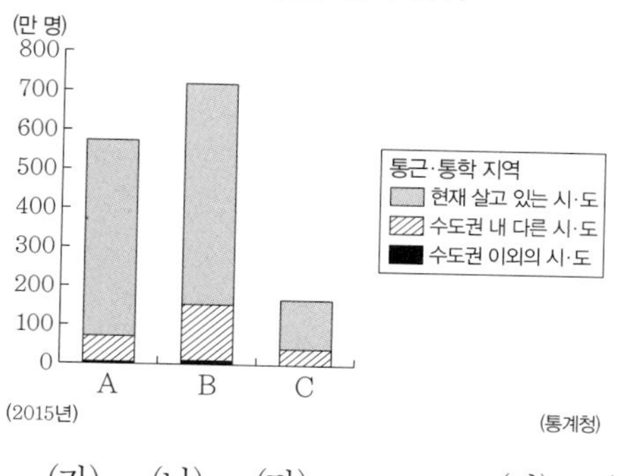

(2015년) (통계청)

	(가)	(나)	(다)
①	A	B	C
②	A	C	B
③	B	A	C
④	C	B	A
⑤	C	B	A

[21912-0119] ○ △ ×

9 그래프에 대한 분석으로 옳은 것만을 〈보기〉에서 고른 것은? (단, A, B는 각각 결혼 이민자와 외국인 근로자 중 하나임.)

〈유형별 외국인 주민 수〉

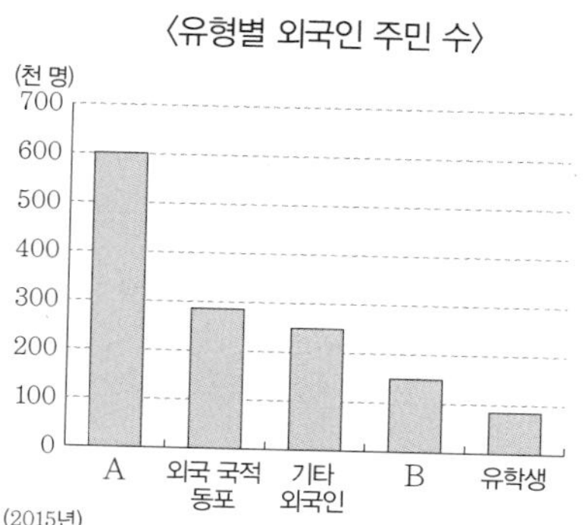

〈A, B의 남녀 인구수〉

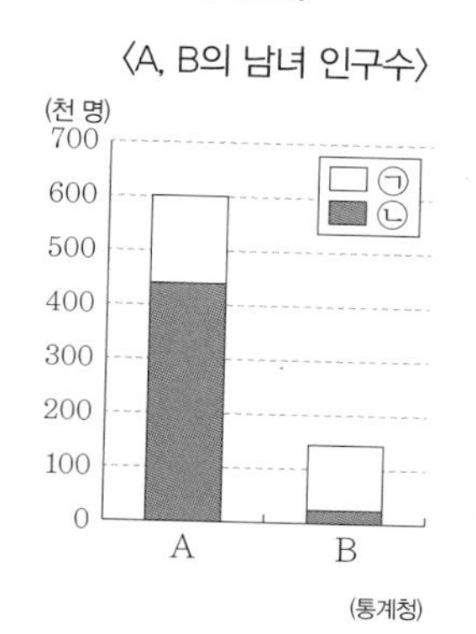

(2015년) (통계청)
*외국인 주민의 수는 한국 국적을 가지지 않은 자임.

〈 보기 〉

ㄱ. A는 주로 선진국에서 유입되었다.
ㄴ. B의 국적은 중국이 가장 많다.
ㄷ. A는 B보다 평균 체류 기간이 길다.
ㄹ. ㉠은 여성, ㉡은 남성이다.

① ㄱ, ㄴ ② ㄱ, ㄷ ③ ㄴ, ㄷ
④ ㄴ, ㄹ ⑤ ㄷ, ㄹ

[21912-0120] ○ △ ×

10 그래프는 지도에 표시된 세 지역의 제조업 업종별 출하액 비중을 나타낸 것이다. A ~ C 제조업에 대한 설명으로 옳은 것은? (단, A ~ C는 각각 1차 금속, 자동차 및 트레일러, 전자 부품·컴퓨터·영상·음향 및 통신 장비 제조업 중 하나임.) [3점]

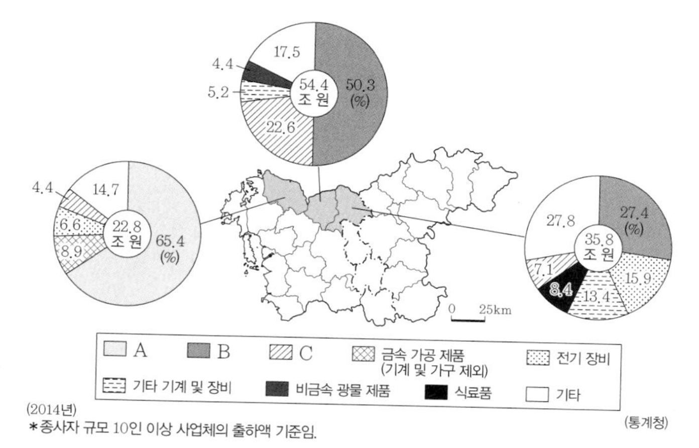

(2014년) (통계청)
*종사자 규모 10인 이상 사업체의 출하액 기준임.

① A는 관련 공업의 집적이 이루어진 종합 조립 공업이다.
② B는 1960년대 우리나라 수출을 주도하였다.
③ C는 산업 연계 효과가 큰 기초 소재 공업이다.
④ 수도권의 경우 A가 B보다 출하액 비중이 높다.
⑤ A에서 생산된 제품은 C의 주요 원료로 사용된다.

13회 미니모의고사

제한 시간 15분 / 배점 25점

○ 알고 맞힘 /10 △ 헷갈림 /10 ✕ 모르고 틀림 /10

[21912-0121] ○ △ ✕

1 지도는 우리나라의 위치를 나타낸 것이다. 이에 대한 설명으로 옳은 것만을 〈보기〉에서 고른 것은? [3점]

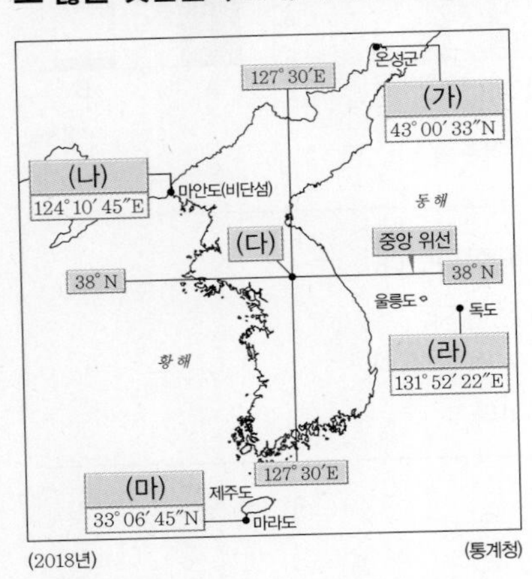

(2018년) (통계청)

〈보기〉
ㄱ. (다)에 태양이 남중하는 시각은 정오보다 이르다.
ㄴ. (라)와 48° 07′ 38″W에 위치한 지점은 서로 낮과 밤이 반대이다.
ㄷ. (가)는 (마)보다 최한월 평균 기온이 높다.
ㄹ. (나)는 (라)보다 일출 시각과 일몰 시각이 모두 늦다.

① ㄱ, ㄴ ② ㄱ, ㄷ ③ ㄴ, ㄷ
④ ㄴ, ㄹ ⑤ ㄷ, ㄹ

[21912-0122] ○ △ ✕

2 지도의 A ~ E에 대한 설명으로 옳은 것은? [3점]

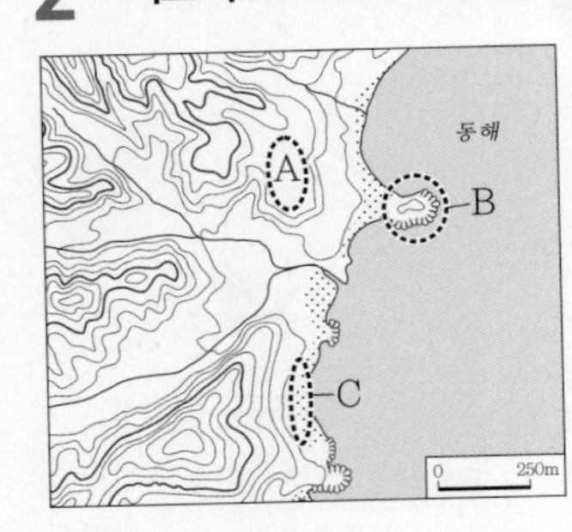

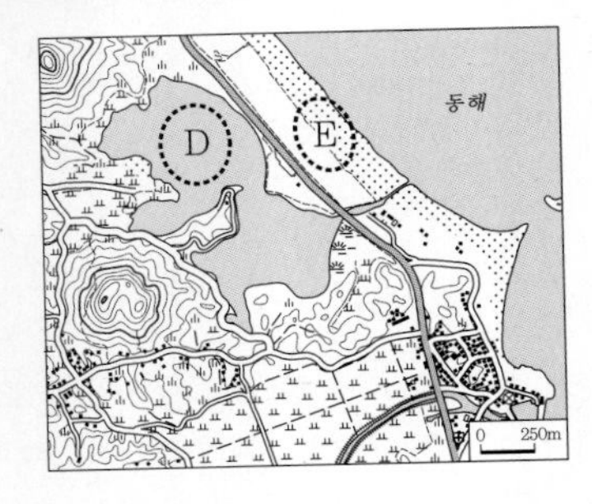

① A – 바람에 의해 사빈의 모래가 날려 형성된 해안 사구이다.
② B – 주로 조류의 영향을 받아 형성되었다.
③ C – 주로 파랑이나 연안류의 퇴적 작용으로 형성된 지형이다.
④ D – 호수의 물은 대부분 주변 지역 농경지의 농업용수로 이용된다.
⑤ E – 파랑 에너지가 집중되는 곳에 잘 발달한다.

[21912-0123] ○ △ ✕

3 다음과 같은 주제로 탐구 보고서를 작성하였다. ㉠ ~ ㉤ 중 옳지 않은 것은?

탐구 주제 : 암석의 차별 침식으로 형성된 ○○○○ 지형의 형성 과정 및 인간 생활과의 관계

〈탐구 보고서〉

1. 탐구 목적: ㉠ 우리 조상들의 주된 삶의 터전이 되었던 ○○○○ 지형의 특성을 파악해 봄으로써 우리나라 지형에 대한 이해를 높인다.
2. ㉡ 탐구 대상 지역의 지도

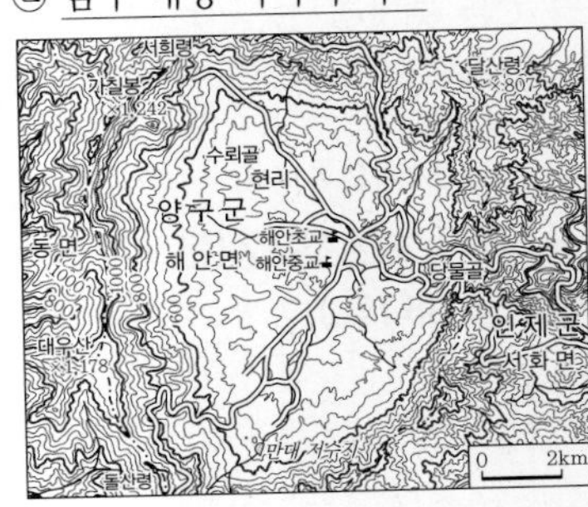

3. 탐구 방법: ㉢ 산지와 평지의 기반암 분포 조사, 주요 암석의 형성 시기와 풍화 특성 조사 등
4. 탐구 결과: ○○○○ 지형에서 ㉣ 중생대에 관입한 화강암이 기반암을 이루고 있는 지역은 산지로 남아 있고, 시·원생대에 형성된 편마암이 기반암을 이루고 있는 지역은 평지가 되었다. …(중략)… ○○○○ 지형은 기온 역전 현상으로 ㉤ 안개가 자주 발생하는데, 이로 인해 농작물의 냉해가 발생하기도 한다.

① ㉠ ② ㉡ ③ ㉢ ④ ㉣ ⑤ ㉤

[21912-0124] 

4 다음 자료는 사이버 학습 장면의 일부이다. ㉠~㉣ 중 옳은 내용만을 고른 것은?

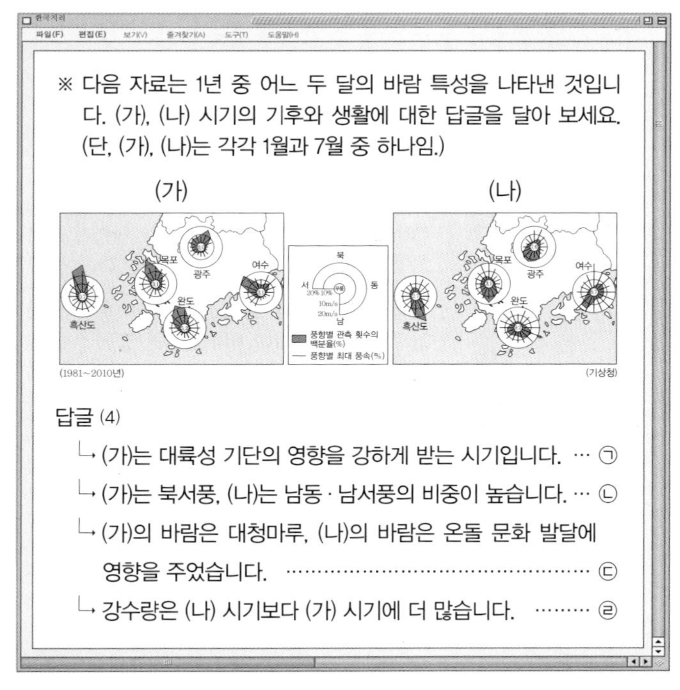
※ 다음 자료는 1년 중 어느 두 달의 바람 특성을 나타낸 것입니다. (가), (나) 시기의 기후와 생활에 대한 답글을 달아 보세요. (단, (가), (나)는 각각 1월과 7월 중 하나임.)

답글 (4)

↳ (가)는 대륙성 기단의 영향을 강하게 받는 시기입니다. … ㉠

↳ (가)는 북서풍, (나)는 남동 · 남서풍의 비중이 높습니다. … ㉡

↳ (가)의 바람은 대청마루, (나)의 바람은 온돌 문화 발달에 영향을 주었습니다. …… ㉢

↳ 강수량은 (나) 시기보다 (가) 시기에 더 많습니다. …… ㉣

① ㉠, ㉡ ② ㉠, ㉢ ③ ㉡, ㉢ ④ ㉡, ㉣ ⑤ ㉢, ㉣

[21912-0125] 

5 다음 자료는 서울을 답사하면서 기록한 내용이다. (가)~(라)에 해당하는 지역을 그래프의 A~D에서 고른 것은? [3점]

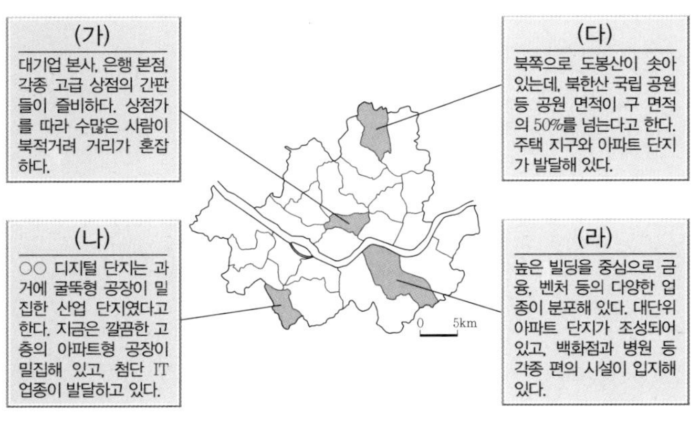

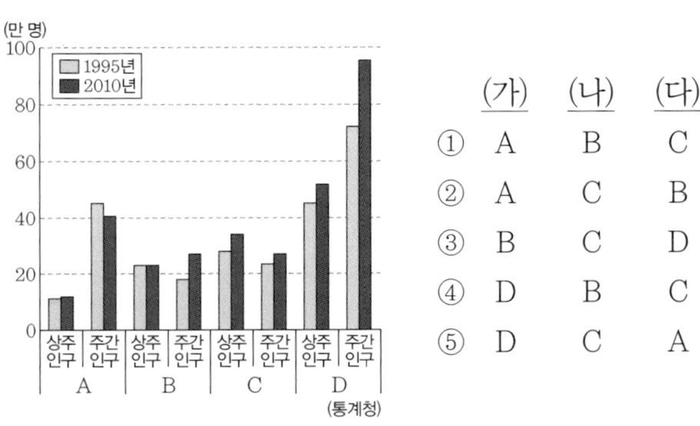

	(가)	(나)	(다)	(라)
①	A	B	C	D
②	A	C	B	D
③	B	C	D	A
④	D	B	C	A
⑤	D	C	A	B

[21912-0126] 

6 그래프는 화석 에너지의 부문별 소비량 비중 변화를 나타낸 것이다. (가)~(다)에 대한 설명으로 옳은 것은? [3점]

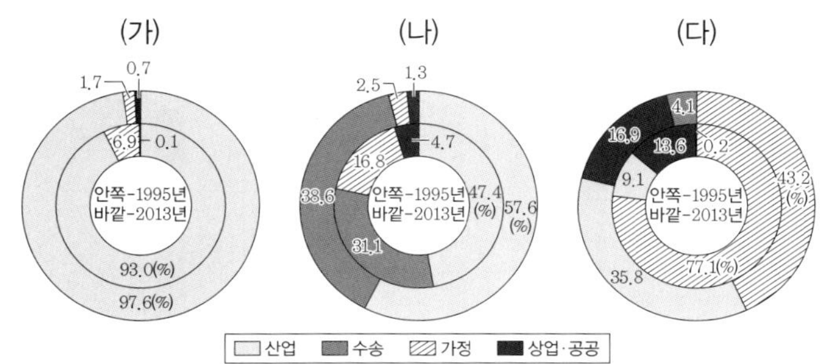

*각 에너지의 총 소비량에서 부문별 소비량이 차지하는 비중이며, 천연가스는 도시가스만 고려함. (에너지경제연구원)

① (가)는 대부분 서남아시아 국가에서 수입한다.

② (나)는 냉동 액화 기술의 발달로 소비량이 급증하였다.

③ (다)는 1차 에너지 소비에서 차지하는 비중이 가장 높다.

④ (다)는 (가)보다 상업적으로 이용되기 시작한 시기가 이르다.

⑤ (가)를 이용한 발전량은 (나)를 이용한 발전량보다 많다.

[21912-0127]

7 다음 자료의 (가) 지역과 비교한 (나) 지역의 상대적 특성을 그림의 A~E에서 고른 것은?

〈지역별 서울로의 통근 · 통학률 변화〉

(단위: %)

구분	지역	1990년	2010년
(가)	광명	61.3	42.5
	과천	60.8	40.4
(나)	화성	3.5	6.8
	용인	3.1	19.6

(통계청)

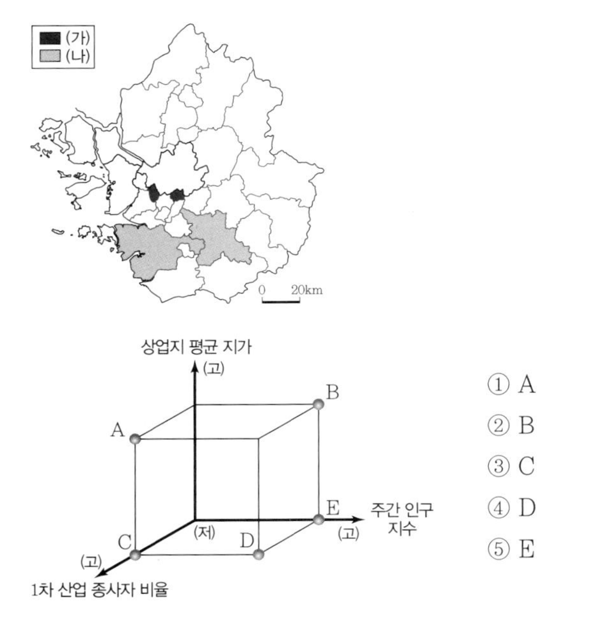

① A ② B ③ C ④ D ⑤ E

[21912-0128] ○ △ ×

8 **그래프는 교통수단별 화물 수송량 변화를 나타낸 것이다. 이에 대한 설명으로 옳은 것은?**

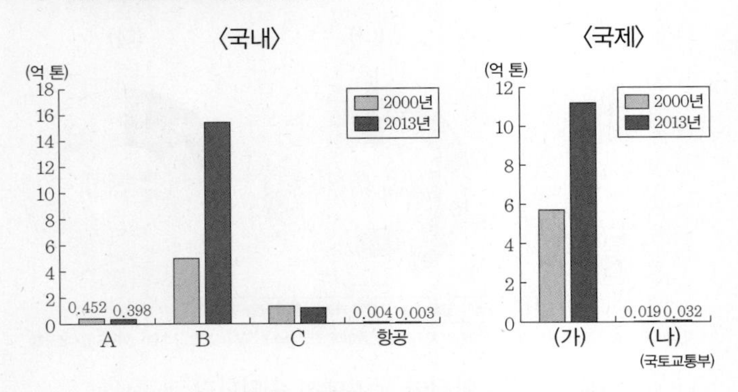

① A는 정시성과 안전성이 뛰어나지만 지형적 제약이 크다.
② A는 B보다 문전 연결성이 우수하다.
③ B는 C보다 운행 1회당 화물 수송량이 많다.
④ C는 A보다 기상 조건의 영향을 작게 받는다.
⑤ B는 (가)에 해당한다.

[21912-0129] ○ △ ×

9 **그래프는 우리나라의 연령층별 인구 구조와 총 부양비를 나타낸 것이다. (가)~(다) 시기에 대한 설명으로 옳은 것만을 〈보기〉에서 고른 것은? [3점]**

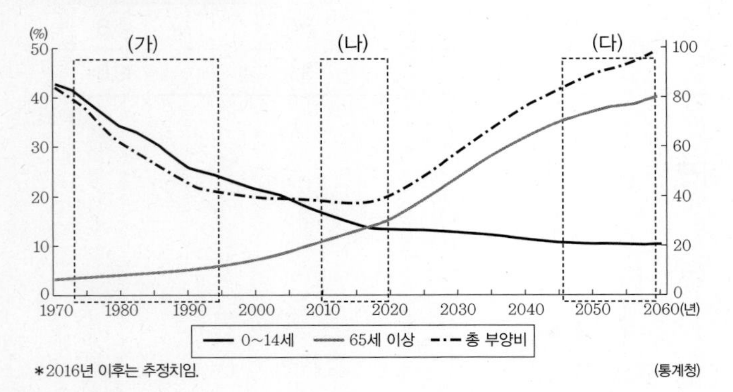

*2016년 이후는 추정치임. (통계청)

〈 보기 〉

ㄱ. (가) 시기에 청장년층 인구 비중은 지속적으로 증가하였다.
ㄴ. (나) 시기에 유소년 부양비는 10 미만이었다.
ㄷ. (다) 시기에 총 부양비 증가의 주요 원인은 노년층 인구 비중의 증가이다.
ㄹ. (다) 시기에 노령화 지수의 값은 100~300 사이에 있다.

① ㄱ, ㄴ ② ㄱ, ㄷ ③ ㄴ, ㄷ
④ ㄴ, ㄹ ⑤ ㄷ, ㄹ

[21912-0130] 

10 **다음은 지역 축제에 관한 발표 수업 자료이다. (가), (나) 지역을 지도의 A~C에서 고른 것은?**

지역	축제 캐릭터	축제 소개
(가)		이 지역은 예로부터 마을이 있으면 반드시 대나무가 있다 하여 죽향(竹鄕)으로 알려진 곳으로, 죽세공예가 발달하였다. 이와 같은 전통 산업을 계승하고 널리 알리기 위해 개최하는 축제에서는 죽제품 전시, 대나무 악기 경연 대회 등의 다채로운 행사가 열리고, 대숲 생태 체험과 엿치기 등의 전통 놀이 문화를 즐길 수 있다.
(나)		이 축제의 배경에는 오래전부터 마을의 안녕과 풍요를 기원하며 이루어졌던 별신굿 탈놀이의 전통이 자리하고 있다. 축제 기간 중에는 국내외 탈춤 공연과 함께 차전놀이, 놋다리밟기 등의 행사가 열린다. 특히 유네스코 세계문화유산으로 지정된 마을 건너편의 기암절벽에서 펼쳐지는 줄불놀이가 축제의 백미로 알려져 있다.

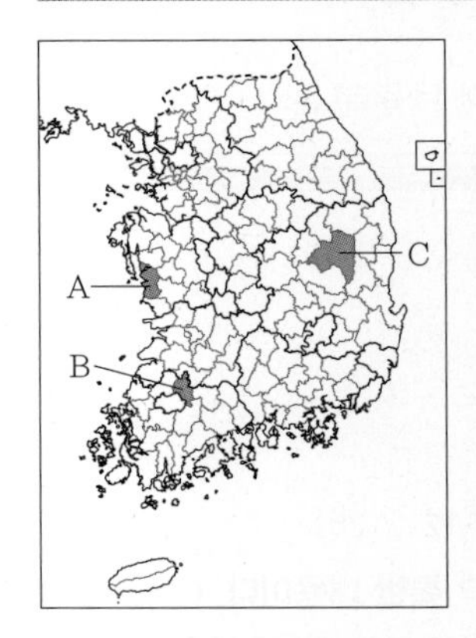

	(가)	(나)
①	A	B
②	A	C
③	B	A
④	B	C
⑤	C	A

14회 미니모의고사

제한 시간 15분 / 배점 25점

○ 알고 맞힘 /10 △ 헷갈림 /10 ✕ 모르고 틀림 /10

[21912-0131] ○ △ ✕

1 대동여지도의 일부와 지도표를 보고 알 수 있는 내용으로 옳지 않은 것은?

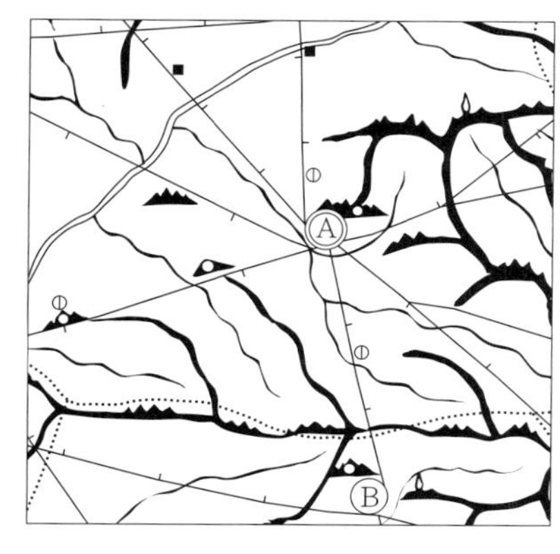

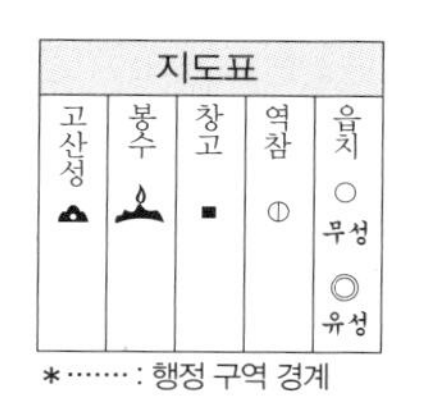

① A까지 선박으로 접근이 가능하다.
② A는 관아가 있는 지방 행정 중심지이다.
③ A에서 가장 가까운 창고는 약 20리 떨어진 곳에 위치한다.
④ A와 B의 사이에는 교통·통신 기관이 위치한다.
⑤ A에서 B까지 최단 거리로 이동할 때 하천은 세 번 이상 건너고, 고개는 한 번 이상 넘어야 한다.

[21912-0132] ○ △ ✕

2 다음 자료는 모둠별 지리 조사 계획을 나타낸 것이다. 지역의 특성을 고려한 조사 주제의 선정이 적절하지 않은 모둠을 고른 것은?

모둠	조사 지역	조사 주제	조사 지역도
백두	A	하굿둑 건설이 하천 및 해안 생태계에 미친 영향	
금강	B	한옥 마을, 세계 소리 축제 등의 문화적 자원과 장소 마케팅	
설악	C	대규모 제철소 입지에 따른 지역 산업 구조의 변화	
지리	D	하굿둑 건설이 주변 지역에 미친 순기능과 역기능	
한라	E	람사르 협약에 등록된 연안 습지의 생태적 가치	

① 백두 ② 금강 ③ 설악 ④ 지리 ⑤ 한라

[21912-0133] ○ △ ✕

3 다음은 하천 지형에 대한 수업 장면이다. 교사의 질문에 대한 답으로 가장 적절한 것을 고른 것은? [3점]

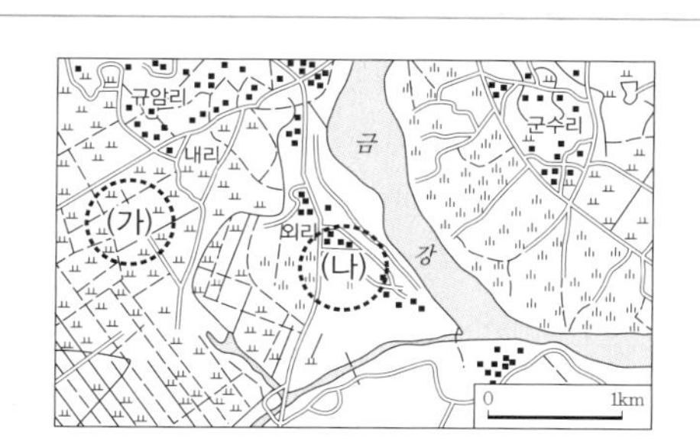

교 사
오늘은 하천 범람으로 형성된 퇴적 지형을 공부하였습니다.
질문 1: 지도에서 (가)와 (나)의 토지 이용이 다른 까닭은 무엇인가요?
질문 2: 취락은 주로 (가)가 아닌 (나)에 분포합니다. 그 까닭은 무엇인가요?

	질문 1		질문 2
A	(가)는 배수가 불량하고 (나)는 양호하기 때문입니다.	a	방어에 더 유리하기 때문입니다.
B	면적이 (가)가 (나)보다 넓기 때문입니다.	b	지대가 높아 홍수의 위험이 더 적기 때문입니다.
C	토양이 (가)가 (나)보다 비옥하기 때문입니다.	c	물을 더 쉽게 구할 수 있기 때문입니다.

	질문 1	질문 2
①	A	a
②	A	b
③	B	a
④	B	c
⑤	C	b

[21912-0134] ○ △ ×

4 ○○동굴에 대한 설명으로 옳은 것만을 〈보기〉에서 있는 대로 고른 것은?

〈○○동굴의 위치〉 〈○○동굴의 사진〉

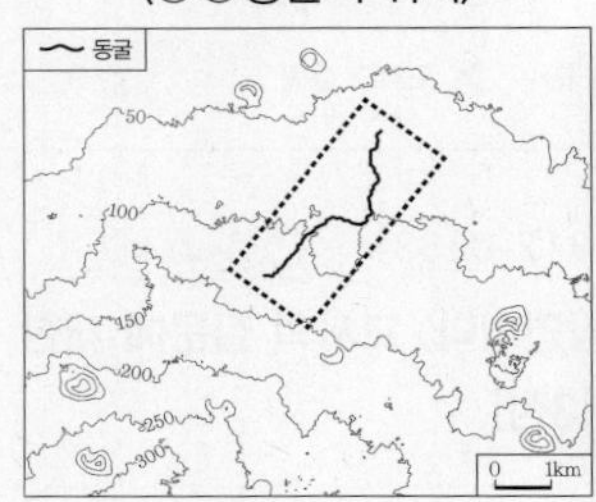

〈 보기 〉
ㄱ. 유동성이 큰 용암 분출 시 잘 형성된다.
ㄴ. 동굴 생성에 지하수의 역할이 크게 작용한다.
ㄷ. 동굴 주변의 암석은 시멘트 공업의 원료로 이용된다.
ㄹ. 용암 표면과 내부의 냉각 속도 차이가 동굴 생성에 영향을 주었다.

① ㄱ, ㄴ ② ㄱ, ㄹ ③ ㄴ, ㄷ
④ ㄱ, ㄴ, ㄹ ⑤ ㄴ, ㄷ, ㄹ

[21912-0135] ○ △ ×

5 다음 자료는 두 지역의 인구 변화를 나타낸 것이다. 두 지역의 공통된 변화를 그래프로 나타낼 때, (가), (나)에 들어갈 항목으로 옳은 것은?

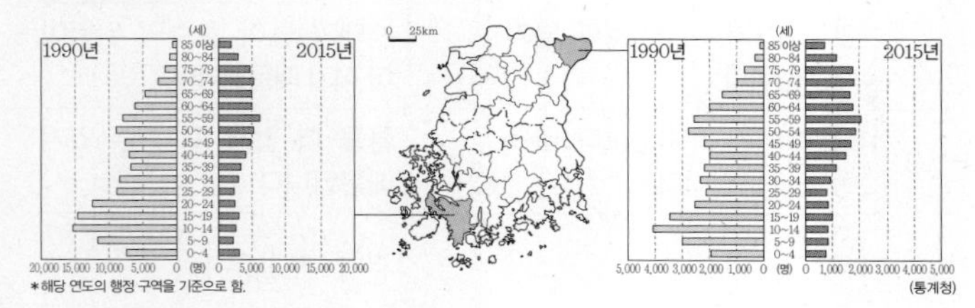

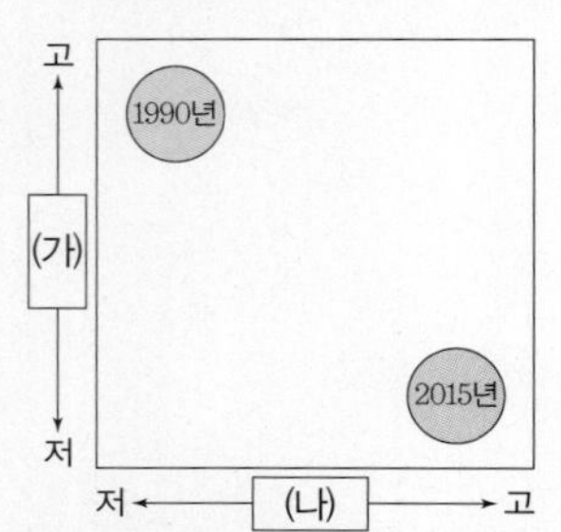

*'고'는 높음, 많음, '저'는 낮음, 적음을 의미함.

	(가)	(나)
①	가구당 인구수	노년층 인구 비중
②	주민의 평균 연령	농업 종사자 수
③	주민의 평균 연령	초등학교 학생 수
④	초등학교 학생 수	농업 종사자 수
⑤	노년층 인구 비중	초등학교 학생 수

[21912-0136] ○ △ ×

6 지도의 ㄱ ~ ㄹ 지역에 해당하는 강수량을 그래프의 A ~ D에서 고른 것은? [3점]

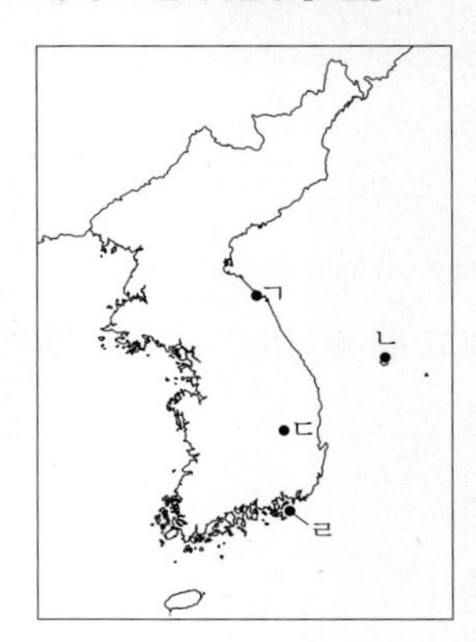

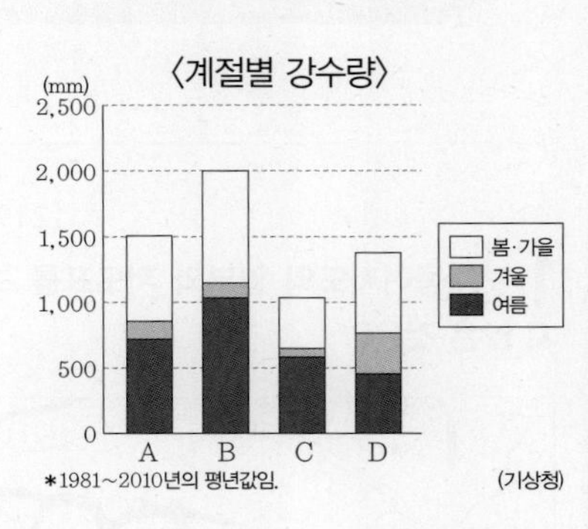

*1981~2010년의 평년값임. (기상청)

	ㄱ	ㄴ	ㄷ	ㄹ
①	A	B	D	C
②	A	D	C	B
③	C	D	A	B
④	D	A	B	C
⑤	D	B	C	A

[21912-0137] ○ △ ×

7 (가)의 A ~ C에 해당하는 지역을 (나)의 ㉠ ~ ㉢에서 고른 것은? [3점]

(가) 수도권 시·도별 인구 순 이동

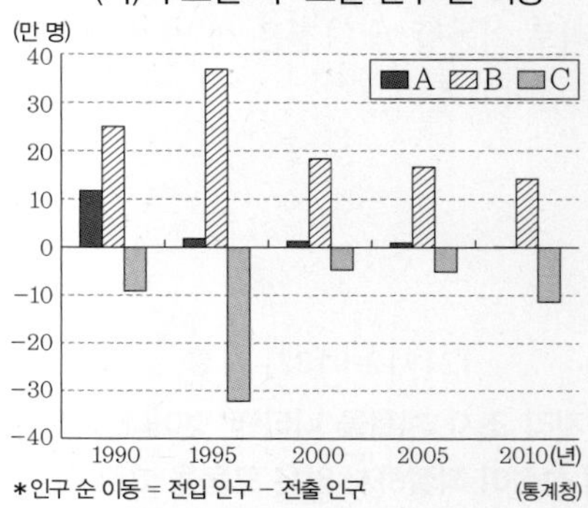

*인구 순 이동 = 전입 인구 − 전출 인구 (통계청)

(나) 수도권 시·도별 인구 비중 변화

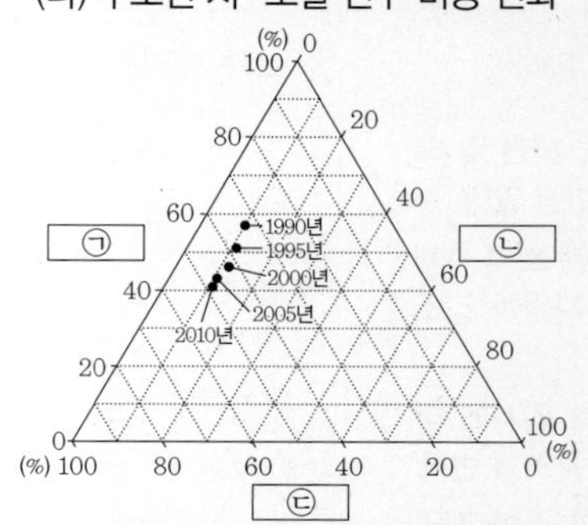

*수도권 전체 인구에서 차지하는 각 시·도의 인구 비중임. (통계청)

	A	B	C
①	㉠	㉡	㉢
②	㉠	㉢	㉡
③	㉡	㉠	㉢
④	㉡	㉢	㉠
⑤	㉢	㉡	㉠

[21912-0138] O △ X

8 **그래프의 A ~ D 지역에 대한 설명으로 옳은 것만을 〈보기〉에서 있는 대로 고른 것은? (단, A ~ D는 각각 수도권, 영남권, 제주권, 충청권 중 하나임.)**

〈지역별 제조업 사업체 수와 종사자 수 비중 변화〉

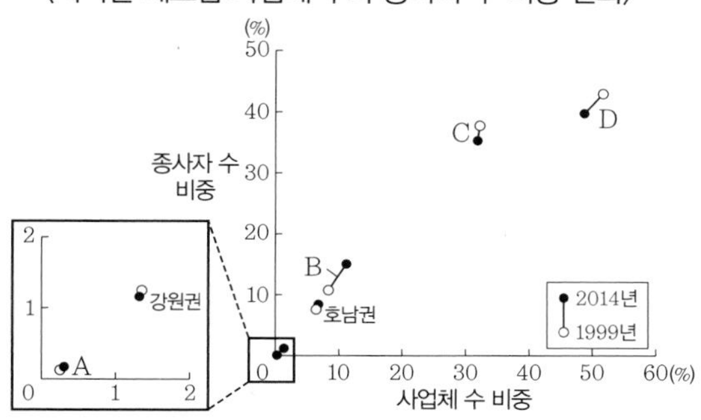

＊사업체 수와 종사자 수 비중은 전국에서 해당 지역이 차지하는 값임. (통계청)

〈지역별 제조업 생산액 변화〉

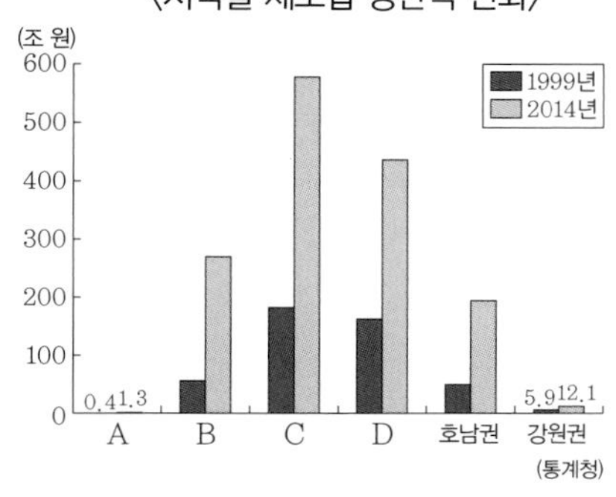

〈 보기 〉

ㄱ. A는 제주권, D는 수도권에 해당한다.
ㄴ. B는 D보다 2014년 사업체당 종사자 수가 많다.
ㄷ. C는 D보다 1999년과 2014년 모두 사업체당 생산액이 많다.
ㄹ. D는 C보다 1999년 종사자당 생산액이 많다.

① ㄱ, ㄴ ② ㄱ, ㄹ ③ ㄴ, ㄷ
④ ㄱ, ㄴ, ㄷ ⑤ ㄴ, ㄷ, ㄹ

[21912-0139] O △ X

9 **지도에 표시된 A~D 지역의 기후 특성을 옳게 나타낸 그래프를 〈보기〉에서 고른 것은? [3점]**

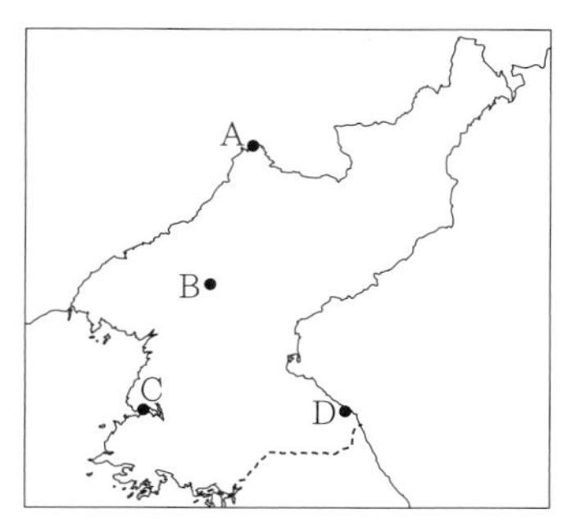

〈 보기 〉

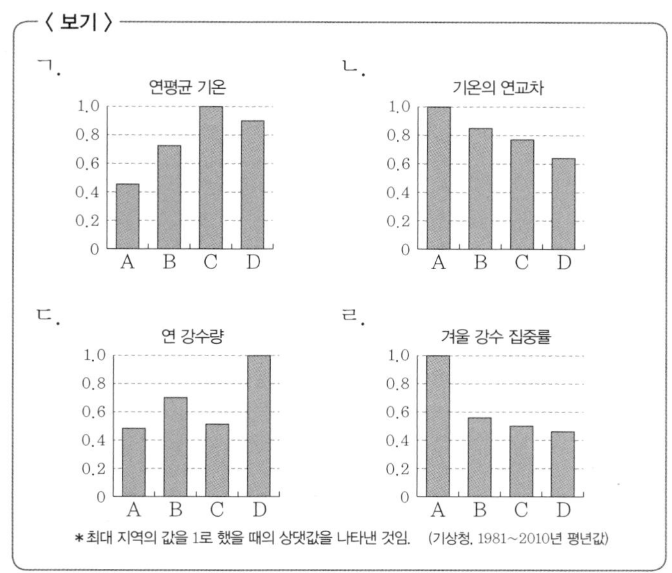

＊최대 지역의 값을 1로 했을 때의 상댓값을 나타낸 것임. (기상청, 1981~2010년 평년값)

① ㄱ, ㄴ ② ㄱ, ㄷ ③ ㄴ, ㄷ
④ ㄴ, ㄹ ⑤ ㄷ, ㄹ

[21912-0140] O △ X

10 **그래프의 (가) ~ (다) 광물 자원에 대한 설명으로 옳은 것은? (단, (가) ~ (다)는 각각 고령토, 석회석, 철광석 중 하나임.) [3점]**

〈(가) ~ (다) 광물 자원의 총 생산량〉 〈(가) ~ (다) 광물 자원의 지역별 생산 비중〉

(십만 톤) (가) (나) (다) (2015년)

(%) (가) (나) (다) 충청권 영남권 호남권 강원권 기타 0.1 1.7 1.2 0.01 (한국지질자원연구원)

① (가)는 비금속 광물 자원이다.
② (나)는 주로 특수강 및 합금용 원료로 이용된다.
③ (다)는 주로 도자기 및 내화 벽돌 등의 원료로 이용된다.
④ (가)는 (다)보다 자원의 해외 의존도가 높다.
⑤ (다)는 (가)보다 가채 연수가 짧다.

MEMO

정답과 해설

EBS 수능특강 Q 미니모의고사 한국지리

정답 한눈에 보기

01회 미니모의고사 본문 4~6쪽

1 ④	2 ④	3 ⑤	4 ②	5 ⑤
6 ⑤	7 ②	8 ②	9 ③	10 ③

02회 미니모의고사 본문 7~9쪽

1 ①	2 ③	3 ③	4 ⑤	5 ④
6 ④	7 ③	8 ④	9 ③	10 ②

03회 미니모의고사 본문 10~13쪽

1 ④	2 ⑤	3 ④	4 ②	5 ④
6 ③	7 ④	8 ③	9 ④	10 ④

04회 미니모의고사 본문 14~17쪽

1 ⑤	2 ②	3 ②	4 ⑤	5 ④
6 ③	7 ①	8 ③	9 ④	10 ①

05회 미니모의고사 본문 18~20쪽

1 ⑤	2 ⑤	3 ④	4 ①	5 ①
6 ②	7 ①	8 ②	9 ③	10 ④

06회 미니모의고사 본문 21~23쪽

1 ②	2 ④	3 ①	4 ⑤	5 ④
6 ④	7 ②	8 ④	9 ⑤	10 ⑤

07회 미니모의고사 본문 24~27쪽

1 ⑤	2 ②	3 ①	4 ④	5 ②
6 ③	7 ④	8 ⑤	9 ④	10 ⑤

08회 미니모의고사 본문 28~31쪽

1 ⑤	2 ①	3 ④	4 ④	5 ①
6 ⑤	7 ②	8 ③	9 ②	10 ⑤

09회 미니모의고사 본문 32~34쪽

1 ④	2 ③	3 ②	4 ③	5 ③
6 ①	7 ⑤	8 ②	9 ⑤	10 ③

10회 미니모의고사 본문 35~37쪽

1 ⑤	2 ①	3 ①	4 ②	5 ⑤
6 ④	7 ④	8 ④	9 ④	10 ③

11회 미니모의고사 본문 38~40쪽

1 ④	2 ①	3 ③	4 ⑤	5 ④
6 ①	7 ②	8 ④	9 ①	10 ②

12회 미니모의고사 본문 41~43쪽

1 ⑤	2 ⑤	3 ③	4 ③	5 ③
6 ②	7 ③	8 ⑤	9 ④	10 ⑤

13회 미니모의고사 본문 44~46쪽

1 ④	2 ③	3 ④	4 ①	5 ①
6 ⑤	7 ④	8 ①	9 ②	10 ④

14회 미니모의고사 본문 47~49쪽

1 ①	2 ③	3 ②	4 ②	5 ①
6 ②	7 ④	8 ④	9 ③	10 ④

01회 미니모의고사

본문 4~6쪽

1 ④	2 ④	3 ⑤	4 ②	5 ⑤
6 ⑤	7 ②	8 ②	9 ③	10 ③

1 영해와 배타적 경제 수역 이해

문제분석 우리나라의 영해 관련 법령을 토대로 우리나라의 영해와 배타적 경제 수역의 특징을 이해한다.

정답찾기 ㄱ. 우리나라는 대한 해협을 제외한 모든 수역에서 기선으로부터 측정하여 그 바깥쪽 12해리의 선까지에 이르는 수역을 영해로 한다. 다만 대한 해협은 한·일 간 거리가 가까워 직선 기선으로부터 3해리를 영해로 정하고 있다.

ㄴ. 영해 설정 시 일반적으로 해안선이 단조로운 경우에는 통상 기선을 적용하며, 해안선이 복잡하고 섬이 많은 경우에는 직선 기선을 적용한다.

ㄷ. 배타적 경제 수역은 영해 기선으로부터 그 바깥쪽 200해리의 선까지에 이르는 수역 중 영해를 제외한 수역이다. 따라서 직선 기선의 기점은 영해뿐만 아니라 배타적 경제 수역의 폭을 측정하는 기점이기도 하다.

오답피하기 ㄹ. 우리나라와 일본이 배타적 경제 수역으로 200해리를 설정하면 그 해역이 서로 중첩되기 때문에 우리나라는 1998년에 일본과 한·일 어업 협정을 체결하고, 양국이 어업 자원에 대하여 공동으로 보존·관리하는 한·일 중간 수역을 독도 근해와 제주도 남쪽 해역에 설정하였다. 대한 해협에는 한·일 중간 수역이 설정되어 있지 않다.

2 용암 동굴과 석회 동굴의 특징 이해

문제분석 B는 충북에 3개소, 경북과 전북에 각 1개소가 천연기념물로 지정된 동굴이다. 이들 지역은 옥천 습곡대가 지나는 지역으로 고생대 조선 누층군의 석회암이 분포한다. 따라서 B는 석회암 지대에 발달한 석회 동굴이며, (나)는 강원도이다. 석회 동굴 외에 자연 상태에서 큰 규모로 발달하는 동굴로는 용암 동굴이 있다. 따라서 A는 용암 동굴이며, (가)는 제주도이다.

정답찾기 ④ 석회암에 절리가 많으면 빗물과 지하수가 잘 스며들기 때문에 용식 작용에 의해 석회 동굴이 잘 발달할 수 있는 조건이 된다. 따라서 기반암의 절리 밀도가 동굴 형성에 영향을 미치는 동굴은 석회 동굴이다. 용암 동굴은 기반암의 절리 밀도와 관계없이 점성이 작은 용암이 흘러내릴 때 용암의 표층부와 하층부 간 냉각 속도의 차이에 의해 형성된다.

오답피하기 ① 조선 누층군의 석회암과 평안 누층군의 무연탄이 많이 매장되어 있는 강원도는 우리나라의 대표적인 광업 발달 지역이다. 따라서 강원도가 제주도보다 광업 출하액이 많다.

② 제주도는 남부 지방, 강원도는 중부 지방에 속한다.

③ 석회 동굴의 기반암은 주로 고생대 초기에 얕고 따뜻한 바다에서 퇴적된 석회암이며, 용암 동굴의 기반암은 신생대의 화산 활동으로 형성된 현무암이 대부분이다. 따라서 석회 동굴이 용암 동굴보다 기반암의 생성 시기가 이르다.

⑤ 화산 활동으로 형성된 용암 동굴의 기반암은 화성암이며, 석회 동굴의 기반암은 퇴적암이다.

3 카르스트 지형과 화산 지형, 침식 분지와 삼각주의 이해

문제분석 (가)는 기반암이 석회암인 곳에서 나타나는 카르스트 지형, (나)는 제주도의 화산 지형, (다)는 침식 분지, (라)는 낙동강 하구의 삼각주이다.

정답찾기 ⑤ 침식 분지의 하천이 합류하는 지역과 삼각주에는 모두 하천에 의한 퇴적 작용으로 형성된 충적층이 분포한다.

오답피하기 ① (가)에는 석회암 풍화토, (나)에는 현무암 풍화토가 주로 분포하는데, 두 토양은 모두 기반암의 성질이 많이 반영된 간대 토양이다.

② 제주도 해안에 위치한 B 마을은 용천대를 따라 분포하는 것으로 보아 용수 확보와 관련이 있다. 홍수 피해가 많은 범람원의 경우 상대적으로 침수 위험이 낮은 자연 제방에 마을이 입지한다.

③ A의 기반암은 석회암으로 고생대에 형성되었고, 침식 분지의 배후 산지인 C의 기반암은 변성암으로 시·원생대에 형성되었다. 따라서 C의 변성암이 A의 석회암보다 형성 시기가 이르다.

④ A는 배수가 양호하여 밭농사가 발달한다. E는 주로 점토 퇴적물로 이루어져 벼농사가 이루어지며, 대도시인 부산의 주변 지역에 위치하여 시설 농업이 활발하다.

4 지역별 기후 차이 비교

문제분석 지도의 세 지역은 인천, 대관령, 울릉도이고, 이 세 지역의 겨울철 강수량은 A>B>C 순으로 많다. 따라서 겨울철 강수량이 가장 많은 A는 울릉도, 그다음으로 많은 B는 대관령, 가장 적은 C는 인천이다. 이를 토대로 (가)~(다)의 기후 지표가 무엇인지 파악한다. 선지에 제시되어 있는 기후 지표는 기온의 연교차, 여름철 강수량, 최난월 평균 기온이다.

정답찾기 ② (가)는 인천>대관령>울릉도 순으로 수치가 높다. 이는 기온의 연교차이다. 울릉도는 동해상에 위치하여 기온의 연교차가 가장 작다. 동해의 영향을 받는 지역이 황해의 영향을 받는 지역에 비해 기온의 연교차가 작다. 대관령은 해안에 위치한 것은 아니지만 비교적 동해안에 가까이 위치하므로 서해안에 위치한 인천에 비해 기온의 연교차가 작다. (나)는 인천>울릉도>대관령 순으로 수치가 높다. 이는 최난월 평균 기온이다. 최난월 평균 기온은 서해안에 위치한 인천이 가장 높고, 해발 고도가 높은 대관령이 가장 낮다. (다)는 대관령>인천>울릉도 순으로 수치가 높다. 이는 여름철 강수량이다. 대관령은 우리나라의 대표적인 다우지로 여름철 강수량이 많다. 울릉도는 해양의 영향을 크게 받아 강수량이 계절별로 고르게 분포하므로 여름철에 강수량이 집중하는 인천에 비해 여름철 강수량이 적다. 따라서 (가)는 기온의 연교차, (나)는 최난월 평균 기온, (다)는 여름철 강수량의 연결이 옳다.

5 도별 농업 특징 비교

문제분석 (가)는 전남 다음으로 경작 가능 면적과 작물 재배 면적이 넓은 경북이다. (나)는 작물 재배 면적이 경북 다음으로 넓은 전북이다. (다)는 제주 다음으로 경작 가능 면적과 작물 재배 면적이 좁은 강원이다. 세 지역 중 벼 재배 면적 비중은 전북>경북>강원 순으로 높다. 따라서 A는 세 지역 중 전북에서 재배 면적 비중이 가장 높은 맥류이다. B는 강원에서 재배 면적 비중이 높은 채소이며, C는 경북에서 재배 면적 비중이 높은 과수이다.

정답찾기 ⑤ 맥류는 주로 겨울이 온화한 남부 지방에서 벼의 그루갈이 작물로 재배된다.

오답피하기 ① 경지 이용률은 '(작물 재배 면적÷경작 가능 면적)×100'으로 구한다. 따라서 경작 가능 면적 대비 작물 재배 면적이 넓은 전남이 경기보다 경지 이용률이 높다.
② 전북이 경북보다 맥류 재배 면적 비중이 높다.
③ 강원은 경북보다 채소 재배 면적 비중이 약 1.8배(=29.1÷15.7) 높지만, 작물 재배 면적은 경북이 강원보다 약 2.5배(=25÷10) 넓다. 따라서 채소 재배 면적은 경북이 강원보다 넓다.
④ 강원은 노지에서 이루어지는 고랭지 채소 재배가 발달하였다.

6 슬로 시티, 경제 자유 구역, 혁신 도시의 분포 이해

문제분석 (가)는 슬로 시티, (나)는 경제 자유 구역, (다)는 혁신 도시에 대한 설명이다.

정답찾기 ⑤ 우리나라의 슬로 시티는 2018년 12월 기준 신안군 증도, 완도군, 담양군 창평면, 하동군 악양면, 예산군 대흥면, 남양주시 조안면, 전주시, 상주시 함창읍·이안면·공검면, 청송군, 영월군 김삿갓면, 제천시 수산면, 태안군 소원면, 영양군 석보면, 김해시 봉하 마을·화포천 습지 생태 공원, 서천군 한산면이 지정되어 있다. 이를 나타낸 지도는 C이다. 우리나라에는 인천 경제 자유 구역, 동해안권 경제 자유 구역, 황해 경제 자유 구역, 충북 경제 자유 구역, 대구·경북 경제 자유 구역, 광양만권 경제 자유 구역, 부산·진해 경제 자유 구역의 7개 경제 자유 구역이 있다. 이를 나타낸 지도는 B이다. 혁신 도시는 2018년 기준 강원 원주시, 충북 진천군·음성군, 전북 전주시·완주군, 광주·전남 나주시, 제주 서귀포시, 경북 김천시, 대구 동구, 경남 진주시, 울산 중구, 부산 영도구·해운대구·남구가 지정되어 있다. 이를 나타낸 지도는 A이다.

7 호남 지방의 지역 특성 파악

문제분석 제시된 촬영 내용을 통해 이에 적합한 지역을 지도에서 찾는 문제이다.

정답찾기 ② 첫 번째 촬영 지역은 '한지, 슬로 시티, 한옥' 등의 모습을 촬영해야 하므로 지도의 A에 위치한 전주이다. 두 번째 촬영 지역은 '태백산맥 문학관, 녹차·참다래 농장' 등의 모습을 촬영해야 하므로 지도의 D에 위치한 보성이다. 세 번째 촬영 지역은 '공룡 박물관, 토말(땅끝)' 등을 촬영해야 하므로 지도의 C에 위치한 해남이다.

오답피하기 지도의 B는 담양으로 대나무와 관련된 죽세공품과 죽녹원 등을 촬영할 수 있다.

8 가평, 고양, 안산의 통근·통학 인구 특성 파악

문제분석 (가)는 세 지역 중 통근·통학 인구가 가장 적으며, 지역 내 통근·통학 인구 비중이 가장 높고 서울로의 통근·통학 인구 비중은 가장 낮다. 반면에 (다)는 세 지역 중 통근·통학 인구가 가장 많으며, 지역 내 통근·통학 인구 비중이 가장 낮고 서울로의 통근·통학 인구 비중이 가장 높다. 지도의 A는 가평, B는 고양, C는 안산이다.

정답찾기 ② 가평(가)은 세 지역 중 인구가 가장 적고 서울과 거리가 멀어 지역 내 통근·통학 인구 비중이 높다. 가평(가)은 A에 해당한다. 고양(다)은 서울과 인접하며 일산 신도시가 조성되어 있어 서울로의 통근·통학 인구 비중이 높다. 고양(다)은 B에 해당한다. 안산(나)은 수도권 인구와 산업 시설의 분산을 위한 반월 및 시화 공단이 조성된 지역으로 제조업이 발달하여 지역 내 통근·통학 인구 비중이 높다. 안산(나)은 C에 해당한다.

9 순창, 안산, 철원의 인구 특성 파악

문제분석 (가)는 (나)와 (다)에 비해 내국인과 외국인이 많으며, 내국인의 성비가 약 107, 외국인의 성비가 약 137로 남초 현상이 나타난다. (나)는 내국인과 외국인의 인구 규모가 (가)와 (다)의 중간이고, 내국인의 성비가 약 115, 외국인의 성비가 약 155이다. (다)는 인구 규모가 (가)~(다) 중 가장 작으며, 내국인의 성비가 약 90, 외국인의 성비가 약 60으로 여초 현상이 두드러진다. (가)는 안산, (나)는 철원, (다)는 순창이다. 그래프의 A는 순창, B는 철원, C는 안산이다.

정답찾기 ③ 외국인 인구를 보면 순창(다)은 여초, 안산(가)은 남초 지역이다. 그렇지만 순창은 안산보다 외국인 인구가 적으므로 외국인 여성 인구도 적다.

오답피하기 ① 청장년층 인구 비중이 안산(가)은 약 78%, 철원(나)은 약 68%로 안산이 철원보다 높다. 따라서 안산은 철원보다 총 부양비가 낮다.
② 유소년층 인구 비중이 철원(나)은 약 13%, 순창(다)은 약 11%이고, 총인구도 철원이 순창보다 많다. 따라서 철원은 순창보다 유소년층 인구가 많다.
④ 순창(다)은 유소년층 인구 비중이 약 11%로 세 지역 중 가장 낮고, 노년층 인구 비중이 약 33%로 세 지역 중 가장 높다. 안산(가)은 유소년층 인구 비중이 약 14%이며, 노년층 인구 비중이 약 9%로 세 지역 중 가장 낮다. 따라서 노령화 지수는 순창(A)>철원(B)>안산(C) 순으로 높다.
⑤ 안산(가)은 세 지역 중 청장년층 인구 비중이 가장 높은 C, 철원(나)은 순창(다)보다는 청장년층 인구 비중이 높고 노년층 인구 비중이 낮으므로 B, 순창(다)은 세 지역 중 청장년층 인구 비중이 가장 낮고 노년층 인구 비중이 가장 높은 A에 해당한다.

10 영·호남 지방 주요 도시의 제조업 특성 비교

문제분석 지도에 제시된 5개 도시는 호남 지방의 광주, 여수, 영남 지방의 울산, 창원, 거제이다. 광주는 자동차 공업, 여수는 석유 화학 공업, 울산은 조선·자동차·석유 화학 공업, 창원은 기계 공업,

거제는 조선 공업이 발달하였다. 그래프에서 (가)는 기타 기계 및 장비 제조업과 전기 장비 제조업이 높은 비중을 차지하므로 기계 공업이 발달한 창원, (나)는 자동차 및 트레일러 제조업이 높은 비중을 차지하므로 광주, (다)는 코크스, 연탄 및 석유 정제품 제조업과 자동차 및 트레일러 제조업이 높은 비중을 차지하며, 총 출하액이 가장 많으므로 울산, (라)는 화학 물질 및 화학 제품(의약품 제외) 제조업과 코크스, 연탄 및 석유 정제품 제조업이 대부분을 차지하므로 여수, (마)는 기타 운송 장비 제조업이 90% 이상을 차지하므로 조선 공업이 발달한 거제이다.

정답찾기 ③ 울산(다)은 광역시이므로 거제(마)보다 총인구가 많다.

오답피하기 ① 광주(나)에는 원자력 발전소가 없다. 5개 도시 중 원자력 발전소가 위치한 도시는 울산(다)이다. 우리나라의 원자력 발전소는 울진, 경주, 울산, 부산, 영광에 위치해 있다.

② 울산(다)은 해안에 위치하므로 내륙에 위치한 광주(나)보다 원료 수입과 제품 수출에 유리하다.

④ 5개 도시 중 광역시는 광주(나)와 울산(다)이다.

⑤ 광주(나)와 여수(라)는 호남권, 창원(가), 울산(다), 거제(마)는 영남권에 위치한다.

02회 미니모의고사

본문 7~9쪽

1 ①	2 ③	3 ③	4 ⑤	5 ④
6 ④	7 ③	8 ④	9 ③	10 ②

1 통계 지도의 유형별 특성 파악

문제분석 통계 지도는 특정 지리 현상에 관한 통계 정보를 표현한 주제도로 점묘도, 등치선도, 단계 구분도, 도형 표현도, 유선도 등이 있다. 점묘도는 통계 값을 일정한 크기의 점으로 찍어 표현한 지도로 지리 정보의 분포 현황을 나타내기에 적절하다. 등치선도는 같은 값을 가진 지점을 선으로 연결하여 표현하는 지도로 등고선, 등온선, 일기도, 꽃 개화 시기 등을 나타내기에 적절하다. 단계 구분도는 통계 값을 몇 단계로 구분하고 음영, 패턴 등을 달리하여 표현하는 지도로 비율을 표현하기에 적절하다. 도형 표현도는 통계 값을 막대, 원 등 다양한 도형을 이용하여 표현하는 지도로 여러 가지 실제 데이터를 다양하게 비교하기에 적절하다. 유선도는 지역 간 이동을 화살표의 방향과 굵기를 이용하여 표현하는 지도로 인구나 물자의 공간적 이동을 표현하기에 적절하다.

정답찾기 ① (가)의 봄꽃 개화 시기와 단풍 절정 시기 등은 등치선도(ㄱ)로 나타내기에 적절하다. (나) 어종의 이동 경로는 유선도(ㄴ)로 나타내기에 적절하며, (다)의 현재 포획되고 있는 어종의 유형은 도형 표현도(ㄷ)로 표현하기에 적절하다.

2 한반도의 암석 분포 특징 파악

문제분석 (가)는 변성암, (나)는 퇴적암, (다)는 화성암이다. 변성암은 시·원생대에 만들어졌으며 오랜 기간 변성 작용을 받았다. 대표적인 변성암으로는 편마암과 편암이 있다. 퇴적암은 수심이 얕은 바다나 육지의 호소에 퇴적물이 두껍게 쌓여 형성된 암석이다. 화성암은 마그마가 굳어서 만들어진 암석으로 심성암과 분출암이 있다.

정답찾기 ③ 중생대의 퇴적암(나)은 경상 누층군에 분포한다. 경상 누층군은 중생대 중기부터 말기에 걸쳐 호소에 퇴적물이 넓게 쌓여 형성된 퇴적암으로 이루어져 있으며, 경상 분지를 중심으로 남해안 일대와 영남 지방에 넓게 분포한다. 경상 누층군에서 중생대에 번성하였던 공룡의 발자국 화석 등을 볼 수 있다.

오답피하기 ① (가)는 변성암으로, 변성암이 기반암인 산지는 오랜 풍화 작용으로 흙산을 이루고 있다.

② 고생대의 퇴적암(나)은 고생대 초기에 형성된 해성층인 조선 누층군, 고생대 말기에서 중생대 초기에 걸쳐 형성된 육성층인 평안 누층군에 분포한다. 따라서 고생대 초기의 (나)는 바다 밑에서 형성되었다.

④ 중생대의 화강암(다)으로 이루어진 산지의 정상부는 암석이 노출되어 식생이 빈약하다.

⑤ 남해안의 적색토는 기후와 식생의 영향을 받아 형성된 성대 토양이다. 신생대의 (다)는 풍화 작용을 받으면 흑색 계통의 간대 토양이 만들어진다.

3 우리나라 국토 종합 개발 계획의 특징 이해

문제분석 1992~1999년에 시행된 제○차 국토 종합 개발 계획에서는 균형 개발을 개발 방식으로 채택하였고, 1972~1981년에 시행된 제□차 국토 종합 개발 계획에서는 성장 거점 개발을 개발 방식으로 채택하였다. 그러므로 제○차 국토 종합 개발 계획은 제3차 국토 종합 개발 계획, 제□차 국토 종합 개발 계획은 제1차 국토 종합 개발 계획이다.

정답찾기 ③ 국토 통일에 대비한 남북 교류 지역 개발 및 관리는 제3차 국토 종합 개발 계획의 주요 개발 내용이다. 반면에 생산 기반 조성을 위한 수도권과 남동 연안 지역의 대규모 공업 단지 건설은 제1차 국토 종합 개발 계획의 주요 개발 내용이다.

오답피하기 ㄷ. 2000년 이후 국토의 균형 발전을 위해 원주, 김천 등이 혁신 도시로, 원주, 충주, 태안 등이 기업 도시로 지정되었다.

4 사빈과 갯벌의 특성 비교

문제분석 ㉠에서 '눈빛 모래', '사각사각하는 소리' 등을 통해 사빈에 대해 기술하고 있음을 알 수 있다. 사빈은 주로 해수욕장으로 이용된다. ㉡에서 '모래와 앙금', '썰물이 빠지면' 등을 통해 조차가 큰 지역에서 발달하는 갯벌에 대해 기술하고 있음을 알 수 있다. 갯벌은 조차가 큰 서·남해안에 주로 발달하는데, 하천에서 공급된 퇴적물이 조류에 의해 연안에 퇴적되어 형성된다. 갯벌은 생태계의 보고이며, 태풍 등에 의한 자연재해를 완화해 주는 역할도 한다.

정답찾기 ㄴ, ㄷ, ㄹ. 갯벌은 사빈에 비해 퇴적물의 평균 입자 크기가 작고, 다양한 생명체가 서식하며 해양의 정화 작용을 담당하고 있다. 또한 사빈이 파랑과 연안류의 영향으로 형성되는 데 비해 갯벌은 주로 조류의 퇴적 작용으로 형성된다.

오답피하기 ㄱ. 사빈은 파랑 에너지가 분산되는 만입부를 중심으로 형성되는데, 주로 파랑이나 연안류의 퇴적 작용으로 형성된다.

5 주요 자연재해의 피해 파악

문제분석 (가)는 6~10월에만 기상 특보가 발령되었으므로 태풍이다. (나)는 6~9월에 기상 특보가 집중 발령되었으므로 호우이다. (다)는 11~3월에 기상 특보가 대부분 발령되었으므로 대설이다.

정답찾기 ④ 태풍(가)은 대설(다)보다 연간 피해액이 많고 남부 지방에 주로 피해를 주므로 남부 지방에서 연간 피해액이 많다.

오답피하기 ① 태풍(가)은 바닷물을 순환시켜 적조 현상을 완화한다.

② 호우(나)는 겨울철보다 여름철에 발생하는 빈도가 높다.

③ 대설(다)은 12~3월에 발생 빈도가 높으므로 장마 전선과는 관련이 없다. 주로 장마 전선의 정체에 따라 발생하는 자연재해는 호우(나)이다.

⑤ 호우(나)가 대설(다)보다 우리나라 연 강수량에 큰 영향을 준다.

6 주요 신·재생 에너지의 특징 파악

문제분석 A의 발전량 상위 3개 지역은 강원, 경기, 충북이다. 이 세 지역은 대하천의 중·상류 지역을 포함하고 있다. 따라서 A는 수력 발전이다. B의 발전량 상위 3개 지역은 경북, 전북, 전남이다. 이 세 지역은 공통적으로 일조량이 풍부하다. 따라서 B는 태양광 발전이다. C의 발전량 상위 3개 지역은 강원, 경북, 제주이다. 따라서 C는 풍력 발전이다. 풍력 발전소는 강원과 경북의 경우 해발 고도가 높은 산지 지역에 주로 입지해 있으며, 제주는 해안 지역에 집중적으로 분포한다.

정답찾기 ④ 수력 발전은 태양광 발전보다 상업적으로 이용된 시기가 이르다.

오답피하기 ① A는 수력 발전으로 하천의 중·상류 지역인 내륙 지역에 발전소가 입지한다.

② B는 태양광 발전으로 일조량이 풍부한 지역이 입지에 유리하다.

③ C는 풍력 발전으로 바람이 지속적으로 강하게 부는 지역이 입지에 유리하다.

⑤ 풍력 발전은 바람개비가 회전하는 과정에서 발생하는 소음으로 인해 발전소 입지가 제한된다.

7 주요 제조업의 특징 이해

문제분석 (가)는 경북, 전남, 충남의 출하액이 많으므로 1차 금속 제조업이다. (나)는 전남과 충남의 출하액이 많으므로 화학 물질 및 화학 제품(의약품 제외) 제조업이다. (다)는 충남, 경남, 광주의 출하액이 많으므로 자동차 및 트레일러 제조업이다. (라)는 경북과 충남의 출하액이 많으므로 전자 부품·컴퓨터·영상·음향 및 통신 장비 제조업이다. 자동차 및 트레일러 제조업과 전자 부품·컴퓨터·영상·음향 및 통신 장비 제조업의 출하액이 많은 A는 경기, 화학 물질 및 화학 제품(의약품 제외) 제조업과 자동차 및 트레일러 제조업의 출하액이 많은 B는 울산이다.

정답찾기 ㄷ. 1차 금속 제조업(가)의 주요 원자재는 철광석으로 대부분 수입에 의존한다. 반면에 자동차 및 트레일러 제조업(다)의 주요 원자재는 철강 제품으로 수입하는 양도 있지만 국내 제철소에서 생산된 철강을 사용하는 양도 상당히 많다. 따라서 원자재의 해외 의존도는 1차 금속 제조업(가)이 자동차 및 트레일러 제조업(다)보다 높다.

ㄹ. 경기(A)는 울산(B)보다 전체 제조업 출하액이 많지만 인구도 많기 때문에 1인당 제조업 출하액은 적다.

오답피하기 ㄱ. 화학 물질 및 화학 제품(의약품 제외) 제조업(나)은 한 가지 원료로 여러 제품을 생산하는 계열화된 공업이지만 많은 부품을 필요로 하는 조립형 공업은 아니다. 조립형 공업의 대표적인 사례로는 자동차 공업과 조선 공업 등이 있다.

ㄴ. 전자 부품·컴퓨터·영상·음향 및 통신 장비 제조업(라)은 경기의 수원·화성·용인·이천, 경북의 구미, 충남의 천안·아산 등지에서 발달하는데, 적환지에 입지하는 경우는 많지 않다.

8 우리나라의 총 부양비와 노령화 지수 변화 파악

문제분석 그래프는 총 부양비와 노령화 지수 변화를 나타낸 것이다. 총 부양비는 유소년 부양비와 노년 부양비의 합으로 이루어진다. 과거에는 출산율이 높아 유소년 부양비가 높았지만, 점차 출산율이 낮아지고 인구의 고령화 현상이 진행되면서 유소년 부양비는 감소하고 노년 부양비는 증가하고 있다. 따라서 유소년층 인구 대비 노년층 인구의 비를 나타내는 노령화 지수도 급격히 상승하고 있다.

정답찾기 ④ 2015년 노령화 지수는 약 93이기 때문에 유소년층 인구가 노년층 인구보다 많다. 노령화 지수가 100을 초과하면 노년층 인구가 유소년층 인구보다 많음을 의미한다.

오답피하기 ① (가)는 노년 부양비, (나)는 유소년 부양비이다.

② 1960년은 2010년보다 노령화 지수가 낮기 때문에 중위 연령도 낮다.

③ 총 부양비는 '{(유소년층 인구+노년층 인구)÷청장년층 인구}×100'이기 때문에, 총 부양비는 청장년층 인구 비중과 반비례 관계가 된다. 따라서 1970년 이후 청장년층 인구 비중은 지속적으로 증가하였다.

⑤ 청장년층 인구 비중은 총 부양비를 통해 계산할 수 있다. 즉, 총 부양비는 '{(유소년층 인구+노년층 인구)÷청장년층 인구}×100'이다. 2015년의 총 부양비 약 36은 (36÷100)×100의 결과이다. 따라서 2015년의 총인구는 136에 해당하며, 청장년층에 해당하는 부분은 100이다. 즉, 2015년의 청장년층 인구 비중은 (100÷136)×100=73.5%로 계산할 수 있다. 동일한 방법으로 1970년의 총 부양비가 약 84이기 때문에 1970년의 청장년층 인구 비중은 (100÷184)×100=54.3%로 계산할 수 있다.

9 충청권의 지리적 특징 파악

문제분석 충남(A)은 수도권에 인접한 지역을 중심으로 제조업이 발달하였고, 수도권에서 멀리 떨어진 지역은 촌락의 성격이 강하다. 세종(B)은 2012년에 새롭게 출범한 광역 자치 단체로, 인구 증가율이 높으며 신도시가 조성되어 빠르게 도시화가 진행되고 있다. 대전(C)은 광역시로서 대덕 연구 단지를 중심으로 생산자 서비스업이 발달하였다. 충북(D)에는 기업 도시(충주)와 혁신 도시(진천 · 음성)가 조성되고 있다.

정답찾기 ③ (가)는 충청권에서 인구와 제조업 종사자 수가 가장 많고, 다른 지역보다 인구 대비 제조업 종사자 수가 많으며, 아파트 비중은 낮으므로 충남(A)이다. (나)는 충청권에서 인구와 제조업 종사자 수가 두 번째로 많고, 아파트 비중은 두 번째로 낮으므로 충북(D)이다. (다)는 충청권에서 인구와 제조업 종사자 수가 세 번째로 많고, 아파트 비중은 두 번째로 높으므로 대전(C)이다. (라)는 충청권에서 인구와 제조업 종사자 수가 가장 적고, 아파트 비중은 가장 높으므로 세종(B)이다.

10 강원 지방 주요 지역의 특성 이해

문제분석 지도의 A는 춘천, B는 고성, C는 평창, D는 삼척이다. (가) 지역의 대표적인 향토 음식은 닭갈비와 막국수이며, (나) 지역의 대표적인 향토 음식은 곤드레 나물밥이다. 그리고 (가)는 기반암이 차별적 침식 작용을 받아 형성된 침식 분지가 발달해 있으며, 수도권과 전철로 연결되어 있다. (나)는 신생대 지반 융기 운동의 영향을 받은 고위 평탄면이 발달해 있으며, 동계 올림픽이 개최되었다.

정답찾기 ② 춘천에는 침식 분지가 발달해 있으며, 수도권과 전철로 연결된 이후 관광 산업이 발달하고 있다. 닭갈비와 막국수는 춘천의 대표적인 향토 음식이다. 평창은 고위 평탄면이 발달해 있어 고랭지 농업이 이루어지며, 동계 올림픽이 개최되었다. 그러므로 (가)는 춘천(A), (나)는 평창(C)이다.

03회 미니모의고사

본문 10~13쪽

1 ④	2 ⑤	3 ④	4 ②	5 ④
6 ③	7 ④	8 ③	9 ④	10 ④

1 지리 정보 체계의 중첩 분석 방법 이해

문제분석 지리 정보 체계의 중첩 원리를 이용하여 최적 입지 지점을 찾는 문제이다. 제시된 조건을 입지 후보 지역 A~E에 각각 적용하여 적합한 지역을 찾으면 된다.

정답찾기 ④ 조건 1을 토대로 입지 후보 지역 A~E의 평가 항목별 점수의 합과 입지 후보 지역 중심점과 송전 선로 간의 거리 가중치를 더한 후보지별 최종 점수는 다음 표와 같다.

구분	사면향 점수	지가 점수	평가 항목 점수 합	송전 선로 거리 가중치	최종 점수
A	1	4	5	–	5.0
B	2	4	6	1.2	7.2
C	4	2	6	–	6.0
D	4	2	6	1.2	7.2
E	4	1	5	1.0	6.0

조건 1에 따른 최종 점수가 가장 높은 지점은 B와 D이다. 최종 점수가 같을 경우 입지 후보지 선정 조건 2에 따라 B와 D 중 남향에 입지한 D가 후보지로 가장 적합하다.

2 하천 상류와 하류의 특성 비교

문제분석 (가)는 산지와 산지 사이를 돌아 흐르는 감입 곡류 하천이며, (나)는 하중도가 있는 자유 곡류 하천이다. 하천 상류는 하류에 비해 평균 하폭이 좁기 때문에 (가)는 상류, (나)는 하류에 해당함을 알 수 있다. 따라서 (가)는 하천의 상류 지역인 A에서 흐르며, (나)는 하천의 하류 지역인 B에서 흐른다. (가), (나) 모두 낙동강의 일부이다.

정답찾기 ㄴ. 하천은 해발 고도가 높은 곳에서 낮은 곳으로 흐르기 때문에 상류에 해당하는 (가)가 하류에 해당하는 (나)보다 하상의 평균 해발 고도가 높다.

ㄷ. 하류에 해당하는 (나)는 하구에 가까우며, 상류에 해당하는 (가)는 하천의 발원지로 알려진 태백의 황지(潢池)에 가깝다.

ㄹ. 하상(하천의 바닥면) 퇴적물의 원마도는 이동 거리가 길수록 높아진다. 따라서 퇴적물의 이동 거리가 긴 하류 지역의 하천(나)이 상류 지역의 하천(가)보다 하상 퇴적물의 평균 원마도가 높다.

오답피하기 ㄱ. 하천의 평균 유량은 상류에서 하류로 갈수록 많아진다. 하류는 상류의 많은 지류가 모여들어 하나의 큰 물줄기를 형성하기 때문이다. 따라서 평균 유량은 (나)가 (가)보다 많다.

3 우리나라의 토양 분포 이해

문제분석 (가)는 '난대성 작물, 한라봉' 등의 내용을 통해 제주임을 알 수 있다. (나)는 '따뜻한 겨울, 해풍, 황토, 겨울 배추' 등의 내용을 통해 해남임을 알 수 있다. (다)는 '내륙 산간 지역, 석회암, 마늘' 등의 내용을 통해 단양임을 알 수 있다.

정답찾기 ④ (가)의 제주도는 현무암 지대로, 이곳에 주로 분포하는 토양은 현무암 풍화토이다. 현무암 풍화토는 기반암의 성질이 반영된 간대 토양으로 토양층의 발달이 뚜렷한 성숙토에 해당한다. 따라서 (가)는 B에 속한다. (나)의 해남에 분포하는 적색토와 갈색 삼림토 등은 주로 기후·식생의 특징이 반영된 성대 토양에 해당한다. 따라서 (나)는 C에 속한다. (다)의 단양은 석회암 지대로, 이곳에는 석회암이 용식된 후 남은 철분 등이 산화되어 형성된 붉은색의 석회암 풍화토가 주로 분포한다. 석회암 풍화토는 고생대 조선 누층군을 따라 주로 분포하므로 (다)는 A에 속한다.

4 고위 평탄면과 용암 대지의 이해

문제분석 (가)의 등고선 간격이 넓은 A는 고위 평탄면, (나)의 한탄강 주변의 평야는 용암 대지이다. 고위 평탄면은 해발 고도가 높은 곳에 기복이 작고 경사가 완만한 사면을 말하며, 용암 대지는 현무암질 용암이 분출하여 골짜기를 메워 형성된 평평한 땅이다.

정답찾기 ㉠ A는 해발 고도가 높아 풍속과 풍향이 일정한 바람이 지속적으로 불어 B보다 풍력 발전소 입지에 유리하다.

㉢ 한탄강 주변에서는 분출된 용암이 냉각되는 과정에서 형성된 다각형 기둥 형태의 주상 절리를 볼 수 있다.

오답피하기 ㉡ 용암 대지(B)는 기존의 골짜기 등을 메워 형성되므로 용암 대지 형성 이전에 있었던 산지 지형인 C보다 주요 기반암의 형성 시기가 늦다.

㉣ (가)는 해발 고도가 높아 연평균 기온이 낮으므로 논농사는 어렵고, 여름철 서늘한 기후를 이용하여 고랭지 농업과 목축업 등이 발달하였다. (나)는 수리 시설을 이용하여 논농사가 이루어지는데, 지리적 표시제에 등록된 철원쌀이 유명하다.

5 서울의 금천구, 노원구, 중구 특성 비교

문제분석 인구 그래프를 보면 (가)~(다) 지역의 상주인구는 2000년에 비해 2015년에 감소하였고, (가)>(나)>(다) 순으로 많다. 주간 인구 지수는 (다)가 두 시기 모두 가장 높고, (나)는 2000년 약 90에서 2015년 약 130으로 높아졌으며, (가)는 100 이하이다. 토지 이용 그래프를 보면 A는 대지와 도로, B는 임야와 학교용지, C는 공장용지의 비중이 다른 지역에 비해 높다. 이에 따라 (가)는 노원구, (나)는 금천구, (다)는 중구, A는 중구, B는 노원구, C는 금천구이다.

정답찾기 ④ 중구(A)는 금천구(C)보다 접근성이 높아 주간 인구 지수가 높으므로 지가가 높고 상업 시설의 평균 임대료도 높다.

오답피하기 ① 노원구(가)는 주간 인구 지수가 100 이하이지만 상주인구가 금천구(나)보다 2배 이상 많다. 따라서 노원구는 금천구보다 주간 인구가 많다.

② 중구(다)는 노원구(가)보다 접근성이 높아 토지 수요가 많으므로 업무용 건물의 평균 층수가 많다.

③ 도심에 해당하는 중구(A)는 노원구(B)보다 학교용지 비중이 낮고 상주인구도 적으므로 초등학교 학급 수가 적다.

⑤ 노원구(가)는 상주인구가 많아 학교가 많으므로 B에 해당한다. 금천구(나)는 가산 디지털 단지 등이 입지하므로 공장용지 비중이 높은 C에 해당하며, 중구(다)는 A에 해당한다.

6 김해의 지역 변화 이해

문제분석 지도의 (가) 지역은 대도시인 부산과 인접한 김해시이다. 김해시는 도시화로 상주인구가 증가하고, 택지와 공장 · 학교용지 등의 면적이 크게 증가하여 경지 면적은 크게 감소하였다. 이는 교통이 발달하고 택지가 개발되어 인구가 유입되는 등 부산의 대도시권이 확대되는 과정에서 나타난 현상이다.

정답찾기 ③ 2000년에는 전업농가가 겸업농가보다 많았으나 2015년에는 겸업농가가 전업농가보다 많으므로, 2000년과 비교하여 2015년에 전업농가 비중은 낮아졌다. 2000년과 비교하여 2015년에 농가 수의 감소 폭에 비해 경지 면적의 감소 폭이 크므로 농가당 경지 면적은 좁아졌다. 또한 상주인구가 증가하고 주택 수가 증가하였으므로 상업 시설 수도 증가하고, 주택 유형 중 아파트 비중이 높아졌으므로 아파트 거주 비중도 높아졌다고 볼 수 있다.

7 주요 제조업의 특징 이해

문제분석 (가)는 출하액 상위 5개 지역이 경기, 울산, 충남, 경남, 광주이므로 자동차 및 트레일러 제조업이다. (나)는 출하액 상위 5개 지역이 경북, 전남, 충남, 울산, 경기이므로 1차 금속 제조업이다. (다)는 출하액 상위 5개 지역이 경기, 경북, 대구, 부산, 서울이므로 주로 노동력이 풍부한 인구 밀집 지역에 입지하는 섬유 제품(의복 제외) 제조업이다.

정답찾기 ㄴ. 1차 금속 제조업(나)은 중화학 공업으로 경공업인 섬유 제품(의복 제외) 제조업(다)보다 대규모의 설비가 필요하다.
ㄹ. 자동차 및 트레일러 제조업(가)은 수많은 부품을 조립하여 최종 제품을 생산하는 종합 조립 공업에 해당하며, 1차 금속 제조업(나)은 최종 생산품이 다른 산업의 원료로 이용되는 경우가 많으므로 기초 소재 공업에 해당한다.

오답피하기 ㄱ. 1차 금속 제조업 중 가장 높은 비중을 차지하는 제철 공업은 원료인 철광석이나 고철을 용광로에 넣고 녹이는 과정에서 주로 석탄을 사용한다. 따라서 제조 과정에서 소비되는 석탄 소비량은 1차 금속 제조업(나)이 자동차 및 트레일러 제조업(가)보다 많다.
ㄷ. 신제품 및 신기술 개발을 위한 연구 개발비의 비중은 자동차 및 트레일러 제조업(가)이 섬유 제품(의복 제외) 제조업(다)보다 높다.

8 충청 지방의 시 · 도별 인구 이동 및 인구 구조 파악

문제분석 충청 지방의 시 · 도는 대전, 세종, 충북, 충남이다. 인구 이동 규모는 총인구에 대체로 비례하며, 행정 중심 복합 도시로 출범한 세종은 최근 인구의 사회적 증가가 많다.
(가)는 지역 내 인구 이동 규모가 작지만, 충청 지방 다른 시 · 도와의 인구 이동에서 모두 전입 인구가 전출 인구보다 많으므로 세종이다. (다), (라)는 65세 이상의 노년층 인구 비율이 높으므로 충북과 충남 중 하나이다. (다)와 (라) 간의 인구 이동에서 (라)는 전입 인구가 전출 인구보다 많으므로 충남, 전출 인구가 전입 인구보다 많은 (다)는 충북이다. (나)는 세종과는 인구 순 유출, 충남 · 충북과는 인구 순 유입이 많으므로 대전이다.
A는 B보다 총인구가 많으므로 대전이다. B는 A보다 유소년층 인구 비율이 높으므로 세종이다.

정답찾기 ③ (가)의 세종(B)은 (나)의 대전(A)보다 2012~2017년에 순 유입 인구가 많으므로 인구의 사회적 증가가 많다.

오답피하기 ① (가)의 세종(B)은 (라)의 충남보다 유소년층 인구 대비 노년층 인구 비율이 낮으므로 노령화 지수가 낮다. 노령화 지수는 '노년층 인구÷유소년층 인구×100'으로 구한다.
② (가)의 세종(B)은 유소년층 인구 비율이 약 20%, 노년층 인구 비율은 약 10%이므로 청장년층 인구 비율은 약 70%이다. (나)의 대전(A)은 유소년층 인구 비율이 약 14%, 노년층 인구 비율이 약 11%이므로 청장년층 인구 비율은 약 75%이다. 따라서 청장년층 인구에 대한 유소년층 인구의 비율인 유소년 부양비는 세종이 약 29, 대전이 약 19로 세종이 대전보다 높다.
④ 지역 내 인구 이동은 (다)의 충북이 약 131,213명, A의 대전이 약 144,713명으로 대전이 충북보다 많다.
⑤ (가)의 세종은 B, (나)의 대전은 A이다.

9 북한의 주요 개방 지역 이해

문제분석 (가)는 신의주 특별 행정구이다. 홍콩처럼 개발하기 위해 2002년 지정된 독립적인 개방 지역으로 중국 자본의 투자를 유치하고자 하였다. (나)는 나선 경제특구로 유엔 개발 계획의 지원을 계기로 1991년 경제특구로 지정되었다. (다)는 개성 공업 지구로 남한의 기술과 자본, 북한의 노동력을 결합하여 남북 경제 협력을 활성화하는 데 기여하였지만 남북 간 갈등으로 2016년 2월 이후 폐쇄되었다. (라)는 금강산 관광 특구로 남한 정부와 민간 기업의 노력으로 개방되기 시작하였지만 현재는 관광이 중단되었다.

정답찾기 ㄱ. 홍콩식 경제 개발이란 홍콩식 일국양제를 채택하여 독자적인 입법 · 행정 · 사법권과 토지 개발 · 이용 · 관리권을 부여하는 방식이다. 신의주 특별 행정구는 홍콩처럼 개발하기 위해 지정되었다.
ㄴ. 개성 공단은 남한의 기술 · 자본과 북한의 노동력을 결합하여 남북 경제 협력을 활성화하는 데 기여하였다.
ㄹ. 나선 경제특구는 1991년에 북한 최초로 지정된 경제특구이다.

오답피하기 ㄷ. 금강산은 2002년에 관광 특구로 지정되었다. 외자 유치를 통해 수출 가공 및 금융 기반을 갖춘 국제 교류의 거점으로 만들려고 구상하였던 지역은 나선 경제특구이다.

10 지역별 주요 관광 자원 파악

문제분석 주요 답사 지점의 특색을 통해 해당 지역의 위치와 답사 경로를 파악하는 문제이다.

정답찾기 ④ 1일 차에서 석탄 박물관, 영남대로 관문 등을 함께 답사할 수 있는 곳은 D의 출발지인 문경이다. 2일 차는 도청 방문과 세계 문화유산 견학을 함께할 수 있는 곳이므로 안동이다. 안동에는 경북 도청과 함께 세계 문화유산으로 등재된 하회 마을이 있다. 3일 차는 석회석 광산과 원자력 발전소를 함께 관찰할 수 있는 곳이므로 울진이다. 따라서 1일 차(문경), 2일 차(안동), 3일 차(울진)의 답사 경로를 바르게 나타낸 것은 D이다.

오답피하기 ① A는 보령, 홍성, 당진 등을 연결하는 경로로, 석탄 박물관, 충남 도청, 제철소 등을 견학할 수 있는데, 영남대로 관문, 세계 문화유산, 원자력 발전소 등은 견학할 수 없다.
② B는 진천, 충주, 단양 등을 연결하는 경로로, 혁신 도시, 기업 도시, 석회석 광산 등을 견학할 수 있다.
③ C는 영동, 금산, 부여 등을 연결하는 경로로, 제시된 내용 중 한 곳도 견학할 수 없다.
⑤ E는 경주, 포항, 청송을 연결하는 경로로, 도청과 석회석 광산 등을 견학할 수 없다.

04회 미니모의고사

본문 14～17쪽

1 ⑤	2 ②	3 ②	4 ⑤	5 ④
6 ③	7 ①	8 ③	9 ④	10 ①

1 대동여지도 분석

문제분석 대동여지도에서 산줄기는 굵은 선으로 표현하였으며, 하천은 배가 다닐 수 있는 쌍선과 배가 다닐 수 없는 단선으로 표현하였다. 도로는 직선으로 표현하였는데, 10리마다 방점을 찍어 대략적인 거리를 파악할 수 있도록 하였다. 또한 지도표를 활용하여 각종 지리적 현상을 지도에 표현하였다. 따라서 산줄기와 하천의 흐름, 도로망 및 지도표를 통해 해당 지역을 파악할 수 있다.

정답찾기 ⑤ (가)～(다) 읍치 중 주변에 봉수가 있고 읍치 남쪽에 배가 다닐 수 있는 하천이 있으며 무성 읍치의 형태를 띠는 곳은 (다)이다. 또한 (다) 읍치 남서쪽으로 10리 이내에 역참이 있으므로 첫째 날은 (다) 읍치에 대한 설명이다.
둘째 날은 성이 있는 유성 읍치로 (다)보다 읍치를 지나는 도로의 수가 적은 곳이다. 또한 주변에 봉수가 있으며 읍치 서쪽에 있는 하천이 남쪽에서 북쪽으로 흐르므로 (나) 읍치에 대한 설명이다.
셋째 날은 읍치를 지나는 도로의 수가 가장 많은 곳이며, 유성 읍치이다. 또한 주변에 고산성이 있는 것으로 보아 (가) 읍치에 대한 설명이다.

2 평양, 서울, 대관령의 기후 특징 비교

문제분석 지도에 표시된 세 지역은 평양, 서울, 대관령이다. 기후 자료에서 연 강수량은 (다)>(나)>(가) 순으로 많고, 기온의 연교차는 (가)>(나)>(다) 순으로 크며, 연평균 기온은 (나)>(가)>(다) 순으로 높다. 대관령은 해발 고도가 높아 여러 방향에서 부는 바람에 의해 지형성 강수가 발생하여 여름철과 겨울철에 강수량이 많다. 따라서 대관령은 세 지역 중 연 강수량이 가장 많으며, 해발 고도가 반영되어 연평균 기온이 가장 낮다. 평양은 저평한 지형의 영향으로 소우지의 특징이 나타나며, 북부 내륙에 위치하여 수륙 분포의 영향으로 기온의 연교차가 크다. 따라서 (가)는 평양, (나)는 서울, (다)는 대관령이다.

정답찾기 ㄴ. 서울(나)을 포함한 한강 유역에 위치한 지역들은 여름철 강수 집중률이 매우 높다. 여름철 강수량은 대관령(다)이 서울(나)보다 많지만 대관령은 겨울철 강수량도 많기 때문에 여름철 강수 집중률은 서울이 대관령보다 높다.
ㄹ. 평양(가)은 북한에, 서울(나)과 대관령(다)은 남한에 위치한다.

오답피하기 ㄱ. 대관령(다)은 대동강 유역의 평야 지역에 위치한 평양(가)보다 해발 고도가 높은 곳에 위치한다.
ㄷ. 대관령은 해발 고도가 높기 때문에 최난월 평균 기온이 20℃를 넘지 않는다. 실제로 대관령(다)의 최난월 평균 기온은 19.1℃, 평양(가)의 최난월 평균 기온은 24.6℃이다.

3 한반도의 다양한 산지 지형 이해

문제분석 (가)는 '풍악', '개골' 등의 내용을 통해 금강산, (나)는 '남원도호부', '두류', '천왕봉' 등의 내용을 통해 지리산, (다)는 '여진과 조선의 경계', '압록강과 두만강의 발원지' 등의 내용을 통해 백두산, (라)는 '바다 가운데에 있는 산'의 내용을 통해 한라산임을 알 수 있다.

정답찾기 ② 화강암이 기반암을 이루는 지역은 주로 돌산을 이루고, 변성암이 기반암을 이루는 지역은 주로 흙산을 이룬다. (가)의 금강산은 주요 기반암이 주로 화강암인 돌산으로, 주요 기반암이 주로 변성암이어서 흙산인 (나)의 지리산보다 산 정상부의 식생 밀도가 낮다.

오답피하기 ① (가) 금강산의 주요 기반암은 주로 중생대에 관입한 화강암이다. 금강산과 같은 돌산은 오랜 세월 동안 풍화와 침식을 받아 땅속 깊은 곳에 있던 화강암이 드러난 것이다. 주로 시·원생대의 변성암이 주요 기반암을 이루는 산지는 (나)의 지리산이다.
③ (나) 지리산은 산 정상의 해발 고도가 1,915m, (다) 백두산은 산 정상의 해발 고도가 2,744m이다. 따라서 백두산이 지리산보다 산 정상의 해발 고도가 높다.
④ (라)의 주요 기반암은 신생대 화산 활동으로, (가)의 주요 기반암은 중생대 지각 운동 과정에서 관입해 형성되었다. 따라서 (가)의 주요 기반암이 (라)의 주요 기반암보다 형성 시기가 이르다.
⑤ ㉠은 백두산의 천지로 분화구 부근이 함몰되어 형성된 칼데라에 물이 고인 칼데라호이고, ㉡은 한라산의 백록담으로 분화구에 물이 고인 화구호이다.

4 해안 단구의 특징 이해

문제분석 제시된 지역은 동해안의 호미곶이다. 동해안에는 신생대 지반 융기 운동의 영향을 받아 형성된 지형이 다양하게 분포하는데, 특히 해안 단구가 대표적이다. 호미곶에도 해안 단구가 전형적으로 나타나는데, 지형도에서 해안 단구의 윤곽을 알 수 있다. A는 현재의 암석 해안, B는 과거에 파랑의 침식으로 형성된 파식대의 일부로 현재 단구면이다. 지반 융기 후 B는 파랑의 작용을 받지 않고 지형이 평탄하기 때문에 토지 이용이 다양하게 이루어지는데, 대부분 농경지(밭, 논, 과수원 등)로 이용되며 취락이 입지하기도 한다. C는 과거에 파랑의 침식으로 형성된 해식애의 일부이다.

정답찾기 ㄴ. B는 단구면으로 과거에 파랑의 영향을 받았던 파식대의 일부이다. 따라서 B에는 과거 파랑의 작용으로 형성된 둥근 자갈이 분포한다. 둥근 자갈로 B가 과거에 파랑의 영향을 받았다는 사실을 알 수 있다.
ㄷ. B는 경사가 완만하고 해발 고도가 높아 파랑의 영향을 거의 받지 않기 때문에 토지 이용이 다양하게 이루어진다. B에는 밭 중심의 농경지가 주로 조성되어 있고, 취락뿐만 아니라 다양한 위락 시설이 들어서 있다. C는 과거 지반 융기 이전에 파랑의 침식으로 형성된 해식애의 일부로 경사가 급하기 때문에 토지 이용이 극히 제한적이다.
ㄹ. 화살표 방향으로 진행하면 급경사(A) - 완경사 - 급경사(등고선 간격 조밀)의 계단 모양의 구조가 된다.

오답피하기 ㄱ. A는 해식애, 파식대 등으로 이루어진 해안 침식 지형으로, 파랑의 침식 작용으로 형성되었다.

5 지역별 1차 에너지 공급 구조 이해

문제분석 석유는 정유 및 석유 화학 공업이 발달한 지역, 석탄은 대규모 화력 발전소가 있거나 제철 공업이 발달한 지역, 천연가스는 인구가 많고 도시가스 공급률이 높은 지역에서 공급 비중이 높다. 원자력은 원자력 발전소가 위치한 부산, 경북, 전남, 울산에서 공급된다. 제시된 네 지역은 경기, 충남, 경북, 부산이다. 이 중 1차 에너지 공급량이 가장 많은 지역은 대규모 화력 발전소, 제철소, 석유 화학 단지가 있는 충남이며, 대규모 제철소와 원자력 발전소가 있는 경북이 다음으로 많다. 따라서 (라)는 충남이다. 충남은 대규모 제철소와 화력 발전소가 위치하여 석탄 공급량이 가장 많으며, 다음으로 석유 공급량이 많다. 따라서 C는 석탄, D는 석유이다. (다)는 경북이며, 경북에서 가장 높은 비중을 차지하는 B는 원자력이다. 나머지 지역인 경기와 부산 중 원자력(B)이 있는 (가)는 부산, 원자력이 없는 (나)는 경기이다. 다른 지역에 비해 경기에서 높은 비중을 차지하는 A는 천연가스이다.

정답찾기 ④ 석유(D)는 대부분 산업용과 수송용으로 이용되며, 원자력(B)은 전력으로만 이용된다.

오답피하기 ① 부산(가)은 경기(나)보다 총인구가 적다.
② 경북(다)은 영남권, 충남(라)은 충청권이다.
③ 천연가스(A)는 석탄(C)보다 연소 시 대기 오염 물질을 적게 배출한다.
⑤ 우리나라 1차 에너지 소비 구조에서 차지하는 비중은 석유(D) > 석탄(C) > 천연가스(A) > 원자력(B) 순으로 높다.

6 인구 규모와 교육 기관 현황을 통한 중심지 비교

문제분석 지도에 표시된 지역은 구미, 청송, 대구이다. 세 지역 중 (가)는 인구 규모가 가장 크며 교육 기관이 가장 많이 입지한 고차 중심지이다. (다)는 인구 규모가 가장 작고 교육 기관이 가장 적게 입지한 저차 중심지이다. (나)는 중간 계층에 해당한다. 따라서 (가)는 대구, (나)는 구미, (다)는 청송이다. 교육 기관 수를 통해 A는 전문 대학 및 대학교, B는 고등학교, C는 초등학교임을 알 수 있다.

정답찾기 ③ 청송(다)은 저차 중심지, 대구(가)는 고차 중심지이다. 따라서 최소 요구치가 큰 기능을 보유한 상점의 수는 청송보다 대구가 많을 것이다.

오답피하기 ① 대구(가)는 청송(다)보다 인구 밀도가 높다.
② 구미(나)는 대구(가)보다 중심지 계층이 낮으므로 중심 기능의 영향권이 좁을 것이다.
④ 고등학교(B)는 초등학교(C)보다 통학 범위가 넓으므로 재학생들의 평균 통학 거리가 멀 것이다.
⑤ 초등학교(C)는 전문 대학 및 대학교(A)보다 교육 기관당 학생 수가 적을 것이다.

7 가평, 고양, 안산의 인구와 통근 유형별 특성 비교

문제분석 지도에 표시된 지역은 가평, 고양, 안산이다. 세 지역의 통근 인구와 총인구는 (나)>(다)>(가) 순으로 많다. (가)는 다른 지역에 비해 통근 인구와 총인구 규모가 작으므로 가평이다. (나)는 고양으로 다른 지역에 비해 총인구가 많고, 총인구의 약 45%가 통근 인구에 해당한다. (다)는 안산으로 총인구가 (가)와 (나)의 중간이고, 총인구의 약 45%가 통근 인구에 해당한다.

정답찾기 ① 고양(나)은 '다른 시 · 도'로의 통근 유형인 B의 인구 비중이 높은데, 특히 서울로의 통근 인구가 많으므로 상주인구보다 주간 인구가 적을 것이다.

오답피하기 ② 가평(가)은 안산(다)보다 면적이 넓은데 총인구가 적으므로 인구 밀도가 낮을 것이다.

③ 고양(나)은 일산 신도시가 있는 지역으로 가평(가)보다 총인구와 통근 인구가 많고 서울과의 거리가 가까우므로 서울로의 통근 인구가 많을 것이다.

④ 안산(다)은 고양(나)보다 '현재 살고 있는 읍 · 면 · 동'과 '같은 시 · 군 · 구 내 다른 읍 · 면 · 동'으로의 통근 유형 인구 비중이 높으므로 지역 내 통근 인구 비중이 높다. 따라서 안산은 고양보다 주간 인구 지수가 높을 것이다. 안산은 수도권 인구와 산업 시설의 분산을 꾀하여 반월 공단이 조성되었으며, 고양은 서울과 인접하여 일산 신도시가 건설되었다.

⑤ 가평(가)은 수도권의 주변(외곽) 지역으로 고양(나)과 안산(다)에 비해 접근성이 낮아 지역 내 통근 인구가 많을 것이다. 따라서 가평에서 비중이 높은 A는 '현재 살고 있는 읍 · 면 · 동'일 것이다. 고양(나)은 서울과 인접하여 서울로의 통근 인구가 많으므로, 고양에서 비중이 높은 B는 '다른 시 · 도'일 것이다.

8 북한의 발전 설비 용량 및 1차 에너지 소비 구조 이해

문제분석 북한의 전력은 화력과 수력으로 생산되는데, 수력이 화력보다 발전 설비 용량 및 발전량이 많다. 따라서 (가)는 수력, (나)는 화력이다. 북한의 1차 에너지 소비량은 석탄>수력>석유 순으로 많다. 두 시기 모두 가장 높은 비중을 차지하는 A는 석탄, 1980년에 비해 2016년에 비중이 높으며 석탄에 이어 두 번째로 소비량이 많은 B는 수력, 석탄(A)과 수력(B)에 비해 비중이 낮은 C는 석유이다.

정답찾기 ③ 석탄 생산량은 북한이 남한보다 많다. 남한은 제철 공업이나 화력 발전소에서 사용하는 석탄을 대부분 수입에 의존하고 있다.

오답피하기 ① 북한은 전력 소비가 많은 평양과 그 주변 지역에는 화력 발전소가, 높고 험준한 산지가 많은 지역에는 수력 발전소가 많이 분포한다.

② 발전 과정에서 대기 오염 물질 배출량은 화력 발전이 수력 발전보다 많다.

④ 북한도 남한과 마찬가지로 수력보다 석유의 수입 의존도가 높다.

⑤ 남한에서 석유는 대부분 산업용이나 수송용으로 이용된다. 남한에서 발전용으로 많이 이용되는 것은 석탄이다.

9 인구 지표의 지역별 분포 특징 파악

문제분석 인구 지표의 시 · 군별 분포 특징을 토대로 해당 인구 지표를 추론하고, 이에 적합한 강원도의 분포 지도를 찾는다.

정답찾기 ④ (가)는 서울, 인천을 비롯한 수도권의 도시 지역, 부산, 대구, 울산, 창원 등의 영남권 주요 도시, 대전, 광주 등의 광역시에서 높게 나타나고, 촌락 지역에서 대체로 낮게 나타나는 지표를 표현한 지도이다. 이와 같은 분포 특징을 보이는 지표는 인구 밀도이다. 강원도에서 인구 밀도는 ㄴ과 같이 춘천, 원주, 강릉, 동해, 속초 등의 도시 지역에서 높게 나타난다.

(나)는 화성, 당진, 진천, 음성, 영암, 거제 등과 같은 제조업 특히 중화학 공업이 발달한 지역에서 대체로 높게 나타나고, 서울, 부산과 같이 서비스업이 발달한 대도시 지역과 농촌 지역에서 대체로 낮게 나타나는 지표를 표현한 지도이다. 이와 같은 분포 특징을 보이는 지표는 성비이다. 강원도에서 성비는 ㄷ과 같이 군부대가 많은 군사 분계선 인근의 철원, 화천, 양구, 인제, 고성 등에서 특히 높게 나타난다.

오답피하기 ㄱ은 양양, 횡성, 평창, 정선, 영월 등의 촌락 지역에서 높게 나타나고, 춘천, 원주, 강릉 등의 도시 지역과 군사 분계선 인근 지역에서 대체로 낮게 나타난다. 이와 같은 분포 특징을 보이는 지표는 중위 연령이다.

10 수도권 각 지역의 특색 이해

문제분석 A는 용암 대지가 발달한 연천, B는 수도권 2기 신도시인 운정 신도시 개발이 진행 중인 파주, C는 서울의 제조업 기능 이전으로 성장한 안산, D는 수도권 남부의 항구 도시로 물류 기능이 발달한 평택, E는 지리적 표시제에 등록된 쌀과 도자기 축제로 유명한 이천이다.

정답찾기 ① 연천 일대에 발달한 용암 대지는 한탄강 등으로부터 관개용수 확보가 가능하여 벼농사가 주로 이루어진다.

오답피하기 ② 파주는 서울과 신의주를 잇는 경의선 철도가 지나는 길목이다. 최근 남북 간의 군사적 긴장 관계가 완화되면서 파주는 군사 분계선 인근에 위치한 경의선 도라산역을 중심으로 남북한 교통의 요충지로서 그 역할이 새롭게 주목받고 있다.

③ 제조업에 종사하는 외국인 근로자의 유입으로 인해 외국인 주민 비율이 매우 높은 안산에는 이들 외국인 근로자 밀집 지역을 중심으로 '국경 없는 마을'이 형성되어 있다.

④ 경제 자유 구역은 외국 자본과 기술을 적극적으로 유치하기 위해 각종 규제를 완화하고 세제 및 행정적 지원을 통해 기업 활동을 지원하는 지역이다.

⑤ 이천은 최종 빙기 이후에 하천의 퇴적 작용으로 형성된 남한강 유역의 넓은 평야를 중심으로 벼농사가 발달하였다.

05회 미니모의고사

본문 18~20쪽

1 ⑤	2 ⑤	3 ④	4 ①	5 ①
6 ②	7 ①	8 ②	9 ③	10 ④

1 우리나라의 영해 규정 이해

문제분석 영해는 국제법에 따라 기선에서 12해리까지 연안국의 주권이 미치는 수역이다. 우리나라의 영해는 통상 기선 이외에 지리적 특수 사정이 있는 연안에 대해 직선 기선을 적용하고 있다. 우리나라는 삼면이 바다로 둘러싸여 있으며 해안선의 형태가 다양하므로 해안선의 형태에 따라 영해 규정도 다르게 적용하고 있다.

정답찾기 ㉢ 우리나라의 영해는 해안선이 단순한 동해안과 육지로부터 멀리 떨어져 있는 섬(울릉도, 독도, 제주도 등)에서는 대한민국이 공식적으로 인정한 대축척 해도에 표시된 해안의 저조선을 기선으로 삼는 통상 기선을 적용한다. 그러나 서해안이나 남해안과 같이 섬이 많은 지리적 특수 사정이 있는 수역의 경우에는 대통령령으로 정하는 기점(최외곽 도서 포함 총 23개 지점)을 연결하는 직선을 기선으로 삼는다. 또한 동해안 일부(영일만, 울산만)도 만의 입구를 연결하는 직선을 기선으로 삼는다.

㉣ 영해 및 접속 수역법 제1조에 의하면 '대한민국의 영해는 기선으로부터 측정하여 그 바깥쪽 12해리의 선까지에 이르는 수역으로 한다. 다만, 대통령령으로 정하는 바에 따라 일정 수역의 경우에는 12해리 이내에서 영해의 범위를 따로 정할 수 있다.'라고 규정하고 있다. 따라서 일본과의 거리가 가까운 대한 해협은 대통령령에 따라 직선 기선에서 3해리까지 영해의 범위를 정하고 있다.

오답피하기 ㉠ 섬이 많은 서·남해안에서는 영해 설정 시 직선 기선을 적용한다. 해당 부분은 기점이 되는 최외곽 도서 중 소령도와 서격렬비도를 연결하는 직선 기선이다.

㉡은 영해 및 접속 수역법 제3조 내용이다. 제시된 지점은 직선 기선 바깥 12해리 이내이기 때문에 대한민국의 영해에 해당한다. 내수는 기선으로부터 육지 쪽 수역에 해당한다.

2 수도권의 시·도별 산업 및 인구 특성 파악

문제분석 제조업 생산액은 (가)>(다)>(나) 순으로 많으며, 사업 서비스업 생산액은 (다)>(가)>(나) 순으로 많다. 그리고 지역 내 총생산은 (가)가 가장 많고 (나)가 가장 적다.

A에서 C로의 이동자 수는 약 36만 명, C에서 A로의 이동자 수는 약 24만 명, C에서 B로의 이동자 수는 약 7만 명이다.

정답찾기 ⑤ 1980년대 이후 서울의 제조업 분산 정책으로 서울에 있던 공장이 인천과 경기로 이전하였다. 이에 따라 서울은 제조업의 비중이 감소하고 서비스업의 비중이 증가하고 있다. 반면에 대표적인 생산자 서비스업인 사업 서비스업은 서울에 많이 입지해 있어 서울은 인천과 경기에 비해 사업 서비스업 생산액이 많다. 지역 내 총생산은 경기가 서울에 비해 많으며, 인천은 경기와 서울에 비해 매우 적다. 그러므로 (가)는 경기, (나)는 인천, (다)는 서울이다.

서울의 집값이 상승하고 교통이 발달하면서 서울의 인구가 경기와 인천으로 많이 이주하였다. 특히 경기에 대규모 아파트 단지가 건설되면서 서울에서 경기로의 인구 이동이 빠르게 이루어지고 있다. A에서 C로의 이동자 수가 가장 많고, B는 A와 C에 비해 이동자 수가 적다. 그러므로 A는 서울, B는 인천, C는 경기이다.

3 우리나라 주요 화산 지형의 특성 파악

문제분석 (가)는 백두산, (나)는 철원 용암 대지, (다)는 울릉도, (라)는 한라산이다. 화산 지형은 화산 활동으로 형성된 지형을 말하며, 화산, 화구호, 칼데라호, 칼데라 분지, 용암 대지, 주상 절리 등 그 형태가 다양하다. 우리나라의 화산 지형은 중생대에 형성된 일부 지형을 제외하고 대부분 신생대 제3기 말에서 제4기에 걸쳐 형성되었다.

(가)에서 ㉠은 백두산, ㉡은 백두산 정상부에 형성된 칼데라호인 천지이다. (나)에서 ㉢은 용암 대지, ㉣은 현무암이다. (다)에서 ㉤은 울릉도이다. (라)에서 ㉥은 한라산, ㉦은 한라산 정상부에 형성된 화구호인 백록담이다.

정답찾기 ④ ㉣은 현무암으로, 유동성이 큰 용암이 분출하여 형성된 암석이다.

오답피하기 ① ㉠은 백두산, ㉤은 울릉도, ㉥은 한라산이다. 백두산은 최고봉이 2,744m, 울릉도는 최고봉이 성인봉으로 약 987m, 한라산은 최고봉이 1,947m이다. 따라서 산의 해발 고도는 ㉠>㉥>㉤ 순으로 높다.

② ㉡은 칼데라호, ㉦은 화구호이다. 규모가 큰 칼데라호가 화구호보다 면적이 넓고 수심이 깊다.

③ ㉢은 용암 대지로, 현무암이 기반암이지만 현무암질 용암이 분출하기 이전에 변성암 또는 화강암 암반이 분포하고 있었기 때문에 지표수가 부족하지 않다. 철원 지역에서는 한탄강의 물을 용수로 이용하여 용암 대지 위에서 벼농사 중심의 농업이 이루어지고 있다.

⑤ (라)의 한라산은 전체적으로 순상 화산체를 이루고 있고, (다)는 울릉도로 전형적인 종상 화산이다. 따라서 종상 화산인 울릉도가 순상 화산체인 한라산보다 사면의 평균 경사가 급하다.

4 기온의 연교차와 연 강수량의 지역 차 이해

문제분석 지도의 A는 평양, B는 홍천, C는 포항, D는 부산이며, 이 네 지역은 청주의 기후 값과의 차이를 파악하여 그래프의 (가)~(라)에서 고를 수 있다. 그래프에 나타낸 수치는 해당 지역의 기후 값에서 청주의 기후 값을 뺀 값이므로 양(+)의 값은 청주보다 수치가 크다는 것을 의미하고, 음(−)의 값은 청주보다 수치가 작다는 것을 의미한다.

정답찾기 ① 그래프의 x축은 연 강수량 차이, y축은 기온의 연교차 차이를 나타낸 것이다. 따라서 (가)와 (다)는 청주보다 연 강수량이 적은 지역이므로 소우지인 평양(A) 또는 포항(C)이고, (나)와 (라)는 청주보다 연 강수량이 많은 지역이므로 홍천(B) 또는 부산(D)이다. (가)와 (나)는 청주보다 기온의 연교차가 큰 지역이므로 평양(A) 또는 홍천(B)이며, (다)와 (라)는 청주보다 기온의 연교차가 작은 지역이므로 해양의 영향이 큰 포항(C) 또는 부산(D)이다. 이를 종합하면 (가)는 청주보다 기온의 연교차가 크고 연 강수량은 적으므로 평양(A)이다. (나)는 청주보다 기온의 연교차가 크고 연 강수량이 많으므로 홍천(B)이다. (다)는 청주보다 기온의 연교차가 작고 연 강수량이 적으므로 포항(C)이다. (라)는 청주보다 기온의 연교차가 작고 연 강수량이 많으므로 부산(D)이다. 따라서 (가)는 A, (나)는 B, (다)는 C, (라)는 D의 연결이 옳다.

5 황해로 흐르는 하천의 지점별 특징 파악

문제분석 한강은 태백 산지에서 발원하여 황해로 유입되는 하천이다. 따라서 한강은 황해의 큰 조차로 인해 만조 시에는 바닷물이 역류하는 감조 구간이 나타난다. (가) 지점은 시간에 따라 수위 변화가 가장 크며, (다) 지점은 수위 변화가 거의 나타나지 않는다. 이는 조류의 영향을 받는 정도를 나타내므로 (가) 지점이 하구에 가까운 지점, (다) 지점이 상대적으로 상류에 가장 가까운 지점이라는 것을 파악할 수 있다.

정답찾기 ㄱ. (가)는 (나)보다 하류 지점이다. 하천의 평균 유량은 하류일수록 여러 지류가 합류하여 많아지므로 하류인 (가) 지점이 상대적으로 상류인 (나) 지점보다 많다.

ㄴ. (가)는 조류의 영향으로 수위가 주기적으로 변화하는 것으로 보아 바닷물이 유입되는 지점이지만, (다)는 수위 변화가 거의 없는 것으로 보아 바닷물이 유입되는 지점이 아니다. 따라서 물의 평균 염도는 (가) 지점이 (다) 지점보다 높다.

오답피하기 ㄷ. (나)는 (다)보다 상대적으로 하류 지점이다. 따라서 하상 고도는 상류인 (다) 지점이 하류인 (나) 지점보다 높다.

ㄹ. (나) 지점은 (다) 지점보다 수위 변화가 크므로 하루 중의 유량 변동이 크다.

6 우리나라 도시 순위 변화 분석

문제분석 그래프는 1975년과 2015년의 인구 규모 상위 10대 도시의 전국 대비 인구 비중을 나타낸 것이다. 그래프를 통해 두 시기의 인구 규모 상위 10대 도시와 도시 인구 규모 변화를 파악할 수 있다.

정답찾기 ㄷ. 10대 도시 중 수도권에 위치한 도시는 1975년에 서울, 인천, 성남이고, 2015년에는 서울, 인천, 수원, 고양이다. 따라서 10대 도시 중 수도권에 위치한 도시는 2015년이 1975년보다 많다.

ㄹ. 10대 도시 중 영남권에 위치한 도시는 1975년에 부산, 대구, 마산, 울산이고, 2015년에는 부산, 대구, 울산, 창원이다. 따라서 10대 도시 중 영남권에 위치한 도시가 총인구에서 차지하는 비중은 2015년(16%)이 1975년(12.7%)보다 높다.

오답피하기 ㄱ. 1975년에도 인구 규모 1위 도시인 서울의 인구가 2위 도시인 부산의 인구보다 2배 이상 많았기 때문에 종주 도시화 현상이 나타났다.

ㄴ. 2015년은 1975년에 비해 총인구가 약 1.5배 증가하고 서울의 인구도 증가하였지만, 서울이 총인구에서 차지하는 비중은 1975년 19.9%에서 2015년 19.4%로 낮아졌다.

7 자원의 분류 이해

문제분석 (가)는 강원에서 대부분 생산되고 전남에서 일부 생산되므로 무연탄이다. (나)는 강원, 경남, 경북 등에서 많이 생산되는 고령토이다.

정답찾기 ① 무연탄은 화석 에너지로서 고갈 가능성이 가장 높은 자원이므로 A에 해당한다. 고령토는 사용량과 투자 정도에 따라 재생 수준이 달라지는 광물 자원이므로 B에 해당한다.

오답피하기 C에는 재생 가능성이 가장 높은 태양광, 조력, 수력, 풍력 등이 해당한다.

8 백화점과 전통 시장의 특성 비교

문제분석 주로 고급 상품을 취급하는 백화점은 전통 시장에 비해 서울의 집중도가 높게 나타난다. 반면에 전통 시장은 백화점에 비해 전국적으로 고르게 분산되어 분포하는 경향이 있다. 따라서 (가)는 백화점, (나)는 전통 시장이다.

정답찾기 ② 백화점은 전통 시장에 비해 1개소당 일평균 매출액이 많고, 고가 제품의 판매 비중과 수도권 집중도가 높다. 따라서 전통 시장과 비교한 백화점의 상대적 특성은 그림의 B에 해당한다.

9 수도권과 강원 지방의 주요 도시 특성 이해

문제분석 자료의 □□ 고속 국도는 영동 고속 국도이다. 그리고 A에는 조력 발전소와 다문화 마을 특구가 있고, C는 유네스코 인류 무형 문화유산으로 등재된 단오제가 열리며 경포호가 있다. A-B, B-C 거리는 비슷하다. 그러므로 A는 안산, B는 원주, C는 강릉이다.

정답찾기 ③ 원주는 기업 도시와 혁신 도시로 지정되어 있다. 민간 기업이 지닌 자율성과 창의성을 활용하여 민간 투자를 촉진하고 지역 경제를 발전시키기 위해 원주, 충주, 태안 등이 기업 도시로 지정되었다. 그리고 지방 균형 발전을 위해 공공 기관을 이전하여 지역의 성장 거점으로 조성하기 위해 원주, 김천 등이 혁신 도시로 지정되었다.

오답피하기 ① 용암 대지에서 벼농사가 이루어지는 대표적인 지역은 철원이다.

② 람사르 협약에 등록된 내륙 습지가 있는 대표적인 지역은 창녕이다.

④ 세계 문화유산으로 등재된 우리나라의 역사 마을에는 안동의 하회 마을과 경주의 양동 마을이 있다.

⑤ 대규모 제철소가 입지해 있는 대표적인 지역은 포항, 광양, 당진 등이다.

10 태백의 인구 특성 변화 분석

문제분석 그래프는 어느 지역의 1985년과 2015년의 유소년층 · 청장년층 · 노년층 인구 비중 변화, 1985~2015년의 총인구와 성비 변화를 나타내고 있다. 해당 지역은 태백이다.

정답찾기 ④ 유소년 부양비는 1985년에는 약 58($36 \div 62 \times 100$), 2015년에는 약 19($13 \div 68 \times 100$)이다. 따라서 유소년 부양비는 1985년이 2015년보다 2배 이상 높다.

오답피하기 ① 노령화 지수는 노년층 인구(65세 이상)를 유소년층 인구(0~14세)로 나누어 100을 곱해 산출한다. 따라서 1985년 노령화 지수는 $(2 \div 36) \times 100$으로 100이 되지 않는다.

② 총 부양비는 유소년층 인구와 노년층 인구의 합을 청장년층 인구(15~64세)로 나누어 100을 곱해 산출한다. 따라서 총 부양비는

청장년층 인구 비중이 높을수록 낮아진다. 청장년층 인구 비중이 1985년 62%, 2015년 68%이므로, 총 부양비는 1985년이 2015년보다 높다.

③ 2015년이 1985년보다 총인구는 감소하였지만 65세 이상 인구 비중이 약 9배 증가하였다. 따라서 노년층 인구는 2015년이 1985년보다 많다. 참고로 65세 이상 인구는 1985년 약 2,500명, 2015년 약 8,800명이다.

⑤ 성비는 1985년 약 109에서 2015년 약 103으로 낮아졌다. 이 지역의 총인구가 감소하였으므로 2015년은 1985년과 비교하여 남성 인구가 여성 인구보다 많이 감소하였다.

06회 미니모의고사

본문 21~23쪽

1 ②	2 ④	3 ①	4 ⑤	5 ④
6 ④	7 ②	8 ④	9 ⑤	10 ⑤

1 대동여지도의 특징 이해

문제분석 지도는 대동여지도의 일부로 황해도 연안 지역을 나타낸 것이다. 지도표를 토대로 지도에 표현되어 있는 다양한 지리 정보를 파악할 수 있어야 한다. 비교 대상 지역인 백천과 연안은 바다로 흘러드는 큰 하천인 예성강의 서쪽에 자리 잡고 있는 읍치이다. 백천은 무성 읍치, 연안은 유성 읍치이며, 두 고을 모두 배산임수의 입지 조건을 갖추고 있다. 백천은 많은 도로가 지나는 교통의 결절지로 연안보다 타 지역과의 접근성이 높다. 반면에 연안은 선박의 운항이 가능한 하천이 가까워 바다로의 접근성이 좋으며, 북서쪽에는 산지가 있어 겨울철에 북서풍의 영향을 적게 받는다. 백천과 연안 사이의 거리는 대략 40리이며, 연안에서 약 10리 거리에 역참이 있다. 백천과 연안 사이의 산줄기는 두 읍치 앞을 흐르는 하천의 분수계를 이룬다.

정답찾기 갑. 백천은 지나는 도로가 많아 수운 교통보다 도로 교통이 발달하였다.

병. 연안은 북서쪽으로 산지가 가로막고 있어 겨울철 차가운 북서풍을 피하기에 유리하다.

오답피하기 을. 선박의 운항이 가능한 하천은 백천에서 동쪽으로 도로를 따라 30리에 못 미쳐 있다.

정. 역참은 백천에서 도로를 따라 서남서 방향, 남동 방향에 한 곳씩 위치한다. 두 역참 모두 하천을 두 번 건너면 도착할 수 있다.

2 감입 곡류 하천과 그 주변 지형의 특징 이해

문제분석 '감입 곡류 하천의 지형 특색'이라는 자료의 제목이 이미 제시되어 있다. 따라서 지형도에서 제시하고 있는 각 지점이 감입 곡류 하천과 관련이 있음을 파악할 수 있다.

정답찾기 ㄱ. 지형도에서 가리키고 있는 부분은 하안 단구이다. 하안 단구에서는 둥근 자갈과 같은 하천 퇴적물이 발견된다.

ㄴ. 지형도에서 가리키고 있는 부분은 작은 점들이 찍혀 있으므로 퇴적 지형이다. 이곳은 상류 지역에 해당하므로 주로 모래가 퇴적되어 있다.

ㄹ. 감입 곡류 하천에서도 측방 침식으로 인해 유로가 변경될 수 있다. 유로가 변경되면 물은 새로운 하도로 흐르게 되고, 이전의 하도는 물이 흘렀던 흔적만 남게 되는데 이를 구하도라고 한다.

오답피하기 ㄷ. 하천의 오른쪽이 왼쪽보다 등고선 간격이 좁으므로 A-B의 하상 단면을 '‿' 모양으로 추론할 수 있다.

3 세 지역의 농가 특성과 인구 변화 파악

문제분석 지도의 A는 남양주, B는 김제, C는 서귀포이다. 남양주는 서울과 인접하여 채소 재배가 활발하고, 김제는 쌀 재배량이 많은 평야 지역이며, 서귀포는 귤의 주요 재배지이다.

정답찾기 ① 채소 재배 농가의 비중이 높고 2015년 인구가 1975년 인구의 약 6배가 된 (가)는 대도시 근교에 위치한 남양주이다. 대도시 근교에 위치한 남양주는 지가가 높은 편이기 때문에 경지 규모 0.5ha 미만 농가의 비중이 높다.
경지 규모가 큰 2.0ha 이상 농가의 비중이 상대적으로 높은 (나)와 (다)는 김제와 서귀포 중 하나이다. (나)는 벼 재배 농가의 비중이 약 70%로 높고 2015년 인구가 1975년 인구의 50% 이상 감소한 지역으로 김제에 해당한다. (다)는 과수 재배 농가의 비중이 약 80%로 높고 인구 변동 폭이 (가), (나)에 비해 작은 지역으로 서귀포에 해당한다.
따라서 (가)는 A, (나)는 B, (다)는 C에 해당한다.

4 고위 평탄면의 특징과 이용 이해

문제분석 점선으로 표시된 (가) 지형은 대체로 1,000m 이상의 고지대로 등고선 간격이 넓으며 주변으로 갈수록 해발 고도가 낮아지는 것으로 보아 고위 평탄면이다. 고위 평탄면은 오랜 풍화와 침식으로 평탄해진 지형이 신생대 제3기 경동성 요곡 운동의 영향으로 지반이 융기한 후에도 평탄한 기복을 유지하고 있는 지형이다. 우리나라에서는 태백산맥, 소백산맥 등의 산간 지역에 분포하고 있다.

정답찾기 을. 고위 평탄면은 해발 고도가 높아 여름철 기온이 낮고 습도가 높기 때문에 여름철 고랭지 채소 재배에 유리하다. 또한 여름철 초지 조성에 유리하여 교통이 발달한 일부 고위 평탄면 지역에서는 목축업도 활발히 이루어지고 있다.
병. 고위 평탄면은 해발 고도가 높아 공기 흐름의 저항이 작기 때문에 바람이 강하다. 따라서 고위 평탄면은 풍력 발전소 건설에 유리하다.
정. 고위 평탄면은 중생대 지각 운동 이후 오랫동안 풍화와 침식을 받아 평탄해진 지형이 신생대 제3기 경동성 요곡 운동에 의해 융기되어 형성되었다.

오답피하기 갑. 침식 분지는 서로 다른 암석 간의 차별적인 풍화·침식으로 형성된 지형으로, 하천이 합류하는 지점이나 화강암이 관입된 변성암 지역에서 잘 발달한다. 일반적으로 화강암은 변성암에 비해 상대적으로 풍화와 침식에 약하기 때문에 침식 분지의 바닥을 이루고, 변성암은 주변을 둘러싼 산지를 이룬다.

5 전통 가옥 구조를 통한 지역의 기후 특징 파악

문제분석 일반적으로 전통 가옥 구조는 해당 지역의 기후 특성을 잘 반영하고 있다. (가)는 제주도로, 이 지역은 기온이 높아 부엌의 아궁이가 방의 반대편에 놓여 있어 난방 기능이 없고, 바람이 강하여 지붕을 새끼줄로 묶어 놓은 전통 가옥을 볼 수 있다. (나)는 울릉도로, 이 지역은 겨울철에 눈이 많이 쌓여 외부 생활이 제한적이어서 가옥 외부에 우데기라는 벽을 세워 생활 공간을 확보한 전통 가옥을 볼 수 있다.

정답찾기 ㄱ. 제주도(가)는 울릉도(나)에 비해 저위도에 위치하여 최한월 평균 기온이 높다.
ㄴ. 울릉도(나)는 겨울철에 눈이 많이 내려 다른 지역에 비해 겨울철 강수 집중률이 높아 상대적으로 여름철 강수 집중률이 낮다. 따라서 여름철 강수 집중률은 제주도(가)가 울릉도(나)에 비해 높다.
ㄹ. 제주도의 전통 가옥은 강한 바람의 영향으로 가옥의 높이가 낮고 지붕을 새끼줄로 엮어 놓았으며, 집 주변으로는 돌담을 쌓았다. 반면에 울릉도의 전통 가옥은 눈이 많이 내리는 지역의 특성이 반영되어 우데기라는 방설벽을 설치하여 생활 공간을 확보한 구조가 나타난다.

오답피하기 ㄷ. 저위도에 위치하며 해발 고도가 약 2,000m에 이르는 제주도는 해발 고도에 따라 난대림-2차 초지대-온대림-냉대림-관목림의 순서로 식생이 달라지며, 울릉도는 최대 해발 고도가 1,000m에 못 미쳐 난대림-온대림의 식생대가 나타난다. 따라서 식생의 수직적 분포는 제주도(가)가 울릉도(나)에 비해 다양하게 나타난다.

6 서울 중구, 노원구, 금천구의 특성 파악

문제분석 자료를 보면 (가)는 상주인구보다 주간 인구가 3배 이상 많은 지역이고, 현재 살고 있는 동(洞)과 같은 구(區) 내 다른 동(洞)으로의 통근·통학 유형의 인구 비중이 57%로 (나)와 (다)보다 높다. (나)는 상주인구보다 주간 인구가 많은 지역인데, 다른 시·도로의 통근·통학 유형의 인구 비중이 (가)와 (다)보다 높다. (다)는 상주인구가 주간 인구보다 많은 지역으로, 서울의 다른 구(區)로의 통근·통학 유형의 인구 비중이 (가)와 (나)보다 높다. 지도의 A는 노원구, B는 중구, C는 금천구이다.

정답찾기 ④ 지도의 A는 대단위 아파트 단지가 조성된 노원구로, 상주인구에 비해 주간 인구가 적고 주거 기능이 발달하였다. B는 중구로, 접근성이 가장 높고 상업·업무 기능이 발달한 도심에 해당한다. C는 금천구로, 경공업 중심지에서 첨단 산업의 입지 지역으로 변화하여 성장하고 있는 가산 디지털 단지 등이 입지한다. 따라서 (가)는 B, (나)는 C, (다)는 A에 해당한다.

7 각 지역의 제조업 구조 파악

문제분석 경기는 17개 시·도 중에서 제조업 사업체 수, 종사자 수, 출하액이 가장 많은 지역이며, 전자 부품·컴퓨터·영상·음향 및 통신 장비 제조업과 자동차 및 트레일러 제조업이 크게 발달하였다. 울산은 경기 다음으로 제조업 출하액이 많은 지역이며, 코크스, 연탄 및 석유 정제품 제조업, 자동차 및 트레일러 제조업, 화학 물질 및 화학 제품(의약품 제외) 제조업, 기타 운송 장비 제조업이 크게 발달하였다. 충남은 최근 수도권 인접 지역과 서해안 지역을 중심으로 전자 부품·컴퓨터·영상·음향 및 통신 장비 제조업, 자동차 및 트레일러 제조업, 화학 물질 및 화학 제품(의약품 제외) 제조업, 1차 금속 제조업, 코크스, 연탄 및 석유 정제품 제조업이 크게 발달하였다.

정답찾기 ② (가)는 제조업 출하액이 가장 많으므로 경기, (나)는 (가) 다음으로 제조업 출하액이 많고 정유 공업이 발달하였으므로 울산, 나머지 (다)는 충남이다. A는 경기와 충남에서 출하액이 많으므로 전자, B는 세 지역 모두에서 출하액이 많으므로 자동차, C는 울산과 충남에서 출하액이 많으므로 화학이다.

8 주요 지역의 인구 변화 분석

문제분석 지역의 인구 변화는 출생과 사망, 전입과 전출로 파악할 수 있다. 인구의 자연적 증감은 출생과 사망에 의한 증감을 말하고, 사회적 증감은 전입과 전출에 의한 증감을 말한다. 지도의 (가)는 고양, (나)는 안산, (다)는 양산이다.

정답찾기 ④ (나)의 전입자 수는 인구 변화의 45.1%, (다)의 전입자 수는 인구 변화의 51.4%이다. (나)는 (다)보다 인구 변화가 2배 이상이므로 전입자 수가 많다.

오답피하기 ① (가)에서 전체 인구 변화 중 출생자의 비중이 2.3%, 사망자의 비중이 1.3%이므로 인구의 자연적 증가가 나타났다.

② (나)는 전체 인구 변화 중 전입자의 비중이 45.1%, 전출자의 비중이 51.2%이므로 인구 순 이동이 음(－)의 값이다.

③ 전입과 전출 인구가 많은 (가)가 (나)보다 인구 이동 규모가 크다.

⑤ 전체 인구 변화를 보면 (가)는 인구의 사회적 증가(50.6%－45.8%)와 인구의 자연적 증가(2.3%－1.3%)가 나타나므로 인구가 증가하였고, (나)는 인구의 사회적 감소(45.1%－51.2%)가 인구의 자연적 증가(2.6%－1.1%)보다 크므로 인구가 감소하였다.

9 남한과 북한의 농업 특징 파악

문제분석 북한은 남한보다 경지 면적이 넓으며, 산지가 많기 때문에 논보다 밭의 비율이 높다. 그러므로 (가)는 북한, (나)는 남한이다. 남한과 북한 모두 쌀의 생산량이 가장 많으며, 북한은 쌀 다음으로 옥수수의 생산량이 많다. 그러므로 A는 쌀, B는 옥수수, C는 맥류이다.

정답찾기 ⑤ 남한은 북한보다 논 면적당 쌀 생산량이 많으므로 쌀의 토지 생산성이 높다.

오답피하기 ① (가)는 북한, (나)는 남한이다. 북한은 남한보다 경지 면적이 넓고 밭의 비율이 높다.

② 남한과 북한 모두 쌀은 대부분 주식으로 소비되며, 남한에서 옥수수는 사료용으로 많이 소비된다.

③ 북한에서 그루갈이는 잘 이루어지지 않으며, 남한에서 보리는 주로 벼의 그루갈이 작물로 재배된다.

④ 남한에서 맥류의 재배 면적과 생산량은 1970년대 이후 감소 추세이다.

10 충청 지방의 시·군별 특성 이해

문제분석 지도에 표시된 지역은 충주, 천안, 부여이다. A는 B와 C에 비해 인구가 많고, 2000～2015년 인구가 빠르게 증가하였으며, 노년층 인구 비중이 낮다. C는 A와 B에 비해 인구가 적으며, 노년층 인구 비중이 높다. 그러므로 A는 천안, B는 충주, C는 부여이다.

정답찾기 ⑤ 천안과 부여는 충청남도에 위치해 있고, 충주는 충청북도에 위치해 있다.

오답피하기 ① 충청 지방에서 충주는 지식 기반형 기업 도시로, 태안은 관광 레저형 기업 도시로 지정되었다.

② 충청 지방에서 수도권과 전철로 연결된 곳은 천안과 아산이다.

③ 부여에는 경제 자유 구역으로 지정된 곳이 없다. 청주에 경제 자유 구역으로 지정된 곳이 있다.

④ 부여가 충주보다 농림어업 종사자 비율이 높다.

07회 미니모의고사

본문 24~27쪽

1 ⑤	2 ②	3 ①	4 ④	5 ②
6 ③	7 ④	8 ⑤	9 ④	10 ⑤

1 우리나라의 영해 및 주변 수역 파악

문제분석 우리나라는 중국 및 일본과 가까워 동해와 남해에서는 일본과, 황해에서는 중국과 배타적 경제 수역의 범위가 중첩된다. 따라서 우리나라는 한·일 어업 협정 및 한·중 어업 협정을 체결하였다. 제시된 지도에서 A는 한·중 잠정 조치 수역에 해당한다. 한·중 잠정 조치 수역은 한국과 중국이 공동으로 관리하는 해역이다. B는 우리나라 영해와 한·일 중간 수역 사이에 위치한 수역, C와 E는 한·일 중간 수역, D는 우리나라의 영해에 해당한다.

정답찾기 ⑤ E는 한·일 중간 수역이다. 우리나라와 일본 양국은 한·일 중간 수역을 설정하여 양국이 어업 자원에 대해 공동 보존·관리하도록 하였으므로, 한·일 중간 수역에서는 우리나라와 일본이 모두 어업 활동을 할 수 있다. 따라서 한·일 중간 수역에서 중경비정이 우리나라 어선의 어업 활동에 경고하는 행위는 적법하지 않다.

오답피하기 ① A는 한·중 잠정 조치 수역이다. 한·중 잠정 조치 수역에서는 여객선의 자유로운 이동이 가능하다.
② B는 우리나라 영해 바깥에 위치한 수역이다. 이 수역에서는 외국 선박과 항공기의 운항이 가능하다.
③ C는 한·일 중간 수역이다. 각 국가의 영해 밖 상공은 타국 항공기의 비행 행위가 보장된다.
④ D는 우리나라가 주권을 행사할 수 있는 우리나라의 영해이기 때문에 에너지 시설을 설치할 수 있다.

2 우리나라 화산 지형의 분포 이해

문제분석 지도에 표시된 지역은 북쪽에서부터 백두산, 철원, 울릉도, 제주도이다. 산 정상부에 물이 고여 호수를 이루고 있는 지역은 백두산(천지)과 한라산(백록담)이며, 이 중 세계 자연 유산으로 등재된 지역이 있는 곳은 한라산에 해당한다. 따라서 (다)는 백두산, (라)는 한라산 일대이다. 점성이 큰 안산암·조면암질 용암이 분출하면 종 모양의 화산체가 형성되며, 점성이 작은 현무암질 용암이 분출하면 방패 모양의 화산체가 형성된다. 울릉도는 종 모양의 화산체이다. 따라서 (나)는 울릉도이다. 철원 용암 대지는 현무암질 용암이 분출하여 골짜기를 메워 형성된 평평한 땅이다. 따라서 (가)는 철원이다.

정답찾기 ② 용암 동굴은 점성이 작은 용암이 흘러내릴 때 표층부와 심층부의 냉각 속도 차이에 의해 형성된다. 따라서 주로 현무암질 용암이 흘러내린 제주도 지역이 점성이 큰 조면암질 용암이 분출하여 형성된 울릉도보다 용암 동굴이 많이 분포한다.

오답피하기 ① 철원은 한탄강의 물을 활용하여 벼농사가 널리 행해진다. 반면 제주도의 경우 절리가 발달하여 지표수가 부족하므로 밭농사가 보편적으로 이루어진다.
③ 백두산은 울릉도보다 최고봉의 해발 고도가 높다.
④ 백두산과 한라산 모두 산 정상부에는 종 모양의 화산이 형성되어 있다.
⑤ 철원과 울릉도의 위도 차이는 백두산과 한라산의 위도 차이보다 작다.

3 우리나라의 생태 관광 자원 이해

문제분석 우리나라는 오랜 지질 시대를 거치면서 다양한 지형 경관이 형성되었고, 이러한 지형 경관은 관광 자원으로 활용 가치가 높다.

정답찾기 ㄱ. (가)는 태안반도의 신두리 해안 사구를 나타낸 것이다. 해안 사구는 사빈의 모래가 바람에 의해 운반·퇴적되어 형성된 지형으로 많은 양의 모래가 쌓여 있다. 해안 사구 아래에는 많은 양의 지하수가 있다.
ㄷ. (다)는 무안의 갯벌을 나타낸 것이다. 갯벌은 조류의 퇴적 작용으로 형성되며, 갯벌의 미생물과 갯지렁이, 게 등이 오염 물질 속의 유기물을 분해하여 '지구의 콩팥'이라고 불린다.

오답피하기 ㄴ. (나)는 강릉의 경포호로, 지형적으로 석호에 해당한다. 석호는 빙기에 형성된 골짜기가 후빙기 해수면 상승으로 인해 만으로 변하고, 만의 입구를 사주가 가로막아 형성된 호수이다. 석호는 하천에 의한 토사 유입이나 인위적 매립으로 인해 규모가 축소되는 경우가 많다.
ㄹ. (라)는 제주도의 용암 동굴을 나타낸 것이다. 용암 동굴은 유동성이 큰 현무암질 용암이 경사를 따라 흘러내릴 때 표층부와 심층부의 냉각 속도 차로 형성되었다. 지하수의 용식 작용으로 형성된 동굴로는 석회 동굴이 있다.

4 경기도, 강원도, 전라남도의 인구 특성 비교

문제분석 (가)~(다)는 성비, 인구 밀도, 노령화 지수 중 하나이고, 이들 지표를 비교하는 대상은 경기, 강원, 전남이다.

정답찾기 ④ (가)는 경기에서 가장 높고 강원에서 가장 낮은 수치를 보인다. 이는 인구 밀도이다. 강원은 산지가 많아 인구 밀도가 낮다. (나)는 전남에서 가장 높고 경기에서 가장 낮다. 이는 노령화 지수이다. 경기는 세 지역 중에서 도시화율이 가장 높으므로 노령화 지수가 가장 낮게 나타난다. (다)는 강원에서 가장 높고 전남에서 가장 낮다. 이는 성비이다. 강원은 군인의 비율이 높아 상대적으로 성비가 높으며, 전남은 노년층 인구 비중이 높아 상대적으로 성비가 낮게 나타난다. 따라서 (가)는 인구 밀도, (나)는 노령화 지수, (다)는 성비의 연결이 옳다.

5 기후 값의 지역 차 비교

문제분석 A는 홍천, B는 보령, C는 영덕이다. 기온의 연교차는 고위도 내륙이 가장 크고 저위도 해안으로 갈수록 작아지는데, 위도가 비슷한 지역에서는 동해안이 서해안보다 작다. 연 강수량은 남서 기류의 바람받이 지역이 많은 편이고, 여름 강수 집중률은 한강 유역에서 매우 높게 나타난다. 연평균 기온은 최한월 평균 기온이 높은 지역에서 대체로 높게 나타난다.

정답찾기 ㄱ. 기온의 연교차는 고위도 내륙에 위치한 홍천(A)이 29.7℃로 가장 크고, 동해안에 위치한 영덕(C)이 23.7℃로 가장 작으며, 보령(B)은 26.3℃로 중간이다.
ㄷ. 여름 강수 집중률은 한강 유역에 위치한 홍천(A)이 60.8%로 가장 높고, 북동 기류의 영향으로 겨울 강수 집중률이 상대적으로 높은 영덕(C)이 49.1%로 가장 낮으며, 보령(B)은 56.5%로 중간이다.

오답피하기 ㄴ. 연 강수량은 한강 중·상류에 위치한 홍천(A)이 가장 많고, 보령(B), 영덕(C) 순으로 많다.
ㄹ. 연평균 기온은 저위도 동해안에 위치한 영덕(C)이 가장 높고, 고위도 내륙에 위치한 홍천(A)이 가장 낮으며, 보령(B)은 중간이다.

6 서울의 도심과 주변(외곽) 지역 특징 비교

문제분석 지도에 표시된 구(區)는 노원구, 강동구, 종로구, 중구로, 노원구와 강동구는 주변(외곽) 지역에, 종로구와 중구는 도심에 위치한다. (가), (나)는 (다), (라)보다 행정동당 평균 주민 등록 인구가 많으므로 상주인구가 많은 구이다. 한편 (다), (라)는 법정동이 행정동보다 많은데, 이는 전출 인구가 많아 행정동이 통폐합되었기 때문이다. 따라서 (가)와 (나)는 주거 기능의 비중이 높은 주변(외곽) 지역에 위치한 구이고, (다)와 (라)는 상업·업무 기능의 비중이 높은 도심에 위치한 구이다.

정답찾기 ③ 도심에 위치한 (다)는 주변(외곽) 지역에 위치한 (가)보다 주거 기능의 이심 현상으로 인한 인구 공동화 현상이 뚜렷할 것이다.

오답피하기 ① 주변(외곽) 지역에 위치한 (가)는 도심에 위치한 (라)보다 주거 기능이 밀집해 있으므로, (가)는 (라)보다 초등학교당 학급 수가 많을 것이다.
② 도심에 위치한 (다)가 주변(외곽) 지역에 위치한 (나)보다 시가지의 형성 시기가 이를 것이다.
④ 주거 기능이 집중되어 있는 (나)가 상업·업무 기능이 집중되어 있는 (라)보다 아파트 수가 많을 것이다.
⑤ 도심에 위치한 (다), (라)가 주변(외곽) 지역에 위치한 (가), (나)보다 대기업 본사, 정부 기관 등의 중추 관리 기능이 집중되어 있다.

7 석탄, 석유, 천연가스의 시·도별 공급량 분포와 특징 이해

문제분석 (가)는 충남의 비중이 가장 높고 경남, 전남, 경북이 높다. 이들 지역은 대규모로 석탄을 소비하는 대규모의 제철소나 석탄 화력 발전소가 입지한 곳이다. 따라서 (가)는 석탄이다. (나)는 전남의 비중이 가장 높고 울산, 충남, 경기가 높다. 전남은 대규모 석유 화학 단지가 있는 곳이다. 따라서 (나)는 석유이다. (다)는 인천, 경기의 비중이 높은 반면 제주는 매우 낮다. 이에 해당되는 것은 가정용 소비 비중이 상대적으로 높은 천연가스이다.

정답찾기 ㄴ. 1차 에너지 공급 구조에서 차지하는 비중이 가장 높은 것은 석유이다.
ㄹ. 주요 화석 에너지 중에서 연소 시 대기 오염 물질의 배출량은 석탄>석유>천연가스 순으로 많다.

오답피하기 ㄱ. 주로 수송용 및 화학 공업용으로 이용되는 것은 석유이다.
ㄷ. 우리나라는 석탄이 석유보다 생산량이 많고 석유가 석탄보다 소비량이 많으므로, 해외 의존도는 석유가 석탄보다 높다.

8 수도권의 시·도별 특성 이해

문제분석 그래프의 세 지역 중 지역 내 총생산과 인구가 가장 적은 B는 인천이다. A는 C보다 제조업 사업체 수 비중이 높고 서비스업 사업체 수 비중은 낮은 경기이다. C는 세 지역 중 서비스업 사업체 수 비중과 서비스업 종사자 수 비중이 가장 높은 서울이다.

정답찾기 ⑤ 서비스업 사업체 수 비중이 가장 높은 지역은 C(서울)이고, C는 세 지역 중 제조업 사업체 수 비중이 가장 낮다.

오답피하기 ① A는 경기, B는 인천, C는 서울이다.
② 제조업 사업체당 종사자 수는 B>A>C 순으로 많다.
③ 인구가 가장 많은 경기가 서비스업 종사자 수 비중은 가장 낮으므로 인구가 많은 지역일수록 서비스업 종사자 수 비중이 높다고 볼 수 없다.
④ 제조업 종사자 수 비중으로는 인천이 서울보다 높지만, 지역 내 총생산은 인천이 서울보다 적다. 따라서 제조업 종사자 수 비중이 높은 지역일수록 지역 내 총생산이 많다고 볼 수 없다.

9 주요 제조업의 특징 비교

문제분석 (가)는 종사자 수 대비 출하액이 매우 많고 울산, 전남, 충남을 중심으로 발달하였으므로 코크스·연탄 및 석유 정제품 제조업, (나)는 종사자 수 대비 출하액이 적고 경기, 경북, 대구를 중심으로 발달하였으므로 섬유 제품(의복 제외) 제조업, (다)는 종사자 수 대비 출하액이 코크스·연탄 및 석유 정제품 제조업과 섬유 제품(의복 제외) 제조업의 중간 정도이고 경남, 울산, 전남의 출하액이 많으므로 기타 운송 장비 제조업이다.

정답찾기 ㄱ. 섬유 제품(의복 제외) 제조업은 코크스·연탄 및 석유 정제품 제조업보다 총 생산비에서 노동비가 차지하는 비중이 높다.
ㄷ. 종사자당 출하액은 출하액을 종사자 수로 나누어 구할 수 있다. 기타 운송 장비 제조업은 섬유 제품(의복 제외) 제조업보다 종사자당 출하액이 많다.
ㄹ. 주요 석유 화학 공장은 대부분 해안 지역에 위치한다. 또한 기타 운송 장비 제조업의 대부분을 차지하는 선박 제조업의 주요 공장도 모두 해안 지역에 위치한다. 따라서 두 제조업 모두 주요 생산 공장은 내륙 지역보다 해안 지역에 많이 입지한다.

오답피하기 ㄴ. 섬유 제품(의복 제외) 제조업의 최종 제품은 기타 운송 장비 제조업의 최종 제품보다 무게가 가볍고 부피가 작다.

10 대구의 공업 구조 특징 파악

문제분석 어떤 제조업의 전국 비중이 다른 제조업에 비해 특별히 크면 해당 제조업의 대표적인 발전 지역이라고 할 수 있다. 지도에 제시된 지역은 포항, 대구, 울산, 창원, 부산이다.

정답찾기 ⑤ 이 도시는 섬유 제품(의복 제외) 제조업의 전국 비중이 다른 제조업에 비해 특별히 크다. 영남권에서 섬유 제품(의복 제외) 제조업이 가장 발달한 도시는 대구이다. 대구는 여름철 평균 최고 기온이 우리나라에서 가장 높으며, 한때는 우리나라 제1의 사과 산지였다.

오답피하기 ① 우리나라 최대의 항만 도시로 국제 영화제가 개최되는 도시는 부산이다.
② 17개 시·도 중에서 1인당 지역 내 총생산(GRDP)이 가장 많은 곳은 울산이다. 울산은 우리나라의 대표적인 중화학 공업 도시로 화학 물질 및 화학 제품 제조업, 자동차 및 트레일러 제조업, 기타 운송 장비 제조업의 비중이 높게 나타난다.
③ 정부의 철강 공업 육성책으로 1970년대 이후 급성장한 도시는 포항이다. 포항은 1차 금속 제조업의 비중이 매우 높다.
④ 경상남도 도청 소재지로 인근의 3개 시가 하나로 통합된 곳은 창원이다. 창원은 기타 기계 및 장비 제조업의 비중이 높게 나타난다.

08회 미니모의고사

본문 28~31쪽

1 ⑤	2 ①	3 ④	4 ④	5 ①
6 ⑤	7 ②	8 ③	9 ②	10 ⑤

1 고지도의 특징 이해

문제분석 (가)는 현존하는 우리나라의 가장 오래된 세계 지도인 혼일강리역대국도지도, (나)는 주로 조선 중기 이후 민간에서 제작된 관념적 세계 지도인 천하도이다.

정답찾기 병. ㉢ 천하도는 바깥에 환대륙과 안쪽에 중심 대륙, 그 사이의 바다인 내해와 바깥쪽을 둥글게 감싼 외해 등 2개의 대륙과 2개의 바다로 세계를 표현하였다. 천하도에는 중국, 조선, 일본 등 실제 존재하는 나라도 있지만 도교적 세계관이 반영되어 상상의 국가와 지명이 다수 수록되어 있다.
정. ㉣ 혼일강리역대국도지도는 조선 전기(1402년)에 국가 주도로 제작되었으며, 천하도는 제작 연대가 확실하지 않으나 조선 중기 이후 민간에서 제작된 것으로 추정된다. 두 지도 모두 지도의 중심부에 중국이 위치하고 있어 중화사상이 반영되었음을 알 수 있다.

오답피하기 갑. ㉠ 혼일강리역대국도지도는 국가 주도로 제작되었으며, 아시아, 유럽, 아프리카까지 표현되어 있지만 아메리카 대륙은 표현되어 있지 않다.
을. ㉡ 혼일강리역대국도지도는 우리나라에서 현재 알려진 가장 오래된 세계 지도이다.

2 계절별 일기도 구분과 지역 축제 파악

문제분석 우리나라는 유라시아 대륙과 태평양의 경계에 위치하여 계절에 따라 기압 배치가 달라진다. 겨울철에는 대륙 내부에 고기압이 형성되어 서고동저형의 기압 배치가 나타나고, 여름철에는 북태평양에 고기압이 형성되어 남고북저형의 기압 배치가 나타난다.

정답찾기 ㄱ. (가)는 대륙 내부에 고기압, 우리나라 동쪽에 저기압이 형성되어 우리나라 주변의 기압 배치가 서고동저형을 보이므로 겨울철의 일기도이다. 대관령의 눈꽃 축제가 겨울철에 열린다.
ㄴ. (나)는 북태평양에 고기압, 우리나라 북쪽에 저기압이 형성되어 우리나라 주변의 기압 배치가 남고북저형을 보이므로 여름철의 일기도이다. 보령의 머드 축제가 여름철에 열린다.

오답피하기 ㄷ. 지리산의 단풍 축제는 가을철에 열린다.

3 기후 변화와 지형 발달의 이해

문제분석 신생대 제4기에는 빙기와 간빙기가 주기적으로 나타나 지형 발달에 영향을 주었다. 최종 빙기인 약 2만 년 전에는 해수면이 현재보다 100m 이상 낮아 황·남해는 육지로 드러나 있었고, 일본은 아시아 대륙과 연결되어 있었다. 후빙기에 해수면이 상승하면서 서해안은 골짜기가 침수되어 리아스 해안이 형성되었고, 하천 하류에 퇴적물이 쌓이게 되어 충적 평야가 형성되었다. 그래프에서 해수면이 현재와 같은 (가)는 후빙기, 해수면이 낮게 나타나는 (나)는 빙기에 해당한다. A는 백두산, B는 동해안, C는 제주도 지점이다.

정답찾기 ④ 빙기에는 후빙기에 비해 해수면이 낮았으므로 육지에서의 해발 고도는 더 높았다.

오답피하기 ① 빙기에 하천의 하류 지역은 해수면이 하강하면서 침식 작용이 활발해져 깊은 골짜기가 형성되었다. (가)는 후빙기에 해당한다.

② (나) 시기 해수면은 현재보다 120m 아래에 있었고 제주도의 주변 수심은 100m가 안 되기 때문에, (나) 시기에 제주도는 육지와 연결되어 있었다.

③ 후빙기에는 기후 환경이 온난 습윤해지면서 빙기에 비해 식생이 발달하여 식생 밀도가 높다.

⑤ 빙기에는 지금보다 한랭 건조하였고, 수분의 동결과 융해 작용에 의해 물리적 풍화 작용이 활발하였다. 후빙기에는 빙기에 비해 화학적 풍화 작용이 활발하다.

4 선상지와 침식 분지의 특징 이해

문제분석 (가)는 선상지, (나)는 침식 분지이다. (가)의 A는 선상지의 선정, B는 선단이며, (나)의 C는 침식 분지 주변의 배후 산지, D는 침식 분지 내부의 평지이다.

정답찾기 ㄱ. 선정(A)은 선단(B)보다 상류 지역에 위치하여 퇴적물의 평균 입자 크기가 크다.

ㄴ. 침식 분지 주변 배후 산지(C)의 기반암은 시·원생대에 형성된 변성암이고, 침식 분지 내부 평지(D)의 기반암은 중생대에 관입한 화강암이다.

ㄹ. 침식 분지는 주로 기반암이 차별적인 풍화와 침식을 받아 형성되었다.

오답피하기 ㄷ. 선상지는 산간 계곡 입구에서 유속의 감소로 형성된다. 하천이 바다와 만나는 하구에서 형성되는 지형으로는 삼각주가 있다.

5 충남, 전남, 경북의 1차 에너지원별 공급량 이해

문제분석 지도의 세 지역은 충남, 전남, 경북이다. 이 중에서 1차 에너지 공급량이 가장 많은 지역은 충남, 가장 적은 지역은 경북이다. 전남과 경북은 원자력의 비중이 높은 반면, 충남은 원자력이 없다. 따라서 C는 원자력이다. 그리고 충남은 석유와 석탄의 공급량이 특히 많고, 전남은 석유의 공급량이 특히 많으며, 경북은 대규모 제철소가 있기 때문에 석탄의 공급량이 많다. 따라서 A는 석탄, B는 석유, C는 원자력이고, (가)는 충남, (나)는 전남이다.

정답찾기 ① 석탄은 1차 에너지 공급 구조에서 차지하는 비중이 석유 다음으로 높다.

오답피하기 ② 원자력 발전은 발전 과정에서 발생하는 폐기물의 처리가 어렵고 비용이 많이 든다.

③ (가)는 충남, (나)는 전남이다.

④ 전남은 대규모 석유 화학 단지가 입지하였기 때문에 석유의 공급량이 많다.

⑤ 경북은 대규모 제철소가 입지하고 있어 석탄의 공급량이 많다.

6 우리나라 도시 순위의 변화 분석

문제분석 첫 번째 그래프는 1975년, 1995년, 2015년의 총인구를 제시한 것이고, 두 번째 그래프는 1975년, 1995년, 2015년 세 시기의 인구 규모 상위 10대 도시의 전국 대비 인구 비중을 제시한 것이다. 따라서 두 그래프를 통해 시기별 도시 인구 규모 및 변화 특징을 파악할 수 있다.

정답찾기 ⑤ 서울과 부산을 제외하면 3~10위의 도시들이 총인구에서 차지하는 비중이 1975년에 비해 2015년에 모두 높아졌으므로, 총인구에서 10대 도시가 차지하는 비중은 2015년이 1975년보다 높다.

오답피하기 ① 종주 도시화는 수위 도시의 인구 규모가 2위 도시의 인구 규모보다 2배 이상인 현상을 말하는데, 세 시기 모두 수위 도시인 서울이 2위 도시인 부산보다 인구가 2배 이상 많다.

② 1995~2015년에 인천은 인구 비중이 증가하였고 대구는 감소하였는데, 이 시기 우리나라의 총인구는 증가하였으므로, 1995~2015년의 인구 증가는 인천이 대구보다 많았다.

③ 10대 도시 중 수도권에 위치한 도시는 1975년은 서울, 인천, 성남, 2015년은 서울, 인천, 수원, 고양이다.

④ 2015년의 인구 규모 10위 도시인 고양은 인구 비중이 약 2%이고 우리나라의 총인구는 약 5,100만 명이므로, 고양의 인구 규모는 100만 명 이상이다.

7 지역별 인구 증가율의 특성 이해

문제분석 인구의 사회적 증가율은 인구 이동에 의한 증가율을 말하고, 자연적 증가율은 출생과 사망에 의한 증가율을 말한다. 따라서 그래프의 오른쪽 위는 인구의 사회적 증가, 자연적 증가를 의미하고, 왼쪽 위는 사회적 감소, 자연적 증가를 의미한다. 그리고 왼쪽 아래는 사회적 감소, 자연적 감소를 의미하고, 오른쪽 아래는 사회적 증가, 자연적 감소를 의미한다.

정답찾기 ② 지도의 A는 서울, B는 천안, C는 곡성이다. 서울(A)은 우리나라 최대의 도시로 인구의 자연적 증가율은 양(+)의 값을 보이지만, 1990년대 이후 인구의 교외화 현상이 나타나면서 인구의 사회적 감소 경향이 뚜렷하다. 따라서 2000년과 2014년 두 시기 모두 자연적 증가율이 양(+)의 값을 보이고 사회적 증가율이 음(−)의 값을 보이는 (가)가 서울(A)이다. 천안(B)은 수도권 전철 개통 이후로 인구의 사회적 증가 현상이 뚜렷하게 나타나는 지역이다. 따라서 인구의 사회적 증가율이 양(+)의 값을 보이는 (다)가 천안(B)이다. 곡성(C)은 전통 촌락 지역으로 인구의 사회적 감소가 나타나며, 출생률이 낮고 사망률이 상대적으로 높아 자연적 감소 현상도 나타나고 있다. 따라서 사회적·자연적 증가율이 모두 음(−)의 값을 보이는 (나)가 곡성(C)이다.

8 경기와 전남의 농가 인구 구조 이해

문제분석 두 시기 연령대별 농가 인구의 변화를 비교하여 해당되는 지역을 파악한다. (가)가 (나)보다 농가 인구의 청장년층 인구와 유소년층 인구 감소 폭이 작으므로, (가)는 경기, (나)는 전남이다.

정답찾기 ㄴ. 경기는 산업화 과정에서 인구 유입이 활발하였으며,

이의 영향으로 총인구에서 차지하는 청장년층 인구 비중이 도(道) 중에서 가장 높다.
ㄷ. 2010년에 경기는 전남보다 제조업 및 서비스업이 발달하였으므로 1차 산업 종사자 비중이 낮다.
오답피하기 ㄱ. 농가당 경지 면적은 경기가 전남보다 좁다.
ㄹ. 전남은 산업화 과정에서 인구 유출이 활발하여 총인구의 인구 증가율이 낮았던 반면, 경기는 인구 유입이 활발하여 총인구의 인구 증가율이 높았다.

9 남북한의 인구 특성 비교

문제분석 그래프의 정보를 토대로 남북한의 인구 특성을 비교해 본다. 성비는 여성 100명에 대한 남성의 수이다. 유소년층 인구(0~14세, a) 비중, 청장년층 인구(15~64세, b) 비중, 노년층 인구(65세 이상, c) 비중을 토대로 유소년 부양비(a÷b×100), 노년 부양비(c÷b×100), 총 부양비(유소년 부양비+노년 부양비), 노령화 지수(c÷a×100)를 계산할 수 있다. 그림의 A에는 남한이 높은 지표, B에는 북한이 높은 지표를 연결하면 된다.
정답찾기 ② 남한은 북한에 비해 유소년층 인구 비중이 낮고, 청장년층과 노년층 인구 비중이 높다. 따라서 남한은 북한보다 노령화 지수가 높고, 총 부양비는 낮다.
오답피하기 ① 총 부양비는 청장년층 인구 비중이 높은 남한이 북한보다 낮다.
③ 노년층 인구 비중은 북한이 남한보다 낮다.
④ 노년층 성비는 남한이 북한보다 높다.
⑤ 유소년층 인구 비중은 북한이 높다. 노령화 지수는 상대적으로 유소년층 인구 비중이 낮고 노년층 인구 비중이 높은 남한이 높다.

10 충청 지방 주요 도시의 특성 파악

문제분석 충청 지방 주요 도시의 특성을 알고, 이들 도시의 지도상 위치를 숙지하고 있어야 한다. 지도의 A는 기업 도시가 조성되고 있는 충주, B는 수도권 전철이 연결된 이후 인구가 급증하고 있는 천안, C는 행정 기능의 이전을 목적으로 계획적으로 조성된 세종, D는 충청북도 도청이 입지해 있고 최근 인접한 군(郡) 지역과 통합이 이루어진 청주, E는 충청권 최대의 도시인 대전이다.
정답찾기 ⑤ (가)는 충청 지방 최대의 도시로 경부선 철도에서 호남선 철도가 분기하고, 경부 고속 국도에서 호남 고속 국도가 분기하는 교통의 요지이므로 대전이다. (나)는 수도권 전철이 연결되면서 인구가 급증하여 구(區) 단위의 하위 행정 구역을 두게 된 도시이므로 천안이다. (다)는 2014년에 인근의 군(郡) 지역과 행정 구역이 통합되어 도농 통합시로 새롭게 출범하게 된 도시이므로 청주이다. 따라서 (가)는 E, (나)는 B, (다)는 D의 연결이 옳다.

09회 미니모의고사

본문 32~34쪽

1 ④	2 ③	3 ②	4 ③	5 ③
6 ①	7 ⑤	8 ②	9 ⑤	10 ③

1 독도의 특성 이해

문제분석 신증동국여지승람과 동국대지도에 등장하는 A는 독도이다. 독도는 울릉도에서 동남쪽으로 약 87km 지점에 있으며, 동도와 서도 및 89개의 부속 도서로 구성되어 있다.
정답찾기 ④ 독도 주변 해역은 한류와 난류가 교차하는 조경 수역을 이루어 어족 자원이 풍부하다.
오답피하기 ① 독도는 현재 행정 구역상 경상북도에 속해 있다.
② 독도는 섬 전체의 경사가 급한 종상 화산체의 일부이다.
③ 독도 주변 해역은 통상 기선을 적용하여 영해를 설정한다.
⑤ 독도는 유네스코 세계 자연 유산으로 등재되어 있지 않으며, 천연기념물로 지정되어 보호되고 있다. 우리나라에서 유네스코 세계 자연 유산으로 등재된 곳은 제주도의 일부 화산 지형들이다.

2 주요 화산 지형의 이해

문제분석 (가)는 한라산 정상부의 백록담, (나)는 용암 동굴 중 하나인 만장굴의 내부, (다)는 서귀포시 중문동에 위치한 대포 주상 절리, (라)는 기생 화산 중 하나인 다랑쉬 오름이다.
정답찾기 ③ 용암이 냉각되는 과정에서 수축 현상이 일어나면 다각형의 절리들이 형성되는데, 이를 주상 절리라고 한다.
오답피하기 ① 한라산 정상부의 백록담은 칼데라호가 아닌 화구호이다.
② 용암 동굴은 유동성이 큰 용암이 흐르면서 형성되었기 때문에 등고선의 방향과 수직으로 형성되는 것이 일반적이다.
④ 제주도의 기생 화산은 대부분 순상 화산체 형성 이후인 화산 활동 후기에 용암의 추가 분출로 형성되었다.
⑤ 한라산의 산정부를 이루고 있는 용암은 점성이 커서 멀리까지 흘러가지 못하고 급경사의 산지가 되었으며, 용암 동굴은 점성이 작은 용암이 흘러내리면서 형성되었다. 따라서 산정부의 용암이 용암 동굴의 벽면을 구성하는 용암보다 점성이 크다고 볼 수 있다.

3 주요 해안 지형의 분포 및 특징 이해

문제분석 (가) 지역은 석호와 해안 단구가 발달해 있으며, 바닷물을 이용하여 만든 순두부가 향토 음식이다. (나) 지역은 역간척 사업이 진행되고 있으며, 람사르 협약에 지정된 해안 습지가 있다. 그리고 꼬막회 무침이 향토 음식이다.
정답찾기 ② 강릉(A)에는 경포호와 정동진 해안 단구가 있다. 경포호는 대표적인 석호로, 석호는 동해안에 많이 발달해 있다. 해안 단구도 지반 융기량이 많은 동해안에 주로 발달해 있다. 순천(D)에는 람사르 협약에 지정된 순천만·보성 갯벌이 있으며, 순천에서는 갯벌 생태계를 복원하기 위해 역간척 사업이 진행되고 있다.
오답피하기 B는 당진, C는 포항이다. 당진과 포항에는 람사르 협약에 지정된 해안 습지가 없다.

4 우리나라 지질 계통의 이해

문제분석 우리나라에서는 지질 특징을 반영한 박물관이나 축제 등을 볼 수 있는데, 석탄과 공룡 발자국 화석이 대표적이다. 석탄을 주제로 한 박물관은 보령, 문경, 태백 등지에서 볼 수 있으며, 정선에서는 석탄문화제가 열린다. 공룡을 소재로 한 박물관은 해남, 고성 등지에서 볼 수 있는데, 고성에서는 공룡나라축제가 열린다.

정답찾기 ② 정선에 매장된 석탄은 무연탄으로, 무연탄은 고생대 말~중생대 초에 퇴적된 평안 누층군(㉡)에 매장되어 있다. 공룡 발자국 화석은 중생대 말에 퇴적된 경상 누층군(㉢)에서 볼 수 있다.

5 중심지 계층 이해

문제분석 지도를 보면 다른 도시들과의 버스 운행 연결이 많은 A 도시가 버스 운행 연결이 적은 B 도시보다 높은 계층의 중심지임을 알 수 있다. 그래프에서 (가)는 A와 같은 고차 계층 도시가 B와 같은 저차 계층 도시보다 높은 지표이고, (나)는 A와 같은 고차 계층 도시보다 B와 같은 저차 계층 도시에서 높은 지표이다. 실제로 A는 청주, B는 제천이다.

정답찾기 ⑤ 고차 중심지인 A 계층 도시는 저차 중심지인 B 계층 도시보다 재화의 도달 범위가 넓고 도시 수는 적다.

오답피하기 ① 도시 수는 저차 중심지인 B 계층 도시가 많고, 재화의 도달 범위는 고차 중심지인 A 계층 도시가 넓다.
② 중심지 기능은 고차 중심지인 A 계층 도시가 많고, 중심지 간 거리도 A 계층 도시가 멀다.
③ 최소 요구치는 고차 중심지인 A 계층 도시가 크며, 중심지 기능도 A 계층 도시가 많다.
④ 중심지 간 거리는 고차 중심지인 A 계층 도시가 멀고, 최소 요구치도 A 계층 도시가 크다.

6 석탄, 석유, 천연가스의 특징 이해

문제분석 (가)는 산업 부문과 수송 부문에서 많이 이용되므로 석유이다. (나)는 가정·상업·공공 부문에서 가장 많이 이용되므로 천연가스이다. (다)는 수송 부문에는 이용되지 않고 대부분 산업 부문에서 이용되므로 석탄이다.

정답찾기 ④ (가)의 석유는 신생대 제3기층에 주로 매장되어 있고, 1차 에너지 소비량이 가장 많으므로 그림의 B와 연결된다. (나)의 천연가스는 신생대 제3기층에 주로 매장되어 있고, 화석 연료 중 연소 시 대기 오염 물질 배출량이 가장 적으므로 그림의 C와 연결된다. (다)의 석탄은 신생대 제3기층에 주로 매장되어 있지 않으므로 그림의 A와 연결된다.

7 인구 지표의 지역별 분포 특징 파악

문제분석 인구 지표의 시·군별 분포 특징을 토대로 해당 인구 지표를 추론하는 문제이다.

정답찾기 ④ (가)는 청장년층 인구 유출이 많은 군위, 의성, 진안, 임실, 합천, 고흥 등의 촌락 지역이 상위 10개 시·군에 속하는 지표이다. 이와 같은 분포 특성을 보이는 지표는 청장년층 인구 비율과 반비례하는 총 부양비이다.
(나)는 지역 내 제조업 종사자 비율이 높은 시흥, 안산, 화성, 포천, 음성, 진천, 영암 등이 상위 10개 시·군에 속하는 지표로 외국인 주민 비율이다. 특히 외국인 주민 비율은 경기 서남부 지역을 중심으로 중소 제조업체가 밀집한 지역에서 높다.
(다)는 군사 지역이 많은 휴전선 인근의 포천, 철원, 화천, 인제, 고성(강원), 중화학 공업이 발달한 거제 등이 상위 10개 시·군에 속하는 지표이다. 이와 같은 분포 특성을 보이는 지표는 여성 100명당 남성의 수를 나타내는 성비이다.

8 생산자 서비스업과 소비자 서비스업의 특성 파악

문제분석 (나)는 (가)보다 지역 내 총생산이 가장 많은 D의 집중도가 높으므로 전문 서비스업, (가)는 소매업(자동차 제외)이다. D는 2000년과 2016년 모두 지역 내 총생산이 가장 많으므로 수도권이고, 그다음으로 지역 내 총생산이 많은 C는 영남권이다. A와 B 중 2000~2016년에 지역 내 총생산의 증가가 많았던 B는 최근 수도권의 인구와 기능이 유입되는 충청권이고, A는 호남권이다.

정답찾기 ④ 충청권(B)이 호남권(A)보다 2000~2016년에 지역 내 총생산의 증가가 많았는데, 이는 수도권의 인구와 각종 기능이 충청권으로 분산된 것과 관련이 있다.

오답피하기 ① (나)의 전문 서비스업은 주로 기업을 대상으로 서비스를 제공하므로 관련 정보 획득이 유리한 대도시의 도심이나 부도심에 주로 입지한다. (가)의 소매업(자동차 제외)은 주로 소비자 개인을 대상으로 서비스를 제공하므로 분산 입지하는 경향이 강하다.
② (가)의 소매업(자동차 제외)이 (나)의 전문 서비스업보다 전국의 사업체 수가 많다.
③ (가)의 소매업(자동차 제외)은 주로 소비자에게 서비스를 제공하는 소비자 서비스업이고, (나)의 전문 서비스업은 주로 생산자인 기업에게 서비스를 제공하는 생산자 서비스업에 해당한다.
⑤ A는 호남권, B는 충청권, C는 영남권, D는 수도권이다.

9 강원도 여러 지역의 지리적 특색 파악

문제분석 지도의 A는 춘천시, B는 원주시, C는 강릉시, D는 정선군, E는 삼척시이다. 강원도는 남북으로 뻗은 태백산맥이 동쪽으로 치우쳐 있어 전반적으로 동쪽이 높고 서쪽이 낮으며, 태백산맥의 분수계를 경계로 영동(嶺東) 지방과 영서(嶺西) 지방으로 나뉜다. 또한 무연탄이 풍부하여 과거 광업이 발달하였으나, 1980년대 후반 가정용 연료의 변화와 에너지 소비 구조의 변화 등으로 인해 광업이 쇠퇴하고 관광을 중심으로 하는 서비스업이 발달하고 있다.

정답찾기 ④ 정선(D)의 인구는 석탄 산업이 활기를 띠던 1978년에 가장 많은 약 13만 명을 기록하였지만, 2015년에는 약 3만 6,000명으로 줄어드는 등 인구 유출이 심하였다. 이에 따라 정선은 관광 산업의 발달을 통해 지역 활성화를 꾀하고 있다. 북한강과 소양강이 합류하는 곳에 발달한 침식 분지에 시가지가 형성되어 있는 곳은 춘천이다.

오답피하기 ① 춘천(A)은 강원도의 도청 소재지이다. 춘천은 산지로 둘러싸인 전형적인 분지이며, 주위에 댐 건설로 조성된 호수가 많아 '호반의 도시'라고 불린다.
② 원주(B)는 강원도에서 제조업이 발달한 지역으로, 특히 의료 기기와 관련된 산업이 발달해 있다.
③ 강릉(C)은 영동 지방의 중심 도시이다. 석호인 경포호와 경포대 해수욕장과 같은 아름다운 백사장, 오죽헌과 같은 문화재 등이 있어 강원도에서도 많은 관광객이 방문하는 지역 중 하나이다.
⑤ 삼척(E)은 풍부한 석회석을 이용하여 시멘트 공업이 발달하였다.

10 제주도의 자연환경 이해

문제분석 제주도는 신생대 화산 활동에 의해 만들어진 화산섬으로 기생 화산, 용암 동굴, 주상 절리 등 다양한 화산 지형을 관찰할 수 있으며, 이 지형들은 관광 자원으로 활용되고 있다.

정답찾기 ㄴ. 동백나무는 반짝이면서 두껍고 넓은 잎을 가진 상록 활엽수로, 제주도의 해안 및 저지대에 널리 분포하는 난대림의 주요 수종이다.
ㄷ. 주상 절리는 용암이 분출한 후 냉각·수축되는 과정에서 발달한 다각형 기둥 형태의 수직 절리이다.

오답피하기 ㄱ. 유동성이 큰 현무암질 용암이 열하 분출(틈새 분출)하여 형성된 지형은 철원, 평강 등에 발달한 용암 대지이다. 오름은 기생 화산을 지칭하는 제주도 방언으로, 대부분 화산 활동 과정에서 분출한 화산 쇄설물로 이루어져 있다.
ㄹ. 우데기는 겨울철 많은 눈에 대비한 방설벽으로, 울릉도의 전통 가옥에서 볼 수 있다. 제주도의 전통 가옥에서는 강한 바람의 피해를 줄이기 위한 그물 지붕을 흔히 볼 수 있다.

11회 미니모의고사

본문 38~40쪽

1 ④	2 ①	3 ③	4 ⑤	5 ④
6 ①	7 ②	8 ④	9 ①	10 ②

1 마라도, 독도, 백령도의 특징 파악

문제분석 (가)는 위도로 보아 우리나라 최남단에 위치한 마라도이다. (나)는 경도로 보아 우리나라 최동단에 위치한 독도이다. (다)는 경·위도, 관광 자원 등 제시된 지리 정보를 종합해 볼 때 백령도이다.

정답찾기 ④ 천연 보호 구역은 보호할 만한 천연기념물이 풍부하거나 다양한 지질학적 과정 및 생물학적 진화 과정과 문화적·역사적·경관적 특성을 가진 일정한 구역을 보호하기 위해 지정한다. 마라도는 천연기념물 제423호로 지정된 천연 보호 구역이며, 독도 또한 현재 천연기념물 제336호로 지정되어 특별하게 관리·보호되고 있다.

오답피하기 ① 마라도는 남해에 위치해 있다.
② 우리나라에서 세계 자연 유산으로 등재된 곳은 '제주 화산섬과 용암 동굴'이다.
③ 우리나라 영토의 최서단(극서)에 위치하는 섬은 마안도(비단섬)이다.
⑤ 마라도, 독도의 영해 설정 기준은 통상 기선이다.

2 주요 지형 관광 자원의 분포와 특성 이해

문제분석 (가)는 충북 단양, (나)는 충남 보령, (다)는 경남 창녕에 해당한다.

정답찾기 ① (가)는 카르스트 지형이 발달한 곳이고, (나)는 갯벌이 넓게 발달해 있어 여름철에 머드 축제가 열리는 곳이다. (다)는 람사르 협약에 지정된 습지로 낙동강 홍수 시 물을 저장하는 기능을 갖고 있는 우포늪이다.
A는 빗물에 의해 석회암이 용식되어 형성된 돌리네와 석회 동굴 등을 볼 수 있는 충북 단양, B는 갯벌의 진흙을 이용해 머드 축제를 여는 충남 보령, C는 우리나라 최대 규모의 자연 내륙 습지인 우포늪이 있는 경남 창녕이다.

오답피하기 D는 전남 광양으로 제철 공장을 만들기 위해 갯벌을 매립하여 간척지를 조성하였다.

3 고위 평탄면의 특성 이해

문제분석 지도의 A 지역은 대관령면 일대로 해발 고도가 높으면서 사면의 경사가 완만한 고위 평탄면이다. 고위 평탄면은 지반 융기와 관련된 지형으로 해발 고도가 높기 때문에 여름철이 서늘하여 고랭지 농업이 이루어진다.

정답찾기 ㄴ. 대관령면 일대는 해발 고도가 높기 때문에 연평균 기온이 낮다. 또한 연 강수량이 많고 수분 증발량이 적어 상대 습도가 높은 편이다.
ㄷ. 고위 평탄면은 과거 오랜 침식으로 저평했던 지형이 신생대 제

3기에 일어난 요곡 운동으로 지반이 융기하면서 형성된 지형이다. 따라서 기복이 작고 경사가 완만한 사면이 발달해 있다.

오답피하기 ㄱ. 고위 평탄면은 지반 융기에 의해 형성되었다. 기반암의 차별 침식에 의해 형성된 지형으로는 침식 분지를 들 수 있다.
ㄹ. 대관령면 일대의 밭작물 재배는 완만한 사면을 그대로 이용하는 경우가 많으며, 여름철의 서늘한 기후 조건을 이용한 고랭지 농업이 주를 이루기 때문에 대부분 노지 재배 형태로 이루어진다. 시설 농업은 대도시 근교 농촌에서 주로 행해진다.

4 우리나라의 기온 분포 특색 이해

문제분석 그래프에서 A, B, C 지역의 최난월 평균 기온은 약 25.7℃로 모두 같지만, A 지역은 기온의 연교차가 가장 작고, C 지역은 기온의 연교차가 가장 크다. D 지역은 최난월 평균 기온이 약 19.1℃로 가장 낮다. 지도에 표시된 네 지역은 서울, 대관령, 군산, 포항이다. 따라서 A는 포항, B는 군산, C는 서울, D는 대관령이다.

정답찾기 ⑤ D(대관령)는 다설지로 겨울 강수량이 많다.

오답피하기 ① A와 C의 최난월 평균 기온은 같지만, A는 C보다 기온의 연교차가 작으므로 최한월 평균 기온이 높음을 알 수 있다. 남쪽으로 가면서 최한월 평균 기온이 높아지므로, A(포항)는 C(서울)보다 위도가 낮다.
② 최한월 평균 기온은 최난월 평균 기온에서 기온의 연교차를 뺀 값이다. 최한월 평균 기온은 B가 −0.4℃(=25.7−26.1), A가 1.8℃(=25.7−23.9)이다.
③ B는 D보다 최난월 평균 기온이 높고 기온의 연교차가 약간 작다. 따라서 B(군산)는 D(대관령)보다 해발 고도가 낮다.
④ 최한월 평균 기온은 C가 −2.4℃(=25.7−28.1), B가 −0.4℃(=25.7−26.1)이다. 따라서 C(서울)는 B(군산)보다 겨울이 추운 곳이므로 무상 기간이 짧다.

5 백화점과 편의점의 특징 비교

문제분석 (가)는 근무 시간과 업무 내용 등을 통해 유추해 볼 때 편의점, (나)는 근무 조건과 분야(주차장 관리) 등을 고려해 볼 때 백화점의 구인 광고이다.

정답찾기 ㄴ. 편의점은 백화점보다 저차 중심지에 해당하고 최소 요구치의 범위가 좁으므로 제품 구매를 위한 소비자의 평균 이동 거리가 짧다.
ㄹ. 백화점은 편의점보다 자가용 승용차 이용 고객의 비중이 높다.

오답피하기 ㄱ. 백화점이 편의점보다 판매하는 제품의 종류가 다양하다.
ㄷ. 백화점이 편의점보다 사업체당 매출액 규모가 크다.

6 도시 재개발의 유형별 특징 비교

문제분석 (가)는 보존 재개발, (나)는 철거 재개발의 사례이다. 보존 재개발은 역사·문화적으로 보존할 가치가 있는 지역의 환경 악화를 예방하고 유지·관리하는 방식이다. 철거 재개발은 기존의 낡은 가옥과 건물들을 완전히 철거하고 새로운 건물로 대체하는 방식이다.

정답찾기 ① (가)의 보존 재개발은 (나)의 철거 재개발보다 기존 건물의 활용도가 높고, 새로운 건물을 짓는 것이 아니기 때문에 원거주민 이주율이 낮으며, 지역 공동체 유지 가능성이 높다.
(나)의 철거 재개발은 낡은 건물을 모두 철거하고 아파트와 같은 대규모 주거 시설을 건설하기 때문에 (가)의 보존 재개발보다 투입 자본 규모가 크다.

7 지역별 농업 구조의 특징 비교

문제분석 경지 면적별 농가 수 비중 그래프를 보면 (나)는 (가)보다 0.5ha 미만의 소규모 경지를 보유한 농가의 비중이 낮은 반면 2.0ha 이상의 넓은 경지를 보유한 농가의 비중이 높다. 거처 형태별 농가 수 비중 그래프를 보면 (나)는 (가)보다 단독 주택에 거주하는 농가의 비중이 높은 반면 아파트에 거주하는 농가의 비중이 낮다. 따라서 (가)는 서울과 인접해 있으며 도시적 경관이 많이 들어서 있는 경기도 하남시이고, (나)는 넓은 평야 지역에서 논농사가 활발하게 이루어지고 있는 전라북도 김제시이다.

정답찾기 ㄱ. (나)는 (가)보다 넓은 경지를 소유한 농가 수 비중이 높으므로 농가당 경지 면적도 넓다.
ㄷ. 논농사가 활발한 전라북도 김제시(나)는 서울과 인접하여 소규모의 밭농사 중심으로 농업 활동이 이루어지는 경기도 하남시(가)보다 경지 면적에서 논이 차지하는 비중이 높다.

오답피하기 ㄴ. (나)는 (가)보다 경지 규모가 큰 농가의 비중이 높은 것과 대도시와의 접근성 등을 종합해 볼 때 경지의 단위 면적당 지가가 낮다는 것을 알 수 있다.
ㄹ. 전라북도 김제시(나)는 서울과 인접한 경기도 하남시(가)보다 겸업농가의 비중이 낮다.

8 부산의 산업 변화 이해

문제분석 그래프에 제시된 제조업 업종별 종사자 비중 변화를 살펴보면 1999년에는 의복, 가죽 및 신발, 섬유 제품 제조업 등 경공업에 종사하는 사람들의 비중이 높았으나, 2014년에는 기타 기계 및 장비, 금속 가공 제품, 자동차 및 트레일러 제조업 같은 중화학 공업에 종사하는 사람들의 비중이 높았다. 따라서 제시된 지역은 과거 가죽, 신발 같은 경공업이 발달하였으나, 2000년대 들어 해당 제조업의 종사자 수가 감소하였음을 알 수 있다. 지도의 A는 경상북도 구미시, B는 대구광역시, C는 경상북도 포항시, D는 부산광역시, E는 경상남도 창원시이다.

정답찾기 ④ 부산은 1980~1990년대까지 신발과 섬유 공업 같은 경공업이 발달하였으나, 국내 노동자의 임금 상승, 세계 무역 구조 변화 등의 이유로 노동력이 저렴한 중국과 동남아시아 지역으로 공장이 이전하여 산업 구조가 변화하였다.

오답피하기 ① 구미는 1970년대 이후 산업 단지가 건설되면서 전자 공업이 발달하였다.
② 대구도 부산과 마찬가지로 과거 신발과 섬유 공업에 종사하는 사람들의 비중이 높았으나, 현재는 국내 노동자의 임금 상승 등의 이유로 종사자 수가 크게 감소하였다. 그러나 대구의 경우 2014년 섬유, 의복과 식료품 공업 같은 경공업에 종사하는 사람들의 비중

이 약 25%로 다른 지역에 비해 높은 편이다.
③ 포항은 2014년 전체 제조업 종사자 중 1차 금속 제조업이 차지하는 비중이 절반을 넘고 있다.
⑤ 창원은 1970년대 중반에 창원 공업 단지가 조성되어 기계, 자동차, 선박 관련 중화학 공업에 종사하는 사람들이 큰 비중을 차지하고 있다.

9 경기, 충남, 경남의 인구 특성 이해

문제분석 지도의 A는 경기도, B는 충청남도, C는 경상남도이다.

정답찾기 ① 그래프의 (가) 지역은 인구 규모가 가장 크므로 인구 1,000만 명이 넘는 경기도임을 알 수 있다. (나)와 (다) 지역 중 인구 규모는 (다) 지역이 크지만 65세 이상 인구 비중과 지역 내 인구에서의 결혼 이민자 비중은 (나) 지역이 높은 것으로 보아 (나)는 충청남도, (다)는 경상남도임을 알 수 있다.

오답피하기 경상남도에는 인구 100만 명이 넘는 창원시, 50만 명이 넘는 김해시, 35만 명의 진주시 등의 도시가 분포한다.

10 강원도 여러 지역의 기후 특색 비교

문제분석 지도의 세 지역은 춘천, 대관령, 강릉이다. 이들 지역의 기후 특색을 통해 (가)~(다) 지역을 판별한 후 지역 간 기후 차이를 비교하면 된다.

정답찾기 ② 자료는 세 지역의 여름 평균 기온과 강수 집중률, 겨울 평균 기온과 강수 집중률을 나타낸 것이다. 겨울 평균 기온은 강릉>춘천>대관령 순으로 높으므로 (가)는 강릉, (나)는 대관령, (다)는 춘천이다. 한편 여름 강수 집중률은 춘천>대관령>강릉 순으로 높다. 동해안에 위치한 강릉(가)은 내륙에 위치한 춘천(다)보다 바다의 영향을 크게 받는다.

오답피하기 ① 대관령(나)이 강릉(가)보다 해발 고도가 높다.
③ 해발 고도가 낮아 겨울이 온화한 강릉(가)이 대관령(나)보다 진달래의 개화 시기가 이르다.
④ 해발 고도가 낮은 춘천(다)이 해발 고도가 높은 대관령(나)보다 농작물의 생육 가능 기간이 길다.
⑤ 연 강수량은 남서 기류와 북동 기류가 통과하는 대관령(나)이 춘천(다)보다 많다.

12회 미니모의고사

본문 41~43쪽

1 ⑤	2 ⑤	3 ③	4 ③	5 ③
6 ②	7 ③	8 ⑤	9 ④	10 ⑤

1 조선 전기와 조선 후기의 지리지 비교

문제분석 조선 전기의 지리지는 다양한 자료를 항목별로 묶어 백과사전식으로 나열하였고, 조선 후기의 지리지는 백과사전식에서 탈피하여 서술한 것이 특징이다. 따라서 백과사전식으로 기술된 (가)는 신증동국여지승람의 일부이고, 설명식으로 기술된 (나)는 택리지의 일부이다.

정답찾기 ㄴ. A는 서울로부터 남쪽으로 1천 44리 떨어져 있고, 전복, 미역, 유자 등과 같은 토산품이 있는 것으로 보아 남해안에 위치한 곳이다. B는 한강 상류에 위치하였다는 것으로 보아 A보다 고위도에 위치한다. 실제로 A는 거제, B는 충주이다.
ㄷ. 조선 전기에 제작된 관찬 지리지인 (가)는 조선 후기에 제작된 사찬 지리지인 (나)보다 제작 시기가 이르다.
ㄹ. (나)는 실학사상의 영향을 받아 국토를 과학적 관점에 토대를 두고 해석하는 저자의 인식이 반영되어 있다.

오답피하기 ㄱ. 한강 상류에 있어 물길로 왕래하기에 편리하다는 내용은 가거지의 조건 중 생리(生利)와 관련이 있다.

2 우리나라 도시 성장의 특징 이해

문제분석 지도에 표시된 도시는 용인, 천안, 포항, 김제, 부산이다. (가)는 총인구가 (가)~(마) 중 가장 많고 최근의 인구 증가율이 음(−)이므로 부산이다. (마)는 최근의 인구 증가율이 가장 높으므로 서울의 인구가 분산되고 있는 용인이고, (라)는 최근 수도권의 인구와 기능 분산으로 성장하고 있는 천안이다. (나)는 1975~1995년의 인구 증가율은 높았으나 최근에는 인구 증가율이 낮은 포항이다. (다)는 인구가 감소하고 있는 곳으로 김제이다.

정답찾기 ⑤ 용인은 부산보다 도시 발달의 역사가 짧다. 용인은 1990년대 이후 서울의 인구가 분산되면서 크게 성장한 위성 도시로, 1996년 용인군에서 용인시로 승격되었다.

오답피하기 ①은 용인, ②는 천안, ④는 포항과 관련된 설명이다.
③ 국토 개발 과정에서 성장 거점의 역할을 한 곳은 서울, 부산 등의 대도시이고, 김제는 상대적으로 개발에서 소외되어 인구가 정체 혹은 감소하였다.

3 우리나라 지체 구조의 특성 파악

문제분석 (가)는 시·원생대로 A는 변성암이다. (나)는 고생대로 B는 평안 누층군이다. (다)는 신생대로 C는 퇴적암이다. (라)는 중생대이며, D는 육성층인 경상 누층군으로 퇴적암이다.

정답찾기 ③ 고생대 말기~중생대 초기에 퇴적된 평안 누층군(B)에는 습지에서 형성된 무연탄이 매장되어 있으며, 신생대 제3기층(C)인 두만 지괴와 길주·명천 지괴에는 갈탄이 매장되어 있다. 무연탄과 갈탄은 모두 석탄의 한 종류에 해당된다.

오답피하기 ① A는 대부분 변성암으로, 변성암 산지는 오랜 기간 풍화와 침식을 받아 흙산을 이루는 경우가 많다.

② B는 고생대 말기～중생대 초기에 퇴적된 평안 누층군으로 고생대 초기에 퇴적된 조선 누층군보다 퇴적된 시기가 늦다.

④ C와 D 모두 퇴적암에 해당한다.

⑤ 오래된 순서로 지질 시대를 배열하면 (가) → (나) → (라) → (다) 순이다.

4 하천 중·상류 일대의 지형과 중·하류 일대의 지형 비교

문제분석 A는 배후 습지, B는 자연 제방, C는 우각호, D는 자유 곡류 하천, E는 감입 곡류 하천, F는 구하도에 해당한다.

정답찾기 ③ 구하도인 F는 과거 하천이 흘렀던 지역이므로 둥근 자갈이나 모래가 발견된다.

오답피하기 ① 우각호인 C는 곡류 하천이 유로를 변경하는 과정에서 하천의 목 부분이 절단되면서 형성된 소뿔 모양의 호수이다.

② 주상 절리는 용암이 분출한 후 냉각되는 과정에서 발달한 다각형 기둥 형태의 절리로 화산 지형에 속한다.

④ 범람원은 장기간에 걸쳐 하천의 범람에 의해 운반된 물질이 쌓여 형성된 퇴적 지형으로 자연 제방과 배후 습지로 구성된다. 배후 습지인 A는 자연 제방인 B에 비해 퇴적물 중 점토의 비중이 높아 토양의 투수성이 작다.

⑤ D는 평야 위를 곡류하는 자유 곡류 하천이고, E는 산지 사이를 곡류하는 감입 곡류 하천이다.

5 지구 온난화의 영향 이해

문제분석 지도는 1971～2000년에 비해 2091～2100년에 겨울 시작일이 매우 늦어질 것이라는 것을 보여 주고 있다. 이러한 변화는 지구 온난화의 영향 때문이다. 지구 온난화가 지속되면 겨울이 짧아지고 여름은 길어진다. 따라서 봄 시작일은 빨라지고 겨울 시작일은 늦어진다.

정답찾기 ③ 냉대림의 분포 면적이 축소되고, 난대림의 분포 면적이 확대된다.

오답피하기 ① 겨울 시작일이 늦어지므로 단풍이 드는 시기가 늦어진다.

② 난대성 과일인 감귤의 재배 북한계가 북쪽으로 이동한다.

④ 말라리아, 뎅기열, 황열병 등과 같은 열대성 질병의 발생이 증가한다.

⑤ 연해의 수온 상승으로 연해에서 서식하는 난류성 어종의 비중이 증가한다.

6 1차 에너지별 소비량 및 발전량 비중 이해

문제분석 1985년과 2015년에 소비량 비중이 가장 높은 A는 석유이다. 1985년과 2015년에 소비량 비중이 석유 다음으로 높고, 2015년에 발전량 비중이 가장 높은 B는 석탄이다. 1985년에는 소비량과 발전량 비중이 없었으나 이후 소비량과 발전량이 크게 증가하여 2015년에 석유, 석탄 다음으로 소비량 비중이 높은 C는 천연가스이다. 2015년에 석탄 다음으로 발전량 비중이 높은 D는 원자력이다. 2015년에 소비량 비중과 발전량 비중이 모두 가장 낮은 E는 수력이다.

정답찾기 ② 석탄은 화석 에너지 중에서 연소 시 대기 오염 물질 배출량이 가장 많고, 천연가스는 가장 적다.

오답피하기 ① 석유는 화석 에너지 중에서 수송용으로 이용되는 비중이 가장 높고, 석탄은 수송용으로 거의 이용되지 않는다.

③ 그래프를 보면 천연가스는 원자력보다 1985～2015년의 발전량 비중 증가 폭이 크다는 것을 파악할 수 있다.

④ 원자력은 수력보다 상업적 발전에 이용되기 시작한 시기가 늦다.

⑤ 재생 가능한 자원에 해당하는 수력은 재생 불가능한 자원에 해당하는 석유보다 자원의 고갈 가능성이 낮다.

7 지역별 제조업 발달 특징 분석

문제분석 2000년과 2014년에 사업체 수와 종사자 수가 가장 많은 A는 수도권이고, 수도권 다음으로 사업체 수와 종사자 수가 많은 B는 영남권이다. C와 D는 충청권과 호남권 중 하나인데, C는 D보다 2000～2014년의 사업체 수 증가율과 종사자 수 증가율이 높다. 따라서 C는 최근 수도권에서 분산된 공업이 입지하면서 빠르게 공업이 성장하고 있는 충청권이고, D는 호남권이다.

정답찾기 ③ 그래프를 보면 C의 종사자 수는 2000년에 약 25만 명, 2014년에 약 44만 명으로 2000～2014년에 약 1.7배 증가하였다. D의 종사자 수는 2000년에 약 17만 명, 2014년에 약 24만 명으로 2000～2014년에 약 1.4배 증가하였다. 따라서 C는 D보다 2000～2014년의 종사자 수 증가율이 높다.

오답피하기 ① A는 B보다 2014년에 사업체 수가 많고 출하액은 적으므로 사업체당 출하액이 적다.

② B는 C보다 2000년에 출하액이 많다.

④ 강원·제주권을 비롯한 A～D 모든 지역은 2000～2014년에 사업체 수가 증가하였다.

⑤ A는 수도권, B는 영남권, C는 충청권, D는 호남권에 해당한다.

8 수도권 시·도의 인구 이동 및 통근·통학 특색 비교

문제분석 위 그래프는 수도권 세 시·도의 인구 순 이동을, 아래 그래프는 수도권 세 시·도의 통근·통학 인구를 나타낸 것이다. 인천이 서울 및 경기에 비해 인구 규모가 작다는 점, 전출과 전입에 따른 인구 이동은 주로 서울에서 경기로 이루어지고, 통근·통학에 따른 인구 이동은 주로 경기에서 서울로 이루어진다는 점에 착안하면 된다.

정답찾기 ⑤ (가)～(다) 중 인구 순 이동(전입 인구－전출 인구)이 가장 적은 (가)는 인천이고, (나)와 (다) 중 서울의 교외화 과정에서 인구가 증가한 (나)는 경기, 인구가 감소한 (다)는 서울이다. A～C 중 통근·통학 인구 규모가 가장 작은 C는 인천이고, A와 B 중 수도권 내 다른 시·도, 즉 서울과 인천으로의 통근·통학 인구가 많은 B는 경기이며, A는 서울이다. 따라서 인천-(가)-C, 경기-(나)-B, 서울-(다)- A의 연결이 옳다.

9 외국인 주민의 특성 파악

문제분석 국내에 거주하는 외국인의 유형은 외국인 근로자, 결혼 이민자, 외국 국적 동포, 유학생, 기타 외국인으로 구분된다. 이 중에서 외국인 근로자가 가장 많으며, 결혼 이민자의 경우 여성이 남성보다 4배 이상 많다.

정답찾기 ㄴ. 국내에 거주하는 외국인 주민 중 그 수가 가장 많은 A는 외국인 근로자이며, B는 결혼 이민자이다. 결혼 이민자의 경우 중국(한국계 중국인 포함) 국적이 가장 많다.

ㄹ. 국내에 거주하는 외국인 주민의 경우 남성이 여성보다 많다. 그러나 결혼 이민자의 경우 남성보다 여성이 월등히 많다. 따라서 ㉠은 여성, ㉡은 남성이다.

오답피하기 ㄱ. A는 외국인 근로자이다. 국내에 거주하는 외국인 근로자 중 절반 가까이가 중국 출신이며, 그다음으로는 베트남, 인도네시아, 캄보디아 출신으로 대부분 개발 도상국에서 유입되었다.

ㄷ. 국내에 거주하는 평균 체류 기간은 결혼 이민자가 외국인 근로자보다 길다.

10 천안, 아산, 당진의 제조업 특성 이해

문제분석 A는 충청남도 당진시에서 60% 이상을 차지하며, B는 충청남도 아산시와 천안시에서 큰 비중을 차지하고, C는 충청남도 아산시에서 큰 비중을 차지하고 있다. 1차 금속 제조업은 제철소가 입지한 지역에서 큰 비중을 나타내며, 자동차 및 트레일러 제조업은 자동차 생산 공장이 있는 지역에서 큰 비중을 나타낸다.

정답찾기 A는 당진시의 제조업에서 가장 큰 비중을 차지하는 것으로 보아 1차 금속 제조업이다. 당진시에는 대규모 제철소가 입지해 있다. C는 충청남도 아산시가 큰 비중을 차지하는 것으로 보아 자동차 및 트레일러 제조업이다. 아산시에는 대규모 완성차 생산 공장이 입지해 있다. 따라서 아산시와 천안시에서 큰 비중을 차지하는 B는 전자 부품·컴퓨터·영상·음향 및 통신 장비 제조업이다.

⑤ 1차 금속 제조업에서 생산된 제품(선철, 제강)은 자동차 공업의 주요 원료로 사용된다.

오답피하기 ① A의 1차 금속 제조업 중 제철 공업은 대량의 원료와 제조 시설이 필요한 공업이다. 관련 공업의 집적이 이루어지는 종합 조립 공업은 자동차 공업이다.

② B는 전자 부품·컴퓨터·영상·음향 및 통신 장비 제조업이다. 1960년대 우리나라 수출에서 가장 큰 비중을 차지한 품목은 철광석, 텅스텐 같은 광물 및 수산물이다.

③ C는 자동차 및 트레일러 제조업으로 종합 조립 공업에 해당한다. 산업 연계 효과가 큰 기초 소재 공업은 1차 금속 제조업이다.

④ 수도권의 출하액은 B가 A보다 많은데, 그 이유는 1차 금속 제조업, 즉 제철소가 주로 포항과 광양 같은 비수도권에 집중해 있기 때문이다. 반면 전자 부품·컴퓨터·영상·음향 및 통신 장비 제조업은 경기도에 집중해 있다.

13회 미니모의고사

본문 44~46쪽

1 ④	2 ③	3 ④	4 ①	5 ①
6 ⑤	7 ④	8 ①	9 ②	10 ④

1 우리나라의 위치 특성 이해

문제분석 지도는 우리나라의 수리적 위치를 표현하고 있다. 수리적 위치는 위도와 경도로 표현되는 위치로, 우리나라는 33°~43°N, 124°~132°E에 위치한다.

정답찾기 ㄴ. (라)와 48°07′38″W에 위치한 지점은 경도가 180° 차이가 나는 지점이다. 경도가 180° 차이가 나는 곳은 서로 낮과 밤이 반대이다.

ㄹ. 해가 뜨고 지는 시각은 동쪽으로 갈수록 대체로 이르다. 따라서 (나)는 (라)보다 일출 시각과 일몰 시각이 모두 늦다.

오답피하기 ㄱ. (다) 지점의 경도는 127°30′E이지만, 우리나라는 135°E를 표준 경선(표준시를 정하는 기준이 되는 경선)으로 사용한다. 즉, 우리나라는 135°E에 태양이 남중할 때를 낮 12시로 하는 시간대를 사용한다. 따라서 (다) 지점에 태양이 남중할 때의 시각은 12시 30분으로 정오(12시)보다 늦다.

ㄷ. (가)는 (마)보다 위도가 높다. 최한월 평균 기온은 위도가 높을수록 대체로 낮아진다. 따라서 (가)는 (마)보다 최한월 평균 기온이 낮다.

2 해안 침식 지형과 해안 퇴적 지형의 특징 이해

문제분석 A는 해안 단구, B는 육계도, C는 사빈, D는 석호, E는 사주이다. 해안 단구는 지반 융기 또는 해수면 변동으로 형성된 계단 모양의 지형이다. 육계도는 사주에 의해 육지와 연결된 섬이며, 사빈은 파랑이나 연안류의 퇴적 작용으로 형성된 모래 해안이다. 석호는 후빙기 해수면 상승으로 형성된 만의 입구에 사주가 발달하여 형성된다.

정답찾기 ③ 사빈은 주로 파랑이나 연안류의 퇴적 작용으로 형성된 모래 지형이다.

오답피하기 ① A는 등고선의 간격이 비교적 넓은 부분으로 해안 단구이다. 해안 단구는 지반 융기 또는 해수면 변동으로 형성된다.

② B는 육지와 연결된 섬으로 육계도이다. 주로 조류의 영향을 받아 형성된 것은 갯벌이다.

④ 석호의 물은 생활용수나 농업용수로 이용하기에는 염도가 높다. 따라서 석호의 물이 대부분 주변 지역의 생활용수나 농업용수로 이용된다고 보기 어렵다.

⑤ 사주는 파랑 에너지가 분산되는 곳에 주로 발달한다. 파랑 에너지가 집중되는 곳에는 해식애, 해식동 등 해안 침식 지형이 발달한다.

3 침식 분지의 이해

문제분석 제시된 자료는 침식 분지의 특성을 조사하는 탐구 보고서이다.

정답찾기 ④ 산지로 남아 있는 암석은 중생대에 관입한 화강암이 아니라 시·원생대에 형성된 편마암이며, 평지의 기반암이 중생대에 관입한 화강암이다.

오답피하기 ① 침식 분지는 암석의 경연 차에 따른 차별 침식으로 형성된 지형으로, 우리 조상들의 주된 삶의 터전으로 활용되었다.
② 탐구 대상 지역의 지형도를 보면, 주변은 산지로 둘러싸여 있고 중앙부는 평지를 이루고 있는 침식 분지임을 알 수 있다.
③ 침식 분지의 형성 과정인 차별 침식 과정을 이해하기 위해서는 산지와 평지의 기반암 차이 및 주요 암석의 형성 시기와 풍화 특성 등을 조사해야 한다.
⑤ 침식 분지에는 기온 역전 현상에 의한 안개가 자주 발생한다. 이로 인해 농작물에는 냉해 피해가 발생할 수 있으며, 도시에서는 스모그 피해가 발생할 수 있다.

4 여름과 겨울의 바람 특징 이해

문제분석 (가)는 북풍 계열의 바람 빈도가 높고, (나)는 남풍 계열의 바람 빈도가 높다. (가)는 1월, (나)는 7월의 바람장미이다.

정답찾기 ㉠ 겨울에는 대륙성 기단인 시베리아 기단의 영향을 주로 받는다.
㉡ 바람장미를 분석해 보면 (가)는 북서풍의 빈도가 높고, (나)는 남동·남서풍의 빈도가 높다.

오답피하기 ㉢ 겨울에 대비하여 온돌 문화가 발달하였고, 여름에 대비하여 대청마루가 발달하였다.
㉣ 강수량은 겨울보다 여름에 더 많다.

5 서울의 구(區)별 특성 파악

문제분석 지도의 (가)는 서울의 도심으로 상업·업무 기능이 집중된 지역, (나)는 경공업 중심지에서 첨단 산업의 입지로 변화하여 성장하고 있는 가산 디지털 단지 지역, (다)는 서울의 주변 지역으로 주거 기능이 발달한 지역, (라)는 각종 기능이 입지해 유동 인구가 많고 대단위 아파트 단지가 조성되어 상주인구도 많은 지역이다. 지도의 (가)는 중구, (나)는 금천구, (다)는 도봉구, (라)는 강남구이다.

정답찾기 ① 그래프에서 상주인구에 대한 주간 인구의 비율이 가장 높은 A는 중구에 해당한다. 1995년에 비해 2010년 상주인구보다 주간 인구가 증가한 B는 금천구에 해당한다. 상주인구가 주간 인구보다 많은 C는 도봉구, 상주인구에 대한 주간 인구의 비율인 주간 인구 지수가 A 다음으로 높아 상업·업무 기능이 발달하고 상주인구와 주간 인구가 다른 구에 비해 많은 D는 강남구에 해당한다. 따라서 (가)는 A, (나)는 B, (다)는 C, (라)는 D이다.

6 석유, 석탄, 천연가스의 부문별 소비 특징 이해

문제분석 산업용 소비 비중이 높은 (가)는 석탄, 1995년에 비해 2013년 가정용 소비 비중이 감소하고 수송용 소비 비중이 증가한 (나)는 석유, 가정용 소비 비중이 높은 (다)는 천연가스이다.

정답찾기 ⑤ 2014년 기준 1차 에너지원별 발전량 비중은 석탄>원자력>천연가스>석유 순이다. 따라서 (가)의 석탄을 이용한 발전량이 (나)의 석유를 이용한 발전량보다 많다.

오답피하기 ① (가)의 석탄은 오스트레일리아, 인도네시아 등에서 주로 수입하고 있으며, 대부분 서남아시아 국가에서 수입하는 에너지 자원은 석유이다.
② 냉동 액화 기술의 발달로 소비량이 급증한 에너지 자원은 (다)의 천연가스이다.
③ 1차 에너지 소비에서 차지하는 비중이 가장 높은 에너지 자원은 (나)의 석유이다.
④ (다)의 천연가스는 (가)의 석탄보다 상업적으로 이용되기 시작한 시기가 늦다.

7 수도권의 공간 구조 변화 이해

문제분석 서울로부터 가까운 거리에 위치한 (가) 지역은 1980년대부터 서울의 교외화에 의해 많은 인구가 유입된 과천과 광명이며, (나) 지역은 근래에 서울과 연결된 고속 국도와 수도권 전철망 등의 교통로가 발달하면서 서울로부터의 교외화가 급속히 진행되고 있는 용인과 화성이다.

정답찾기 ④ 상업지 평균 지가는 대체로 대도시에서 가깝고 도시화가 많이 진전된 지역일수록 높게 나타난다. 따라서 (나) 지역이 (가) 지역보다 상업지 평균 지가가 낮다. 이와 반대로 1차 산업 종사자 비율은 일반적으로 대도시에서 멀리 떨어져 있으며 도시화가 늦은 지역일수록 높게 나타난다. 따라서 (나) 지역이 (가) 지역보다 1차 산업 종사자 비율이 높다. 주간 인구 지수는 외부로 나가는 통근·통학 인구가 많은 지역일수록 낮게 나타난다. 따라서 서울로의 통근·통학률이 낮은 (나) 지역이 (가) 지역보다 주간 인구 지수가 높다.

8 교통수단별 특성 이해

문제분석 A는 국내 화물 수송량이 B, C보다 적고 항공보다는 많으므로 철도이다. B는 국내 화물 수송량이 가장 많으므로 도로, C는 B 다음으로 국내 화물 수송량이 많으므로 해운이다. 한편 국제 화물 수송량이 가장 많은 (가)는 해운, (나)는 항공이며, 도로와 철도는 국토 분단 상황으로 인해 국제 화물 수송에 이용되지 않는다.

정답찾기 ① A의 철도는 정시성과 안전성이 우수하다는 장점이 있으나, 지형적 제약을 크게 받는다.

오답피하기 ② B의 도로는 출발지 앞에서 도착지 앞까지 바로 연결해 주는 문전 연결성이 가장 우수한 교통수단이다.
③ C의 해운이 B의 도로보다 대량 화물 수송에 유리하므로 운행 1회당 화물 수송량이 많다.
④ C의 해운은 A의 철도보다 기상 조건의 영향을 크게 받는다.
⑤ B의 도로는 국제 화물 수송에 이용되지 않으며, (가)는 해운이다.

9 우리나라의 연령층별 인구 구조와 총 부양비 분석

문제분석 유소년층 인구 비중은 지속적으로 감소하는 경향을 보이다가 2050년대에는 정체되는 경향이 나타난다. 노년층 인구 비중은 지속적으로 증가하는데, 특히 2020~2040년에 빠르게 증가하는 경향이 나타난다. 이러한 현상이 나타날 것으로 예측되는 주요 원인은 1960년을 전후한 시기에 태어난 출산 붐 세대가 노년층에 진입하는 것이다. 총 부양비는 2010년대까지 감소하다가 이후 증가하는 경향이 나타날 것으로 예측된다.

정답찾기 ㄱ. 청장년층 인구 비중과 총 부양비는 반비례한다. (가) 시기에 총 부양비는 지속적으로 감소하였으므로 청장년층 인구 비중은 지속적으로 증가하였다.

ㄷ. (다) 시기에 유소년층 인구 비중은 큰 변화가 없고 노년층 인구 비중은 증가하고 있으므로, 총 부양비 증가의 주요 원인은 노년층 인구 비중의 증가이다.

오답피하기 ㄴ. 유소년 부양비는 유소년층 인구 비중을 청장년층 인구 비중으로 나눈 후 100을 곱하여 구할 수 있다. (나) 시기에 유소년층 인구 비중은 10~20% 사이이므로 유소년 부양비는 10 이상이다.

ㄹ. 노령화 지수는 노년층 인구 비중을 유소년층 인구 비중으로 나눈 후 100을 곱하여 구할 수 있다. (다) 시기에 유소년층 인구 비중은 약 10%, 노년층 인구 비중은 약 35~40%이므로 노령화 지수는 300 이상이다.

10 호남과 영남 지방의 주요 문화적 자원 파악

문제분석 (가)는 죽세공예가 발달한 전라남도 담양군에서 개최되는 대나무 축제와 관련된 자료이다. (나)는 전통 별신굿 탈놀이를 계승하여 개최하는 경상북도 안동시의 국제 탈춤 페스티벌과 관련된 것이다.

정답찾기 ④ 지도의 B는 전라남도 북부 내륙에 위치한 담양군이다. 담양군은 해마다 5월에 이 지역 전통인 '대심는 날'의 의미를 되살리고 지역 산업을 널리 알리기 위해 대나무 축제를 개최한다.

지도의 C는 경상북도 내륙에 위치한 안동시이다. 안동시는 매년 10월에 이 지역의 전통인 하회 별신굿 탈놀이를 현대적으로 계승하고 알리기 위해 국제 탈춤 페스티벌을 개최한다. 이 축제는 세계 문화유산으로 등재된 하회 마을과 더불어 많은 관광객을 불러 모으고 있다.

오답피하기 지도의 A는 충청남도 서해안에 위치한 보령시이다. 보령시는 넓게 발달한 갯벌을 배경으로 머드 축제를 개최하고 있다.

14회 미니모의고사

본문 47~49쪽

1 ①	2 ③	3 ②	4 ②	5 ①
6 ②	7 ④	8 ④	9 ③	10 ④

1 대동여지도의 분석

문제분석 대동여지도는 지도표(범례)를 활용하여 각종 지리 정보를 좁은 지면에 효과적으로 표현하였다. 고을과 고을을 잇는 도로에 10리마다 방점을 찍어 대략적인 거리를 파악할 수 있으며, 이외에도 전국에 분포하는 주요 교통망, 통신망 등을 표현하였다.

정답찾기 ① A 주변의 하천은 단선으로 표시하여 배가 다닐 수 없음을 밝히고 있다.

오답피하기 ② A는 읍치로 관아가 있는 지방 행정 중심지이다.

③ A에서 가장 가까운 창고는 북쪽에 위치한다. A와 창고 사이에 표시된 방점을 통해 A와 창고의 거리가 약 20리라는 것을 알 수 있다.

④ 지도상에서 A와 B의 사이에는 역참이 위치한다. 역참은 국가의 명령이나 공문서를 전달하고, 외국 사신을 맞이하고 전송하며 접대하는 일을 위해 마련된 교통·통신 기관에 해당한다.

⑤ A에서 B까지 도로를 따라 최단 거리로 이동할 때 물줄기가 3개 있으므로 하천을 세 번 이상 건너야 하고, 산줄기가 가로막고 있으므로 고개를 한 번 이상 넘어야 한다.

2 호남 지방 주요 시·군의 특색 파악

문제분석 지도의 A는 전라북도 군산시, B는 전라북도 전주시, C는 전라남도 영광군, D는 전라남도 영암군, E는 전라남도 순천시이다.

정답찾기 ③ 호남 지방에서 대규모 제철소가 입지한 곳은 전라남도 남동부에 위치한 광양시이다. 영광군에는 원자력 발전소가 입지해 있다.

오답피하기 ① 금강 하굿둑이 건설되면서 용수 확보가 쉬워졌으나, 하천이 오염되는 등 생태계가 훼손되고 있다.

② 전주시는 한옥 마을과 비빔밥, 세계 소리 축제 등의 문화적 자원을 바탕으로 적극적인 장소 마케팅을 펼치고 있다.

④ 우리나라의 하굿둑은 금강, 영산강, 낙동강 하구에 설치되어 있다. 이 중 호남 지방에 위치한 하굿둑은 충청남도 서천군과 전라북도 군산시 사이에 건설된 금강 하굿둑과 전라남도 영암군과 목포시 사이에 건설된 영산강 하굿둑이 있다.

⑤ 순천만의 갯벌은 습지 보호를 위한 국제 협약인 람사르 협약에 의해 등록된 연안 습지이다.

3 범람원의 자연 제방과 배후 습지 비교

문제분석 지도의 (가) 지역은 논농사를 하고 있는 것으로 보아 배후 습지에 해당한다. 하천 바로 옆에 위치해 있는 (나) 지역은 마을이 입지해 있는 것으로 보아 자연 제방에 해당한다.

정답찾기 ② 자연 제방을 밭으로 이용하는 이유는 퇴적물의 입자가 커서 배수가 잘되기 때문이며, 배후 습지는 퇴적물의 입자가 작아 배수가 불량하기 때문에 배수 시설을 설치한 후 논으로 개간하여 이용하고 있다. 취락이 자연 제방에 입지해 있는 이유는 고도가 높아 홍수 시 침수의 위험이 적기 때문이다.

오답피하기 면적과 비옥도는 범람원의 토지 이용에 큰 영향을 주고 있지 않다. 범람원은 침수가 잦은 지역으로 홍수 피해를 줄일 수 있는 곳이 취락 입지의 최우선 고려 대상이었으며, 방어나 득수는 범람원의 취락 입지에서 중요한 요소라고 볼 수 없다.

4 용암 동굴의 분포와 특징 이해

문제분석 자료의 동굴이 위치한 지도를 보면 이곳은 오름이 곳곳에 분포하는 것으로 보아 제주도임을 알 수 있으며, 사진에서 동굴 벽면에 용암이 흘러간 흔적을 볼 수 있다.

정답찾기 ㄱ, ㄹ. 용암 동굴은 유동성이 큰 용암이 흐르면서 공기와 접촉하는 용암의 바깥 부분은 빨리 식어 굳어버리고 아직 굳지 않은 내부의 용암이 빠져나가면서 형성된 것이다. 제주도의 만장굴, 김녕굴, 협재굴 등이 대표적인 사례이다.

오답피하기 ㄴ. 용암 동굴은 용암 표면과 내부의 냉각 속도 차이가 주 생성 요인이며, 동굴 생성에 지하수의 역할이 크게 작용하는 것은 석회 동굴이다.

ㄷ. 시멘트 공업의 원료로 이용되는 암석은 석회암인데, 용암 동굴 주변에서는 석회암을 쉽게 발견할 수 없다.

5 촌락의 변화 이해

문제분석 연령별 인구 변화를 나타낸 그래프를 통해 두 지역의 인구와 인구 구조 변화를 파악할 수 있다. 지도의 지역은 전라북도 무주군과 전라남도 해남군으로, 2015년은 1990년에 비해 인구가 많이 감소하였음을 알 수 있다. 또한 연령별 인구 변화를 보면 청장년층과 유소년층 인구 비중은 감소하고 노년층 인구 비중이 크게 증가하여 전형적인 농촌의 인구 구조를 보여 주고 있다.

정답찾기 ① (가)는 1990년에 비해 2015년에 낮아진 항목, (나)는 1990년에 비해 2015년에 높아진 항목에 해당한다. 2015년은 1990년에 비해 인구가 크게 감소하였는데, 특히 청장년층(15~64세)과 유소년층(0~14세)의 인구가 줄었다. 반면 노년층(65세 이상)의 인구는 증가하였다. 이에 따라 가구당 인구수는 감소하였으며, 노년층 인구 비중은 크게 높아졌다.

오답피하기 ② 주민의 평균 연령은 높아졌고, 농업 종사자 수는 감소하였다.

③ 주민의 평균 연령은 높아졌고, 초등학교 학생 수는 감소하였다.

④ 초등학교 학생 수는 감소하였고, 농업 종사자 수도 감소하였다.

⑤ 노년층 인구 비중은 높아졌고, 초등학교 학생 수는 감소하였다.

6 지역별 강수 분포의 특징 파악

문제분석 지도에서 ㄱ은 동해안의 장전, ㄴ은 울릉도, ㄷ은 영남 내륙의 의성, ㄹ은 남해안의 거제이다.

정답찾기 ② 연 강수량이 가장 많은 B는 거제(ㄹ)이고, 가장 적은 C는 의성(ㄷ)이다. 겨울 강수 집중률이 상대적으로 높은 D는 울릉도(ㄴ)이고, A는 북한의 최다우지인 장전(ㄱ)이다.

7 수도권 시·도별 인구 이동 특색 이해

문제분석 수도권 시·도별 인구 순 이동(전입 인구−전출 인구)은 경기(B) > 인천(A) > 서울(C) 순이다. 경기와 인천의 인구 순 이동이 양(+)의 값을 보이는 이유는 서울의 거주지 교외화 현상과 각종 기능 분산으로 인해 많은 인구가 유입하였기 때문이다. 특히 다수의 신도시가 건설된 경기는 인구 순 이동이 가장 많은 대표적인 전입 초과 지역이다. 반면에 서울은 인구의 과밀화로 인한 지가 상승, 주택난 등으로 인해 인구 순 이동이 음(−)의 값을 보이는 전출 초과 지역이다.

정답찾기 ④ ㉠은 수도권에서 차지하는 인구 비중이 1990년 57%에서 2010년 41%로 감소하였으며, ㉢은 수도권에서 차지하는 인구 비중이 1990년 33%에서 2010년 48%로 증가하였다. 서울의 인구 과밀화 현상을 해소하기 위해 1990년대 이후 서울 주변 지역에 다수의 신도시가 건설됨에 따라 서울의 인구가 경기로 이동하였다. 또한 비수도권 지역의 인구도 경기로 전입하는 현상이 나타났다. 이에 따라 1990년대 이후 수도권에서 차지하는 서울의 인구 비중은 대체로 낮아지는 경향을 보였으며, 경기의 수도권 내 인구 비중은 높아지는 추세가 나타났다. 따라서 A는 ㉡, B는 ㉢, C는 ㉠으로 연결된다.

8 지역별 제조업 발달 특색 비교

문제분석 A는 제조업 생산액이 가장 적은 지역이므로 제주권이다. B는 1999년 대비 2014년 제조업 종사자 수와 사업체 수 비중이 크게 증가한 것을 볼 때 수도권의 공업이 분산되고 있는 충청권이다. C는 D 다음으로 제조업 사업체 수와 종사자 수 비중이 높은 지역이므로 영남권이다. D는 제조업 사업체 수와 종사자 수 비중이 가장 높은 지역이므로 우리나라 최대의 종합 공업 지대를 이루고 있는 수도권이다.

정답찾기 ㄱ. A는 전국에서 제조업 사업체 수와 종사자 수 비중이 가장 낮은 지역이므로 상대적으로 1·3차 산업이 발달한 제주권이다. D는 제조업 사업체 수와 종사자 수 비중이 가장 높은 수도권이다.

ㄴ. 2014년의 경우 B는 사업체 수 비중이 약 11%, 종사자 수 비중이 약 15%이다. D는 사업체 수 비중이 약 49%, 종사자 수 비중이 약 40%이다. 따라서 B가 D보다 사업체 수 대비 종사자 수 비중이 높으므로, 사업체당 종사자 수는 B가 D보다 많다.

ㄷ. C의 영남권은 D의 수도권보다 1999년과 2014년 모두 사업체 수 비중은 낮지만 생산액이 많으므로 사업체당 생산액이 많다.

오답피하기 ㄹ. 1999년의 경우 D는 C보다 종사자 수 비중이 높지만 생산액은 적으므로 종사자당 생산액이 적다.

9 북한의 지역별 기후 특색 파악

문제분석 지도의 A는 북부 내륙에 위치한 중강진, B는 청천강 상류의 희천, C는 관서 해안의 남포, D는 강원도 동해안의 장전을 나타낸 것이다.

정답찾기 ㄴ. 기온의 연교차는 북부 내륙 지역일수록 크며, 비슷한 위도에서는 서해안 지역이 동해안 지역보다 크다. 따라서 네 지역의 기온의 연교차는 중강진(38.4℃) > 희천(32.6℃) > 남포

(29.5℃) > 장전(24.6℃) 순으로 나타난다.

ㄷ. 북한의 강수량은 원산 이남 동해안 지역과 청천강 중·상류 지역을 제외하면 대체로 적은 편이다. 특히 관북 지방과 대동강 하류 지역은 연 강수량이 매우 적은 소우지이다. 네 지역의 연 강수량은 장전(1,519mm) > 희천(1,071mm) > 남포(771mm) > 중강진(726mm) 순이다.

오답피하기 ㄱ. 연평균 기온은 저위도 지역일수록 높으며, 비슷한 위도에서는 동해안 지역이 서해안 지역보다 높다. 네 지역의 연평균 기온은 장전(12.0℃) > 남포(10.8℃) > 희천(8.7℃) > 중강진(5.5℃) 순으로 나타난다.

ㄹ. 겨울 강수 집중률은 북동 기류의 영향으로 겨울철에 많은 눈이 내리는 동해안 일대를 제외하면 대체로 낮은 편이다. 네 지역의 겨울 강수 집중률은 장전(8.9%) > 남포(5.0%) > 희천(4.5%) > 중강진(4.1%) 순이다.

10 주요 광물 자원의 생산량과 지역별 생산 비중 이해

문제분석 (가)는 총 생산량이 가장 적고, 강원권에서 대부분 생산되고 있으므로 철광석이다. (나)는 강원권과 하동, 산청 등이 위치한 영남권에서 생산 비중이 높으므로 고령토이다. (다)는 총 생산량이 많고, 강원권과 충청권에서 생산 비중이 높으므로 석회석이다.

정답찾기 ④ (가)의 철광석은 국내 생산량이 적어 오스트레일리아, 브라질 등에서 대부분 수입하고 있다. (다)의 석회석은 시멘트 공업의 원료 등으로 이용되며, 대부분 국내에서 생산된다. 따라서 자원의 해외 의존도는 (가)의 철광석이 (다)의 석회석보다 높다.

오답피하기 ① (가)의 철광석은 금속 광물에 해당하며, (나)의 고령토와 (다)의 석회석이 비금속 광물에 해당한다.

② 주로 특수강 및 합금용 원료로 이용되는 것은 텅스텐이다. 텅스텐은 과거 강원도 영월(상동)에서 생산량이 많았으나, 값싼 중국산의 수입으로 생산이 중단되었다.

③ 주로 도자기 및 내화 벽돌의 원료로 이용되는 것은 (나)의 고령토이다.

⑤ (다)의 석회석이 (가)의 철광석보다 가채 연수가 길다. 실제로 2014년 기준 석회석은 가채 연수가 106.7년, 철광석은 0.3년이다.

인용 사진 출처

영남대학교박물관 28쪽 1번(천하도)
태백시청 28쪽 2번(대관령 눈꽃 축제 포스터)
보령축제관광재단 28쪽 2번(보령 머드 축제 포스터)
구례군청 28쪽 2번(지리산 피아골 단풍 축제 포스터)
문화재청 32쪽 2번, 48쪽 4번(만장굴)
네이처코리아/게티이미지코리아 32쪽 2번(다랑쉬 오름)
엠비스톡/게티이미지코리아 38쪽 1번(마라도)
연합뉴스 38쪽 1번(독도), 38쪽 1번(백령도)

MEMO

MEMO

MEMO